D1263482

Montre-moi ton visage

Vers l'intimité avec Dieu

Ignace Larrañaga

Éditions Paulines & Médiaspaul

DU MÊME AUTEUR:

El silencio de Maria, 1976, 69 éditions.
Sube conmigo, 1978, 31 éditions.
El Hermano de Asis, 1980, 31 éditions.
Del sufrimiento a la paz, 1984, 27 éditions.
Salmos para la vida, 1985, 5 éditions.
Encuentro, 1984, 25 éditions.

L'édition originale de cet ouvrage a paru chez « Ediciones Paulinas-Cefepal », à Santiago au Chili en 1979, sous le titre *Muéstrame tu rostro.* Gisèle Pépin, ddm, en a assuré la traduction en français.

Composition et mise en page: *Les Éditions Paulines*

ISBN 2-89039-130-2

Dépôt légal — 4e trimestre 1987
Bibliothèque nationale du Québec
Bibliothèque nationale du Canada

3965, boul. Henri-Bourassa Est
Montréal, QC, H1H 1L1

Médiaspaul
8, rue Madame
75006 Paris

«Si tu ne parles pas,
certes j'endurerai ton silence;
j'en emplirai mon cœur.
J'attendrai tranquille, la tête bas penchée,
et pareil à la nuit durant sa vigile étoilée.
Le matin sûrement va venir;
la ténèbre céder,
et ta voix va s'épandre
en jaillissements d'or ruisselant
à travers le ciel.
Tes paroles alors s'essoreront en chansons
de chacun de mes nids d'oiseaux
et tes mélodies éclateront en fleurs
sur toutes les charmilles de mes forêts.»

(R. Tagore)

Traduction d'André Gide,
dans *L'Offrande lyrique*, Gallimard).

PRÉFACE

> «*Le chrétien de demain sera un mystique, c'est-à-dire quelqu'un qui aura expérimenté quelque chose, ou bien il ne sera rien*» (K. Rahner).

> «*Aujourd'hui, le monde a plus que jamais besoin d'un retour à la contemplation... Le vrai prophète de l'Église future sera celui qui viendra du 'désert' comme Moïse, Élie, le Baptiste, Paul et surtout Jésus, imprégnés de mysticisme et de cette splendeur particulière que seuls possèdent les hommes habitués à s'entretenir tête à tête avec Dieu*» (A. Hortelano).

Plusieurs chrétiens craignent que le processus de sécularisation finisse par miner les bases de la foi, et que, par conséquent, la vie d'intimité avec Dieu subisse un affaiblissement progressif qui aille jusqu'à l'extinction totale.

Mon impression personnelle est exactement opposée. La sécularisation peut équivaloir *à la nuit obscure des sens.* C'est la purification la plus radicale de l'*image* de Dieu. Comme conséquence, le croyant de l'ère sécularisée pourra vivre enfin la foi pure et nue, sans faux appuis.

L'*image* de Dieu a souvent été revêtue d'habillements divers: nos craintes et incertitudes, nos intérêts et systèmes, nos ambitions, impuissances, ignorances et limitations; pour plusieurs,

Dieu est la *solution* magique de l'impossible, l'explication de tout ce que nous ignorons, le *refuge* des vaincus et des impuissants.

La foi et la « religiosité » de plusieurs chrétiens s'appuient sur ces béquilles.

La démystification est en train de démolir ces *superstructures* et la foi, dépouillée de ces clinquants, commence à laisser paraître le vrai visage du Dieu de la Bible: un Dieu qui prétend, dérange, provoque. Il ne répond pas mais il interpelle. Il ne résout pas mais il s'oppose. Il ne facilite pas, il met des obstacles. Il n'explique pas, il provoque. Il n'engendre pas des enfants mais des adultes.

Le Dieu de la Bible est un Dieu libérateur qui nous tire de l'insécurité, de l'ignorance, de l'injustice, pas en nous les évitant mais en nous contraignant à les affronter et à les vaincre.

Dieu n'est pas le « sein maternel » qui libère les hommes des dangers et des difficultés de la vie en les aliénant. À peine les avait-il créés au paradis qu'il leur coupait rapidement le cordon ombilical, les laissait seuls dans la lutte ouverte pour la liberté et l'indépendance, et il leur disait: « Soyez féconds et prolifiques, remplissez la terre et dominez-la... » (Gn 1, 28). Le vrai Dieu n'est donc pas quelqu'un qui aliène mais celui qui rend les hommes et les peuples, adultes, mûrs et libres.

Le processus de sécularisation, insistons-nous, est donc une vraie nuit obscure de sens. Dorénavant, la foi et la vie avec Dieu seront une aventure hérissée de dangers.

L'aventure de la foi consistera à couper les ponts, à ignorer les règles du sens commun et tous les calculs de la probabilité — comme Abraham — à négliger les raisonnements, les explications, les démonstrations et à abandonner les prétextes de la raison. En ayant les mains et les pieds liés, on aura à faire le grand saut dans le vide de la nuit obscure, en s'abandonnant au *totalement Autre. Dieu seul,* dans la foi pure et obscure.

Le contemplatif du futur devra pénétrer dans les régions inexplorables du mystère de Dieu sans guide, sans soutien, sans lumière. Il expérimentera que Dieu est l'autre rive et il en mesurera la distance et la proximité; il arrivera à sentir la grandeur de Dieu, qui est un mélange de charme, de peur, d'anéantissement et de stupeur.

Il devra courir le risque de plonger dans l'océan sans fond où se cachent des pièges dangereux auxquels il ne pourra échapper sans d'abord les regarder en face et les accepter dans leurs prétentions brûlantes.

Les hommes qui reviendront de cette aventure seront des personnes ciselées par la pureté, la force et le feu. Purifiées par la présence transformante de Dieu, elles refléteront l'image vive et lumineuse du Fils. Elles seront témoins et transparence de Dieu.

* * *

De nos jours, il arrive des faits qui suscitent en nous des questions inquiétantes. Par exemple, que signifie la consommation alarmante de narcotiques, de LSD, de drogues de tout genre? Un phénomène si complexe signifie certainement évasion, aliénation, hédonisme. Cependant, au dire des psychologues, il s'agit aussi d'une forte aspiration bien qu'obscure, vers quelque chose de transcendant, de supérieur; une recherche instinctive de sensations intenses que l'on ne peut obtenir que dans les hauts stades de la contemplation.

Parlant des hippies, Harvey Cox les définissait comme des « néomystiques ». Selon l'analyse socio-psychologique de ce théologien protestant, ils désiraient offrir un exutoire à l'aspiration profonde et ancestrale de l'homme en expérimentant le sacré et le transcendant de façon immédiate.

Un autre groupe qui vivait l'expérience religieuse avec véhémence, fut le mouvement appelé « Jesus-People ». Ses nombreux adeptes, délaissant le statut de hippies, n'ayant pas trouvé ce qu'ils cherchaient dans les narcotiques, ont fait ressortir de leur frustration, par une réaction mystérieuse, la flamme d'une adhésion ardente à Jésus Christ. Leur prière était une rencontre personnelle avec Jésus, leur vie, une exaltation passionnée de Jésus, leur hédonisme était devenu une ascèse libératoire.

En Occident, des mouvements d'inspiration orientale se diffusent actuellement d'une façon impressionnante. Ce sont des personnes de toute condition qui, moyennant des méthodes psycho-somatiques (yoga, zen), tentent de vivre de fortes expériences religieuses. Elles s'exercent à la concentration des facultés intérieures pour arriver à méditer dans le recueillement absolu.

À mon avis, il s'agit d'un phénomène de substitution: puisque les chrétiens ne se préoccupent pas de promouvoir des discours sur la contemplation, nos villes sont en train de se remplir de « gourous » importés des Indes ou du Pakistan, autour desquels des milliers de jeunes se rassemblent, pour obtenir le « contact » avec le Dieu transcendant, par leur gymnastique ainsi que par des mécanismes mentaux particuliers. Certains se dédient même à l'élaboration d'une doctrine syncrétique, cherchant à harmoniser des méthodes orientales avec la théologie chrétienne*.

La « Société internationale de méditation » de l'hindou Maharishi Mahesh compte déjà de très nombreux adeptes qui s'exercent à la méditation transcendantale guidés par un « gourou ». Des milliers de jeunes, la plupart, universitaires, s'adressent à leurs « ashams » hindous, ou se renferment dans les monastères bouddhistes-zen pour s'initier et progresser dans les fortes expériences extrasensorielles et dans le contact immédiat avec le divin.

Tout cela démontre que la technologie, la société de consommation et le matérialisme ne parviennent pas à dessécher les racines profondes de l'homme d'où jaillit cette éternelle et inextinguible soif de Dieu.

* * *

Que se passe-t-il dans l'Église catholique même? Il n'est point d'évêque ou de responsable d'institut religieux ou d'association catholique qui n'invoque la restauration de l'esprit d'oraison et de l'oraison et ce, même lorsqu'il s'adresse à leurs membres. D'ailleurs, ce n'est un secret pour personne que, parmi les hommes et les femmes, la vie de foi et d'oraison est descendue à des niveaux plutôt bas ces dernières années.

---

* Aucun doute que l'approche soit problématique et en quelque point dangereuse. Toutefois, des études sérieuses ont été faites par des auteurs de compétence indubitable. Nous signalons: J.-M. Déchanet, *Yoga pour les chrétiens*, 6 éd. Éditions Paulines, 1980; A.N. Cambiaso, *Yoga, santé, personnalité*, Éditions Paulines, 1980; H.E. Lassalle, *Méditation zen et prière chrétienne*, Éditions Paulines, 1979 (N. d. É.)

Des profondeurs de ces abîmes, le mouvement en faveur de la revalorisation de la vie avec Dieu, a toutefois surgi avec une force presque sans précédent dans l'histoire de l'Église. On perçoit de toute part des signes encourageants. Les mouvements du « renouveau dans l'Esprit » se sont étendus de la Californie en Patagonie, à l'Europe, avec l'impétuosité orageuse du matin de la Pentecôte.

On expérimente mille formes, styles et méthodes pour progresser dans l'expérience de Dieu: les maisons de prière, les oasis, les déserts, les ermitages... En Algérie, dans le désert aveuglant, s'étend l'oasis du Ben-Abbès où des milliers de contemplatifs solitaires venus de toutes les parties du monde revivent l'expérience de Charles de Foucauld.

Les « thébaïdes » recommencent à se peupler, pas d'ermites mais d'hommes qui luttent dans le monde et pour le monde, et qui vont y puiser la force, en soutenant le regard de Dieu sans broncher.

Que signifie le fait que des milliers de jeunes du monde entier se retrouvent périodiquement à Taizé pour prier? Parmi eux, il y a des bohémiens et des dirigeants de syndicats, des spécialistes en haute technologie et des mineurs. Tous cherchent à expérimenter le mystère de Dieu. Le « charme » de Dieu les attire.

Cette variété impressionnante de méthodes, d'intentions, de projets et de « demeures » pour promouvoir l'expérience de Dieu dans l'Église, indique que l'Esprit est en train de susciter, aujourd'hui plus que par le passé peut-être, une aspiration irrépressible aux hauts stades de la contemplation; ... que commence une nouvelle grande marche des croyants vers les régions les plus profondes de la communication avec Dieu.

Tout nous fait pressentir que nous sommes à la veille d'une grande ère contemplative.

C'est dans ce contexte et à cause de ce contexte, et en entrevoyant le futur, que ce livre a été écrit. Nous voulons aider ceux qui veulent s'initier ou revenir au *contact avec Dieu,* ceux qui désirent pénétrer de plus en plus dans le mystère insondable du Dieu vivant.

Ignace Larrañaga

Chapitre I

RÉFLEXIONS SUR QUELQUES «CONSTANTES» DE L'ORAISON

«Voici, je me tiens à la porte et je frappe. Si quelqu'un entend ma voix et ouvre la porte, j'entrerai chez lui et je prendrai la cène avec lui et lui avec moi» (Ap 3, 20).

Lorsque nous disons ORAISON, nous voulons parler d'un contact personnel avec Dieu qui nous aime, ... d'un processus d'intersubjectivité intime et profonde *en* et *avec* le Seigneur qui s'offre à nous comme compagnon de vie.

Plus on prie, plus on désire prier

[Toute énergie vivante est expansive.] Au simple niveau humain, l'homme désire franchir des distances impossibles à atteindre; un but atteint le laisse toujours insatisfait, comme un arc tendu. Qu'est la nostalgie? La recherche interminable d'une plénitude jamais atteinte.

Au centre de la création, l'homme apparaît comme un être étrange, quelque chose qui ressemble à un «cas d'urgence»: il possède des facultés structurées pour telle ou telle fonction; mais une fois la fonction accomplie, l'objectif obtenu, il sent qu'il lui manque quelque chose. Pensons, par exemple, au désir sexuel ou à la soif de richesse: une fois les besoins satisfaits, l'homme comme tel reste « affamé » et il se lance à la recherche de nouvelles richesses et de nouvelles sensations.

Au niveau spirituel, l'homme est, d'après la pensée de saint Augustin, une flèche lancée à un univers (Dieu), vers un centre de gravité qui exerce un attrait irrésistible sur lui: plus la flèche s'approche de cet univers, plus elle acquiert de la vitesse. Plus on aime Dieu, plus on veut l'aimer. Plus on communique avec lui, plus on désire communiquer. La tension est proportionnelle à sa proximité.

Sans que nous nous en rendions compte, il existe sous nos insatisfactions un courant qui se dirige vers l'Un, l'Unique capable de diriger toutes les énergies de l'homme et d'apaiser ses aspirations.

> « *Dieu, tu es mon Dieu,*
> *je te cherche dès l'aube:*
> *mon âme a soif de toi;*
> *après toi languit ma chair,*
> *terre aride, altérée, sans eau* » (Ps 62).

* * *

Il y a la loi de *l'entraînement,* loi valable pour les sports athlétiques de même que pour les « sports » de l'esprit: plus on s'entraîne, plus on peut obtenir de meilleurs résultats. Si on me demandait tout à coup de faire une marche de 30 kilomètres, je ne pourrais pas la faire. Toutefois, si je m'entraîne chaque jour, au bout de quelques semaines, je n'aurai pas de difficulté à parcourir pareille distance avec plaisir. Comment expliquer cela? J'avais en moi des capacités athlétiques engourdies, atrophiées peut-être par manque d'exercice; mises en action, elles se réveillent et se déploient.

De même, conservons-nous dans l'âme des capacités spirituelles engourdies par manque *d'entraînement.* Dieu a déposé en nous un germe qui est un don-puissance, capable de fleurir admirablement: c'est le désir profond et filial de Dieu Père. Si ce désir est mis en action, il s'intensifiera et se rapprochera de son centre: il prendra plus de *poids,* donc, plus de vitesse.

L'expérience quotidienne nous le prouve. Une fois revenu

à la vie normale, celui qui a cherché le contact intime avec le Seigneur pendant un certain temps, se sent chaque fois, et avec une force sans cesse croissante, entraîné à rencontrer Dieu; les prières et les sacrements sont une fête parce qu'il les sent «pleins» de Dieu. Plus le *poids* de l'objet-Dieu est grand, plus nous nous sentons attirés à lui, jusqu'à ce que le monde et la vie «se peuplent» de présence du Seigneur.

La Bible le confirme. L'auteur des psaumes a soif de Dieu comme une terre aride, comme une biche qui cherche l'eau vive (Ps 41). Comme un amant, il se lève au cœur de la nuit pour «rester» avec l'Aimé (Ps 118). Jésus «prend sur son repos et sur son sommeil», il s'en va sur les collines pour «passer» la nuit avec le Père.

Surveillé par les SS, méditant sur sa mort prochaine, de la prison, Dietrich Bonhoeffer écrivait à un ami: «Le jour qu'ils m'enseveliront, je voudrais qu'ils me chantent: *Je demande une chose au Seigneur, habiter sa maison tous les jours de ma vie.*»

La loi se réalise: à une plus grande proximité correspond une plus grande vitesse, comme dans la loi physique de l'attraction des masses. L'attraction augmente avec l'augmentation du volume des masses et de leur proximité.

* * *

Rien ne vaut la description de Nikos Kazantzakis, dans son livre *Le Pauvre d'Assise,* pour nous faire comprendre la réalité de cette loi:

> «Et tandis que je réfléchissais, François d'Assise apparut à l'entrée de la grotte. Il resplendissait comme un charbon ardent. La prière avait encore dévoré sa chair et ce qu'il en restait, brillait comme une flamme.
>
> Un étrange bonheur éclairait son visage. Il me tendit la main.
>
> — Bien, frère Léon, me dit-il, es-tu disposé à écouter ce que je vais te dire?
>
> Ses yeux brillaient comme s'il eut la fièvre, je pouvais distinguer que des anges et des visions remplissaient son regard. J'eus peur. Peut-être avait-il perdu la raison?
>
> Devinant ma crainte, François s'approcha de moi:
>
> — Jusqu'à présent, on a employé plusieurs noms pour définir Dieu. Cette nuit, j'en ai découvert d'autres. Dieu est un abîme iné-

puisable, insatiable, implacable, inlassable, insatisfait... Celui qui n'a jamais dit à l'âme: *Maintenant, ça suffit!*

Il s'approcha encore et comme s'il fut transporté dans d'autres mondes, il ajouta d'une voix émue:

— *Jamais assez!* Ce n'est jamais assez, frère Léon. Voilà ce que Dieu m'a crié durant ces trois jours et ces trois nuits, là, à l'intérieur de la grotte: *Jamais assez!* L'homme misérable, fait de boue, réagit et proteste: Je n'en peux plus! Et Dieu répond: *Maintenant, tu peux.* L'homme gémit: J'éclate!

Et Dieu de répondre: *Éclate!*

La voix de François devint rauque. J'eus pitié de lui. Je craignis qu'il ne commette une bêtise.

Irrité, je répliquai:

— Et Dieu, que veut-il de toi à présent? N'as-tu pas embrassé le lépreux même si c'était répugnant?

— Ça ne suffit pas!

— N'as-tu pas quitté ta mère, Dame Pica, la femme la plus exquise du monde?

— Ça ne suffit pas!

— Ne t'es-tu pas ridiculisé en restituant tes vêtements à ton père et en restant nu devant les gens?

— Ça ne suffit pas!

— Mais... n'es-tu pas l'homme le plus pauvre du monde?

— Ça ne suffit pas!

— Ça ne suffit pas! Frère Léon, n'oublie pas: Dieu est *'ça ne suffit jamais'*. »

Si nous voulons être sincères et si nous considérons sans broncher notre histoire personnelle avec Dieu, nous constatons avoir expérimenté nous aussi que Dieu est un précipice qui attire, et il attire dans la mesure où nous nous approchons davantage.

« Vous, Trinité éternelle, vous êtes une mer sans fond où plus je plonge, plus je vous trouve, et plus je vous trouve, plus je vous cherche encore. De vous, jamais on ne peut dire: c'est assez! L'âme qui se rassasie dans vos profondeurs vous désire sans cesse, parce que toujours elle est affamée de vous, Trinité éternelle; toujours elle souhaite de voir votre lumière dans votre lumière. »

(...)

« Ô abîme, ô Divinité éternelle! Océan sans fond! Eh! pouvez-vous me donner davantage que de vous donner vous-mêmes? Vous êtes le feu qui brûle toujours et ne s'éteint jamais. Vous êtes le feu qui consume en lui-même tout amour-propre de l'âme; Vous êtes la lumière au-dessus de toute lumière. »

(...)

« Vous êtes le vêtement qui couvre toute nudité, la nourriture qui réjouit par sa douceur, tous ceux qui ont faim. »
(...)

« Revêtez-moi, Vérité éternelle, revêtez-moi de vous-même, pour que je passe cette vie mortelle dans la véritable obéissance et dans la lumière de la foi très sainte, dont vous avez à nouveau enivré mon âme » (Sainte Catherine de Sienne, *Le dialogue*).

Moins on prie, moins on désire prier

Il existe en médecine, une maladie appelée *inanition.* Elle est particulièrement dangereuse car elle n'a pas de symptômes spectaculaires, la mort arrive silencieusement, sans souffrances. Elle consiste en ceci: moins on mange, moins on a envie de manger; moins on a envie de manger, moins on se nourrit et voilà l'inanition aiguë. Ainsi s'ouvre et se termine un cercle, le cercle de la mort. Le même cycle se répète dans la vie intérieure. On commence par abandonner l'oraison pour des raisons valables ou apparemment valables. Au lieu de se diriger de l'Un vers le multiple, l'homme, en tant que *porteur de Dieu,* se laisse envelopper, renfermer et retenir par le multiple, comblant ainsi son intérieur de froideur et de dispersion.

C'est ainsi qu'une sorte de lente nuit surgit dans l'esprit avec la difficulté de remonter à l'Un et Unique. Plus la dispersion intérieure est grande, plus on trouve des motifs pour abandonner le contact avec Dieu. Plus on se rapproche de la multiplicité dispersive (personnes, événements, sensations fortes) moins on éprouve le désir de Dieu; la faim de Dieu diminue à mesure qu'augmente la difficulté de « rester » agréablement avec lui. Nous voilà dans la spirale.

Cette spirale avance sur une véritable pente: tandis que nous nous détachons du « tout Autre », nous sommes *pris* par les « autres ». C'est-à-dire que: tandis que le monde et les hommes nous réclament et semblent combler le sens de la vie, Dieu devient une parole de plus en plus vide de signification, jusqu'à ce qu'elle finisse par devenir quelque chose de vieux et d'inutile qu'on tient en main, qu'on regarde, qu'on tourne et retourne pour conclure: « À quoi ça sert? *Maintenant,* ça ne sert plus! » Le cercle se ferme; c'est le stade aigu de l'inanition; nous voilà sur la ligne finale de la mort, de la *mort de Dieu* dans notre vie.

* * *

Il y a aussi l'*atrophie* qui consiste en une réduction des tissus organiques jusqu'à l'immobilité à travers laquelle la mort arrive encore plus silencieusement.

La vie est explosion, expansion, adaptation, en un mot, *mouvement.* Pas un mouvement mécanique mais un dynamisme intérieur. Si cette tension dynamique est étouffée ou relâchée, on cesse automatiquement de vivre. Il n'est pas nécessaire d'avoir besoin d'agent extérieur et mortel pour provoquer un désastre. L'être vivant cesse d'être *vivant* du moment qu'il cesse d'être *mouvement.*

C'est la même chose pour la vie intérieure. La grâce est essentiellement *vie* et elle donne à l'âme la faculté de réagir dynamiquement, d'aller à Dieu, de le connaître directement comme il se connaît, de l'aimer comme il s'aime. En un mot, cette grâce-vie établit entre Dieu et l'âme un courant dynamique, une correspondance réciproque de connaissance et d'amour.

Cette grâce est un don-puissance qui prend de l'expansion et joue le rôle d'un ferment. Elle ressemble au levain évangélique qu'une femme prend et met dans trois mesures de farine pour que toute la masse lève. Une fois qu'elle a pénétré la nature humaine, cette grâce, pour être vivante, conquiert de nouvelles zones dans notre esprit, elle pénètre progressivement les facultés, domine les tendances égoïstes et les soumet à la volonté divine jusqu'à ce que l'être entier appartienne totalement à l'Unique et Absolu. Voilà la courte histoire du don-puissance déposé au fond de l'âme.

Mais si cette grâce cesse de *se mouvoir,* elle cesse également de vivre. Si cette vie ne devient pas une marche ascendante et répandue, elle s'éteint bien vite, atteinte d'atrophie. La *sclérose* existe même dans la vie de l'esprit. Si les « tissus » des facultés intérieures ne sont pas soumis à l'exercice, l'endurcissement et la rigidité surviennent rapidement. Si l'on prie peu, on éprouve de la difficulté à prier, comme si les facultés intérieures s'endurcissaient. En constatant ceci, on a tendance à abandonner l'oraison pour la loi du moindre effort. Le grand don-puissance est simplement « refoulé », sa vitalité prend le sentier de l'inaction, de l'immobilité et de la mort.

J'ai l'impression que parmi les chrétiens, il y en a plusieurs qui ont eu un *fort appel* à une vie profonde avec Dieu, et que cet *appel* est en train de languir à cause d'une histoire trop souvent répétée: ils ont cessé de prier, ils ont abandonné les pratiques de piété, ils ont sous-estimé les sacrements, ils ont négligé l'oraison personnelle, ils ont dit qu'il importe de chercher Dieu dans l'homme; ainsi, pour chercher Dieu, ils ont abandonné Dieu... J'ai connu des personnes pour lesquelles j'éprouve présentement de la tristesse: elles avaient autrefois une attraction peu commune pour le Seigneur. Bien cultivée, elle aurait pu donner un grand élan à leur vie; toutefois, aujourd'hui, elles sont froides et — pourquoi ne pas le dire? — tristes.

Effectivement, une sorte de frustration les domine et elles ne savent pas expliquer le pourquoi. Pour moi, l'explication est très claire: là, au plus intime de leur être, dans le subconscient, elles sont en train d'étouffer à *l'appel* fort *donné* à certains et à d'autres non. Une vie qui aurait pu s'épanouir pleinement est restée une simple possibilité.

Plus on prie, « plus » Dieu est en nous

Dieu ne change pas. Il est « définitivement plein » et par conséquent immuable. Il est inaltérablement présent en nous et il ne présente pas différents degrés de participation. Ce qui change au contraire, ce sont nos relations avec lui, selon le degré de foi et d'amour. L'oraison rend ces relations plus denses, il se produit une pénétration plus intime du je-tu à travers l'expérience affective et la connaissance de jouissance, et la ressemblance et l'union avec lui deviennent chaque jour de plus en plus profondes.

C'est comme lorsqu'on allume une lampe dans une chambre obscure. Plus la lampe est lumineuse, mieux l'on saisit l'aspect de la chambre qui devient « plus présente » tout en restant toujours la même.

N'importe qui peut expérimenter que, plus l'oraison est profonde, plus Dieu *est* proche, présent, connu et vivant. Et plus la gloire du visage du Seigneur brille sur nous (cf. Ps 30), plus les événements prennent un sens nouveau (cf. Ps 35) et l'histoire reste « habitée » par Dieu; en un mot, le Seigneur *donne signe*

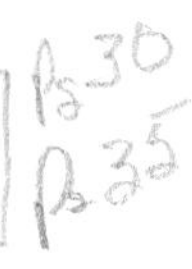

de vie et il est présent en tout. Ce n'est pas un jeu du hasard; il est un timonier expérimenté qui guide les événements d'une main sûre.

Lorsqu'on a «été» avec Dieu, il devient chaque fois plus «quelqu'un» avec qui et pour qui on surmonte les difficultés, on sait vaincre les répugnances — et tout devient douceur — on assume sereinement les sacrifices, l'amour naît partout. Plus «on vit» Dieu, plus on y gagne à rester avec lui; et plus on «reste» avec Dieu, Dieu est chaque fois plus Quelqu'un. Le cercle de la vie s'ouvre.

Dans la mesure où le contemplatif pénètre les mystères de Dieu, Dieu cesse d'être une idée pour devenir *transparence.* Il commence à être liberté, humilité, joie, amour. Il se transforme successivement en force irrésistible et révolutionnaire qui arrache toutes les vieilles choses de leur place: il met la suavité où il y avait la violence; la charité où il y avait l'égoïsme; il change complètement la «face» de l'homme.

Si l'âme contemplative continue à avancer par les voies obscures du mystère de Dieu, des forces inconnues jaillies de l'amour la poussent vers le Dieu vivant, au long d'un chemin où Dieu devient de plus en plus le tout, l'unique, l'absolu. L'homme est pris et entraîné comme dans un tourbillon tandis qu'il se purifie et que les scories de l'égoïsme sont brûlées par le feu... Dieu finit par transformer l'homme contemplatif en une «lampe qu'on allume et qui brille» (Jn 5, 35). Pensons à Élie, à Jean le Baptiste, à François d'Assise, à Charles de Foucauld...

* * *

Nous ne pouvons dire: *ceci* n'est pas pour moi. Tout dépend de la hauteur, mieux, de la profondeur de la contemplation où nous nous plongeons. Les prophètes ne furent pas des hommes exceptionnels par naissance ou par sort, mais parce qu'ils se sont donnés sans conditions et qu'ils se sont laissés entraîner de plus en plus profondément. Bien qu'il soit vrai que le fait de se donner exigea d'eux une haute tension intérieure, le sculpteur de ces figures fut Dieu lui-même. Nous ne devons pas considérer seulement le temps passé. De nos jours aussi, et parmi nous, il y a des personnes qui sont une vive transparence de Dieu.

Mais le processus n'est pas encore terminé. Dans la mesure où le contemplatif se laisse *prendre,* Dieu assume en lui la fonction de bien qu'ont toutes les réalités humaines et il tend à se transformer en « tout bien »: pour cette âme, Dieu « vaut » autant qu'une épouse affectueuse, un bon frère, un père plein de sollicitude, une usine de mille hectares, un palais fantastique (cf. Mt 12, 46-50; Lc 8, 19-21; Mc 3, 31-35). En un mot, Dieu devient la récompense, le festin, le banquet (cf. Ez 19, 5; Jr 24, 7; Ez 37, 27). « Tu es mon Dieu! Je n'ai pas d'autre bonheur que toi » (Ps 15). « Heureux le peuple qui connaît l'ovation! Seigneur, il marche à la lumière de ta face; tout le jour, à ton nom il danse de joie, fier de ton juste pouvoir » (Ps 88).

C'est ce qu'exprime admirablement le psalmiste lorsqu'il dit: « Tu mets dans mon cœur plus de joie que toutes leurs vendanges et leurs moissons » (Ps 4). Le vin et le froment symbolisent toutes les récompenses, les émotions et les joies qui inondent le cœur humain. À l'âme contemplative qui a goûté et vu « comme est bon le Seigneur » (Ps 33), Dieu fera goûter un vin enivrant, plus savoureux que tous les fruits de la terre.

François d'Assise, l'homme le plus pauvre du monde l'expérimenta bien. Il passait des nuits entières sous les étoiles et il éprouvait une sensation de plénitude en s'exclamant: « Mon Dieu et mon tout. » Il ressentait quelque chose que ni les jouisseurs, ni les personnes favorisées, ni personne au monde ne saurait imaginer. C'est comme si l'on disait:

« Tu m'apprends le chemin de la vie:
devant ta face, débordement de joie!
À ta droite, éternité de délices! » (Ps 15)

Moins on prie, « moins » Dieu est en nous

Moins on prie, plus Dieu se dissout en vague éloignement. Il se change en « idée » exsangue et sans vie. On ne désire pas *rester, avoir contact, vivre* avec une idée; ce n'est même pas un stimulant pour lutter et se dépasser. Et c'est ainsi que Dieu cesse peu à peu d'être Quelqu'un pour se diluer en entité abstraite et absente.

Une fois que nous sommes entrés dans cette spirale, Dieu

cesse lentement d'être récompense, allégresse, joie... et il « compte » de moins en moins. La crise est proche. On n'a plus recours à Dieu parce qu'il est désormais une parole qui « dit » peu; on a recours aux moyens psychologiques ou bien on se laisse simplement emporter par la crise.

Tandis que cette désagrégation se produit, tout l'« édifice » humain est attaqué par le serpent aux mille têtes qu'est l'égoïsme; les appétits du vieil homme renaissent et réclament satisfaction. Pourquoi tout cela? Parce que lorsque le centre de gravité d'une vie vient à manquer et qu'en même temps, des vides énormes se créent au fond de l'être, les compensations humaines réapparaissent comme des mécanismes de défense selon la loi de l'équilibre. Et dans quel but? Pour combler les vides et étayer l'édifice; et l'édifice s'appelle *sens de la vie* ou même *projet d'existence.*

Moins on prie, moins Dieu a de sens; et moins Dieu a de sens, moins on a recours à lui. Nous voilà pris dans la spirale de la mort.

Lorsqu'on néglige la prière,
Dieu finit par « mourir »

Si l'on néglige la prière longtemps, Dieu finit par « mourir »: pas en lui-même parce qu'il est le Vivant, Éternel et Immortel, par essence, mais au cœur de l'homme. Dieu « meurt » comme une plante séchée qu'on a oublié d'arroser.

Une fois abandonnée la source de la *vie,* on arrive rapidement à l'*athéisme* vital. Ceux qui parviennent à ce stade ne se sont peut-être jamais posé le problème intellectuel de l'existence de Dieu. Peut-être continuent-ils à soutenir — et ils sont même persuadés — que l'hypothèse-Dieu a encore de la validité, mais de fait, ils règlent leur vie comme si Dieu n'existait pas. C'est comme si l'on disait: Dieu n'est plus la réalité prochaine, concrète et entraînante. Il n'est plus la force pascale qui les *arrache* des replis de leur égoïsme pour les lancer, en un perpétuel « exode » vers un monde de liberté, d'humilité, d'amour et d'engagement. Le signe sans équivoque de l'agonie de Dieu en eux est surtout que le Seigneur ne suscite plus de gaieté dans leur cœur.

Il arrive parfois que le vide de Dieu leur pèse comme un cadavre. Ils s'essoufflent donc comme jamais à discuter, à questionner, à dialoguer sur l'oraison, sa nature et sa nécessité. Ce peut être un bon signe. Ça pourrait également signifier que l'ombre de Dieu ne les laisse pas en paix.

Avec une joyeuse superficialité, ces individus s'écartent jusqu'à l'infini dans les débats religieux, sur les nouvelles formes d'oraison: ils affirment que le concept de Dieu doit être « purifié de son mythe »; que l'oraison personnelle est du temps perdu, un résidu égoïste et aliénant; que nous vivons des temps sécularisés où l'élément religieux est définitivement périmé; que les formes classiques d'oraison sont des élucubrations subjectives, ainsi de suite. En un mot, l'oraison devient un problème, elle s'intellectualise. Mauvais signe.

L'oraison est *vie,* et la vie est simple — bien que pas facile —, cohérente. Lorsque l'oraison cesse d'être vie, on la convertit en grande complication. On formule des questions du genre: comment devons-nous prier « aujourd'hui »? C'est une question qui n'a pas de sens. Est-ce qu'on se demande « comment devons-nous aimer » à notre époque? On aime et on prie comme il y a quatre mille ans. Les faits de la vie ont leurs racines dans la substance immuable de l'homme.

Lorsqu'on crée cette situation existentielle, on déchaîne rapidement une inversion de valeurs et un déplacement de plans. On proclame de partout: Dieu, il ne faut pas le chercher sur la montagne; il ne faut pas le chercher « en esprit et vérité » mais plutôt dans le fracas des foules affamées; *le salut de mon âme* n'existe pas; ce qui existe, c'est la libération de l'homme de l'exploitation et de la misère; il est nécessaire de surmonter la dichotomie entre oraison et vie, entre travail et oraison... « Théologies » frivoles qui précipitent devant la première flèche lancée par l'authenticité.

Lorsque la « crise de Dieu » se produit, on commence à tout comptabiliser avec les critères de l'*utilité.* Mais la Bible nous rappelle que Dieu est bien au-delà des catégories de l'utile ou de l'inutile. Les Écritures affirment une seule chose: que *Dieu est.* Dieu choisit un peuple dont le destin final était de proclamer au monde entier que *Dieu est.* Et le peuple « servit » seulement à l'adorer, à lui rendre grâce, à le louer, à être son témoin.

Si nous oublions ce destin « inutile » du peuple de Dieu, nous marcherons en divaguant.

* * *

Lorsque le vide de Dieu se produit chez un chrétien parce qu'il a abandonné l'oraison, il éprouve le besoin d'autoaffirmation qui le fait se dédier à des activités de tous genres (politiques, sociales, culturelles, etc.). Il se justifiera par de belles « théologies » mais en réalité, il cherche à donner un sens à sa vie, à combler un vide intérieur avec quelque chose qui s'accroche certainement à la Bible.

Ce n'est pas le cas de tous mais de plusieurs. On ne parle plus de vie éternelle, de l'âme, de Dieu, mais d'exploitation et d'injustice sociale. C'est un phénomène amplement constaté qu'il y a parmi eux un grand nombre de prêtres qui finissent ensuite par se séculariser. Ils ne manqueront pas de dire qu'ils ont accompli ce pas pour se réaliser comme hommes et comme chrétiens. Prétextes ! S'ils ont été incapables d'aimer « ici », ils continueront « là » à être également inadaptés et ils ne trouveront pas le centre de gravité.

Je ne nie pas que le contact avec Dieu puisse porter à l'évasion de la réalité; mais ce livre voudrait démontrer que les vrais libérateurs et les grands engagés de la Bible furent des hommes capables de résister au regard de Dieu dans le silence et dans la solitude. Et sûrement pas un Dieu qui satisfasse mais un Dieu incommode, qui pousse *l'adorateur,* le long de la pente de la patience et de l'humilité, dans l'aventure de la grande libération des peuples. Si la contemplation n'obtient pas ces effets, elle est tout sauf de l'oraison. Évasion et oraison sont des termes qui s'excluent.

* * *

Qu'en sera-t-il de la vie d'un chrétien chez qui Dieu est absent ?

Il continuera sûrement à parler « de » Dieu, il sera cependant incapable de parler « avec » Dieu. Ses paroles seront des sons de cloche: elles font du bruit mais elles n'offrent rien, ni message, ni vie, ni feu. Les croyants ne verront jamais la splendeur de Dieu sur son front (cf. Ex 34, 29). Ils diront: nous cherchions un prophète et nous avons rencontré un professionnel. Les affamés et les assoiffés de Dieu qui s'approcheront de lui s'apercevront qu'ils sont tombés dans une source tarie. Il ne ressuscitera pas de morts, ne guérira pas de malades... décidément, il n'est pas un « envoyé ».

Celui qui n'a pas pris Dieu au sérieux ne prendra rien au sérieux; au fond, il restera toujours un frivole. Personne ne sera important pour lui; ni le pauvre, ni le malade, ni l'exploité, ni l'ami. Lui seul comptera pour lui-même. Ce sera plus commode et moins engageant pour lui de conformer les autres à lui qu'à ce Quelqu'un qui nous contraint à le rencontrer et qui met à découvert tout ce que nous avons, faisons et sommes.

Dans un groupe de personnes religieuses, lorsqu'on analyse les causes de la crise de l'oraison, c'est la convergence presque constante sur un point: *la crainte de Dieu,* qui frappe mon attention. Dans quel sens? Plus ou moins comme suit: si je prends Dieu au sérieux, ma vie doit changer. Dieu me défiera de ne pas confondre le charisme avec le caprice, à m'ouvrir au frère qui ne me comprend pas bien, à en finir avec les passe-temps inutiles, à accepter les responsabilités, à rompre avec certaines amitiés; de plus, moins de mondanités, plus de pénitence et plus d'obéissance. Bref, on me demande de devenir un arc tendu. Dieu est quelque chose de sérieux. Mieux vaut faire semblant d'être distrait à son égard... et nous voilà dans la frivolité.

* * *

Sans Dieu, la vie ressemble à une fleur qui s'effeuille. Tout perd sa signification et devient la terrible situation décrite par Nietzsche dans *Ainsi parlait Zarathoustra*:

> « N'avez-vous pas entendu parler de cet homme fou qui alluma une lanterne en plein jour, courut au marché en continuant à crier: 'Je cherche Dieu, je cherche Dieu'? Puisqu'un grand nombre de ceux qui ne croyaient pas en Dieu se trouvaient réunis là, il fut reçu par de grands éclats de rire. Un dit: 'Est-ce celui qui s'est perdu?' Un autre répondit: 'Il s'est perdu comme un enfant.' D'autres raillèrent: 'Se cache-t-il? A-t-il peur de nous? S'est-il embarqué? A-t-il émigré?' Ainsi, tous riaient et se moquaient de lui. »

« Le fou les affronta et son regard les transperça. Il criait: 'Où Dieu s'en est-il allé? Je vous le dis. Nous l'avons tué, vous et moi. Nous sommes tous ses assassins. C'est bon pour lui; mais réfléchissons: qu'avons-nous fait? Comment avons-nous fait pour rompre les liens qui unissent cette terre au ciel? Et nous, alors, où allons-nous? Ne sommes-nous pas en train de dégringoler de tous les côtés, dans toutes les directions? Le ciel et la terre existent-ils encore? N'allons-nous pas errant à travers un rien infini? Ne sentons-nous pas le souffle du vide? Ne sentons-nous pas un froid terrible? Est-ce qu'il ne fait pas toujours noir et de plus en plus noir? N'est-ce pas vrai que nous sommes contraints à allumer des lanternes en plein jour? »

« Le fou s'en alla ailleurs et regarda une autre fois ses auditeurs. Eux aussi se taisaient et le regardaient l'air égaré. »

Nous avons laissé « mourir » Dieu, et les monstres naissent: l'absurde, la nausée, l'angoisse, la solitude, le rien... Comme Simone de Beauvoir dit: en supprimant Dieu, nous sommes restés privés de l'unique interlocuteur qui comptait réellement; et Sartre: la vie devient une « passion inutile », un éclair absurde entre deux éternités obscures.

Je ne peux m'empêcher de me poser souvent la question: quelle sera la fin de ceux qui vivent encore comme si Dieu n'existe pas? Au moment décisif de donner une signification à la vie, lorsqu'on s'aperçoit n'avoir plus d'espérance, n'avoir plus que quelques semaines de vie, qui appeler? à qui offrir l'holocauste? à qui se soumettre? à quoi s'accrocher? Il n'y aura pas de points d'appui.

Chapitre II

COMMENT NOUS VERRONS L'INVISIBLE

« *Par la foi, il (Moïse) quitta l'Égypte sans craindre la colère du roi et, en homme qui voit celui qui est invisible, il tint ferme* » (He 11, 27).

Dans le monde entier, on effectue ces dernières années des sondages, des enquêtes et des évaluations à caractère religieux sur l'état de l'oraison. On parle de crise et d'abandon de l'oraison, des difficultés d'entrer en communication avec le Dieu transcendant.

Toutefois, dans cette évolution générale, on est en train de tirer, avec une rare unanimité, la conclusion que la décadence de l'oraison dérive d'une profonde crise de foi. On fait le point du fait que le centre de la crise n'est pas tant la spéculation intellectuelle de la foi que la conscience de la vivre. Il s'agit donc d'une crise existentielle de la foi. Les enquêtes les plus sérieuses arrivent à la conclusion que l'on ne doit pas insister sur le problème des formes de l'oraison. La crise fondamentale ne consiste pas en *comment* s'exprimer dans l'oraison mais en *quoi* exprimer.

Dans notre recherche, suivant l'intention pratique que nous nous sommes proposée, nous voulons nous préoccuper seulement de *l'acte vital de la foi* qui, dans la Bible, est toujours *adhésion et confiance inconditionnée en Dieu.* Nous analyserons aussi les difficultés qu'un tel acte comporte, spécialement lorsque surviennent le silence de Dieu et les découragements qui menacent la vie de foi. Ces difficultés, normales et inévitables pour qui cherche à vivre « en » Dieu, augmentent aujourd'hui à cause de certains courants idéologiques que nous analyserons par la suite.

Nos réflexions nous permettront d'avancer sensiblement dans notre engagement à explorer le *mystère de l'oraison,* puisque cette dernière n'est rien d'autre qu'une *mise en mouvement* de la foi même. Enfin, nous chercherons à découvrir des moyens qui pourront nous aider à surmonter les vides et les situations difficiles, tout en sachant qu'il n'existe pas de recettes infaillibles.

1.

LE DRAME DE LA FOI

Si nous contemplons, dans la Bible, le cheminement du peuple vers Dieu dans l'approfondissement, l'éclaircissement et la purification de sa foi, nous constatons avec évidence comme elle est longue et difficile la voie qui conduit au mystère de Dieu: la voie de la foi. Non seulement pour Israël mais également et surtout pour nous. Chaque jour, nous voyons l'abattement, l'inconstance et les crises nous attendre à tous les coins. Et cela, sans oublier que la foi en elle-même est obscurité et incertitude. Nous parlons donc de *drame*.

Par conséquent, en pénétrant cet authentique tunnel obscur, nous devons nous rappeler l'invitation courageuse de Jésus: « Efforcez-vous d'entrer par la porte étroite... » (Lc 13, 24).

L'épreuve du désert

Les textes du Concile Vatican II nous invitent à plusieurs reprises, à prendre conscience que vivre la foi, c'est comme une pérégrination (LG 2, 8, 65), le plus souvent en rappelant la traversée d'Israël dans le désert. Cette marche constitue, certes, l'épreuve du feu pour la foi d'Israël en son Dieu. Toutefois, si la foi du peuple en son Dieu sortit de cette épreuve, fortifiée, la longue marche fut pleine d'adoration et de blasphèmes, de révoltes et de soumission, de fidélité et de désertions, d'acclamations et de protestations.

Tout cela symbolise réellement nos relations avec Dieu tandis que nous sommes « en marche »; c'est surtout le symbole des hésitations et des perplexités que chaque âme subit dans sa montée vers Dieu, spécialement dans sa vie de foi. Peu de personnes, aucune peut-être n'est restée exempte de pareils manquements. La Bible nous en donne une preuve indubitable.

* * *

Au moment opportun, Dieu fit irruption dans la scène de l'histoire humaine. Il entra pour blesser, libérer, rendre égaux. Ami de Dieu et conducteur des hommes, Moïse affronte le pharaon, réunit le peuple dispersé et le met en marche vers le pays de la liberté.

Avec le départ d'Égypte, la grande marche de la foi commence vers la clarté totale. Mais dès les premiers pas, l'incertitude commence à s'enrouler comme un serpent autour du cœur du peuple. Le doute monte à la gorge en un cri: « L'Égypte manquait-elle de tombeaux que tu nous aies emmenés mourir au désert? Que nous as-tu fait là, en nous faisant sortir d'Égypte? Ne te l'avions-nous pas dit en Égypte: 'Laisse-nous servir les Égyptiens! Mieux vaut, pour nous, servir les Égyptiens que mourir au désert.' » (Ex 14, 11-12). On préfère la sécurité à la liberté. Au milieu de la confusion, seul Moïse garde la foi vivante: n'ayez pas peur, Dieu fera resplendir sa puissance (cf. Ex 14, 17); Dieu combattra pour nous et avec nous.

À ces mots, le peuple rallume sa foi et il contemple de ses yeux des phénomènes jamais vus. Aussitôt le vent impétueux du sud commença à souffler, il fendit les eaux et les divisa en deux grandes masses. Et le peuple passa entre les deux murailles d'eau qui se renversèrent sur les Égyptiens. À la vue de pareil spectacle le peuple « mit sa foi dans le Seigneur et en Moïse son serviteur » (Ex 14, 31) et il entonna un chant triomphal (cf. Ex 15, 1-21). Cependant, une fois de plus, ils avaient eu besoin d'un « signe » pour récupérer la foi: « Bienheureux ceux qui, sans avoir vu, ont cru! » (Jn 20, 29).

La marche dure trois jours, le peuple pénètre dans le désert de Shour où sa foi est de nouveau mise à l'épreuve. Le silence de la terre et parfois le silence de Dieu envahissent les âmes, tous ont peur. Les provisions sont épuisées. Que mangerons-nous? Et comme des oiseaux rapaces, le découragement, la nostalgie, la révolte s'abattent sur le peuple. « Ah ! si nous étions morts de la main du Seigneur au pays d'Égypte, quand nous étions assis près du chaudron de viande, quand nous mangions du pain à satiété ! Vous nous avez fait sortir dans ce désert pour laisser mourir de faim toute cette assemblée » (Ex 16, 3).

Le peuple succombe définitivement à la tentation de la nostalgie et il commence à se plaindre: « Qui nous donnera de la viande à manger ? Nous nous rappelons le poisson que nous mangions pour rien en Égypte, les concombres, les pastèques, les poireaux, les oignons, l'ail » (Nb 11, 4-5).

Moïse dont la foi restait inébranlable parce qu'il s'entretenait chaque jour avec Dieu « comme un ami », leur dit: Moi, je n'ai rien à voir avec vos murmures, ce sont des plaintes contre Dieu; mais je vous assure que « demain matin vous verrez la Gloire du Seigneur » (Ex 16, 7) et que vos protestations se réduiront à de ridicules rumeurs. Le jour suivant, dans l'après-midi, un vol de cailles monta et recouvrit le champ et un autre jour, apparut sur la terre quelque chose de semblable à la rosée de laquelle le peuple put se rassasier tous les matins (cf. Ex 16, 13-16).

La marche continua. Le peuple avança vers Cadès sous un soleil de feu, sur une mer de sable ardent. À mesure qu'il avançait, le découragement et le doute vinrent encore troubler les âmes. La tentation était forte de s'arrêter, d'abandonner la marche et de revenir aux commodités passées, même à l'état d'esclavage: « Pourquoi donc, nous as-tu fait monter d'Égypte ? Pour me laisser mourir de soif, moi, mes fils et mes troupeaux ? » (Ex 17, 3).

C'est le moment où un doute aigu annule le souvenir de beaucoup de miracles, ronge les fondements de leur foi et s'exprime par la terrible question: « *Le Seigneur est-il au milieu de nous, oui ou non ?* » (Ex 17, 7). Le doute a atteint son sommet. C'est pourquoi ce lieu s'appelle *Massa* (épreuve) et *Mériba* (protestation) « à cause de la protestation des fils d'Israël et parce qu'ils mirent le Seigneur à l'épreuve » (Ex 17, 7) durant la marche vers Canaan.

Ils sont peu nombreux les hommes de Dieu qui n'aient subi de dures épreuves.

Nouvelles épreuves en de nouveaux déserts

Si la voie de la foi a toujours été âpre et difficile, de nos jours les difficultés ont augmenté. L'Église est en train de traverser un nouveau désert. Les menaces qui planent sur les pèlerins sont les mêmes que par les années passées: découragements à cause des éclipses de Dieu, apparition de nouveaux « dieux » qui prétendent à l'adoration, et tentation d'interrompre la dure marche de la foi pour revenir à « l'Égypte fertile » et confortable.

Difficultés intellectuelles

L'homme a vécu des milliers d'années sous la tyrannie des forces aveugles de la nature en les divinisant. Pour contrôler ces forces divinisées, l'homme eut recours aux rites magiques. Bien que la Bible opère une purification de ces idées, de ces coutumes et de ces mœurs magiques, de ce monde enchanté, il reste au fond de notre être des souvenirs dont plusieurs ont été attribués au Dieu de la Bible.

Le développement technique a vaincu presque toutes ces convictions, ces coutumes et ces mœurs; la science explique en termes naturels ce que l'on faisait auparavant remonter à des divinités mythiques ou que l'on considérait comme attribut de Dieu. Un autre danger naît ainsi: confondre le magique avec le surnaturel, raser aveuglément l'un et l'autre sans séparer convenablement le bon grain de la zizanie, avec la conviction que tout ce qui n'est pas science et technologie, ou bien n'existe pas, ou bien n'est que projection de nos impuissances et de nos peurs.

* * *

Effectivement, plusieurs phénomènes naturels s'expliquaient encore récemment en les rapportant à Dieu. À présent, parce que nous pouvons expliquer les phénomènes naturels avec les méthodes scientifiques, nous sommes imperceptiblement en train de mettre Dieu de côté. Dans la mesure où notre intelligence abandonne les « raisons » surnaturelles, dans la même mesure, notre vie consciente se vide graduellement de la présence de Dieu. Plusieurs le sentent et les autres le disent ouvertement: la science finira par expliquer tout l'explicable et Dieu sera désormais une « hypothèse » inutile.

Ni la technologie ni les sciences sociopsychologiques ne réussiront toutefois à donner la réponse précise au problème fondamental et unique de l'homme: *le sens de la vie.* Ce n'est que lorsque l'homme tombe sur son mystère personnel, lorsqu'il expérimente, jusqu'à en avoir le vertige, l'étrangeté de « rester ici », d'être au monde comme conscience et comme personne, alors seulement, affronte-t-il les questions centrales: qui suis-je? quelle est la raison de mon existence? de quelle source ai-je jailli? y a-t-il un avenir pour moi et lequel?

De nos jours, on ne fait plus de campagnes contre Dieu à base d'arguments et de passion. On fait simplement abstraction de lui, on l'abandonne comme un objet qui ne sert plus. C'est un *athéisme pratique* plus dangereux que le systématique parce que, par l'indifférence, il rend les réflexes mentaux et les mouvements de la vie stériles.

* * *

Notre connaissance théologique ne semble pas en mesure de résister à la vision cosmique et anthropologique que les sciences nous donnent. Les recherches sur l'origine du monde et de l'homme sont très loin des données des Écritures, bien qu'on affirme aujourd'hui que la Bible ne prétend pas donner d'explications scientifiques.

Nous ne pouvons pas ne pas sentir le contraste entre notre difficulté d'exprimer adéquatement le mystère de Dieu par des signes et des symboles et les formules limpides et évidentes des sciences. La clarté des méthodes scientifiques d'investigation, en contraste avec nos méthodes inductives-déductives, ainsi que les procédés analogiques pour connaître Dieu nous déconcerte.

Si nous avons mûri une foi personnelle et cohérente avec les découvertes scientifiques, voilà que se produit la « sécularisation » qui est sans doute un processus purificateur de *l'image* de Dieu. Mais plusieurs ne parviennent pas à distinguer les frontières de cette évolution convenable en soi et nécessaire, et ils passent au terrain de la « sécularité » pour finir dans le « sécularisme » profane où la foi en Dieu agonise jusqu'à mourir. « Tout ceci est en train de donner naissance à une idéologie radicale et exclusive qui n'admet que le siècle, le monde, le profane » (C. Koser).

Comme conséquences de pareilles idées et de tels faits, voilà que surgit l'« horizontalisme », idéologie qui débilite la foi et qui problématise nos engagements solennels avec Dieu. Elle affirme que n'importe quel effort appliqué à ce qui n'appartient pas à ce monde est « aliénation »: la vie avec Dieu, du temps perdu; tout « entretien » religieux, de l'énergie dissipée; le célibat, absurde et préjudiciable; l'unique activité efficace, la promotion humaine; l'unique péché, l'aliénation.

* * *

Ce climat pénètre l'âme de ceux qu'une foi inconditionnée liait jadis à Dieu par une forte alliance.

J'ai l'impression que le nouveau peuple de Dieu s'est enlisé une autre fois dans « Massa et Mériba » par une foi descendue au plus bas niveau. C'est pourquoi, entendons-nous comme alors, des plaintes et des défis; la foi est pour plusieurs une *parole dure*: « Cette parole est rude! Qui peut continuer à l'écouter? » (Jn 6, 60). Et comme à toute époque de purification, les paroles tragiques s'accomplissent: « À partir de ce moment, beaucoup de ses disciples se retiraient et cessaient de faire route avec lui » (Jn 6, 66).

La maturation suivra la pagaille, c'est-à-dire une synthèse cohérente et vitale, élaborée personnellement et pas tirée des manuels de théologie; une synthèse où les progrès des sciences se fondent avec une amitié profonde avec Dieu. En attendant, la période d'épreuve que nous traversons aidera à purifier l'image de Dieu. La foi, comme dit Martin Buber, est une adhésion à Dieu, mais pas une adhésion à l'image que quelqu'un s'est faite de Dieu, même pas une adhésion à la foi « du » Dieu que quelqu'un a conçue, mais bien adhésion *au* Dieu vivant.

Difficultés de l'existence

Aujourd'hui, on accepte comme critères de vie, l'immédiateté, l'efficacité, la rapidité. La vie de foi est au contraire lente et elle exige une constance surhumaine; sa progression est instable et on ne peut la prouver par des méthodes rigoureuses de réflexion. Nous nous sentons donc appauvris, confus et comme égarés dans une forêt.

De nos jours, sous l'influence des sciences psychologiques et sociologiques, ce sont les critères subjectifs qui l'emportent. Ce qui était objectif: — les vérités de foi, les normes de la morale ou de l'idéal — a perdu de l'actualité et de la valeur pour céder le pas aux données personnelles et instinctives. Aujourd'hui, c'est l'émotionnel, l'affectif et le spontané qui est à la mode.

D'où la dévaluation totale de certains critères comme la maîtrise de soi, l'ascèse, le dépassement, la privation, éléments indispensables dans la marche vers Dieu. Ces concepts et ces paroles résonnent même comme répugnants; au moins les retenons-nous préjudiciables au développement de la personnalité. La commodité est devenue la norme suprême du comportement.

Cette nouvelle norme de conduite coïncide en tout avec l'idéal de la société de consommation: tirer le maximum de la vie, consommer le plus grand nombre possible de biens, s'accorder toutes les satisfactions. C'est l'éternelle proposition de l'insensé: « Du meilleur vin et de parfums enivrons-nous, ne laissons pas échapper les premières fleurs du printemps. Couronnons-nous de boutons de roses avant qu'elles ne se fanent » (Sg 2, 7-8). Il est clair qu'on ne le dit pas avec des paroles si désinvoltes. On dit au contraire: il faut éviter la répression, il faut promouvoir la spontanéité, il ne faut pas violenter la nature, il est nécessaire de garantir l'authenticité.

Aujourd'hui, nous ne savons que faire du silence. La société de consommation a créé l'industrie de la distraction et du divertissement pour éviter à l'homme l'horreur du vide et de la solitude. De la sorte, on met l'objet à la place du sujet, on ne supporte pas les normes établies et on donne toute bride au 'spontanéisme' fils du subjectivisme.

* * *

Nous vivons dans le nouveau désert. La route de Dieu est hérissée de difficultés. Les tentations changent de nom... elles s'appellent horizontalisme, sécularisme, hédonisme, subjectivisme, spontanéisme, frivolité.

Combien de pèlerins parviendront à la Terre promise? Combien abandonneront la dure marche de la foi? Devrons-nous nous convaincre nous aussi que seul un « petit reste » saura conserver la fidélité totale à Dieu? Quel est et où est le *Jourdain* que nous devrons traverser pour entrer dans la patrie de la liberté? L'horizon est de plus en plus couvert de questions, de silence et d'obscurité. C'est le prix de la foi.

Nous vivons un temps de purification. La foi est un fleuve qui suit son cours. Les impuretés s'y posent mais le courant n'arrête pas.

2.

TROUBLE ET ABANDON

Dans la Bible, la foi est un acte et une attitude qui implique tout l'homme: sa confiance profonde, sa fidélité, son assentiment intellectuel et son adhésion émotionnelle; elle embrasse également sa vie, engageant son histoire entière avec ses projets, ses urgences, ses éventualités.

Dans son développement normal, la foi biblique renferme les éléments suivants: Dieu entre en communication avec l'homme; Dieu prononce une parole et l'homme se remet inconditionnellement; Dieu met sa foi à l'épreuve; l'homme se trouble et vacille; Dieu se manifeste de nouveau; l'homme mène à terme le plan tracé par Dieu en participant de la force même de son Seigneur.

C'est la foi qui poussa Abraham à obéir au commandement: « C'est moi le Dieu Puissant. Marche en ma présence et sois intègre » (Gn 17, 1). Expression chargée d'une forte signification: Dieu fut l'inspiration de sa vie; il fut aussi sa force et sa norme morale; il fut, surtout, son ami. Abraham « eut foi dans le Seigneur, et pour cela le Seigneur le considéra comme juste » (Gn 15, 6). Par ces paroles, l'auteur sacré veut non seulement indiquer que la foi d'Abraham eut un mérite exceptionnel mais bien qu'elle conditionna, engagea et transforma toute l'existence du Père des croyants.

La *Lettre aux Hébreux* reprend avec force les éléments que nous venons de mentionner:

> « Par la foi, répondant à l'appel, Abraham obéit et partit pour un pays qu'il devait recevoir en héritage, et il partit sans savoir où il allait. Par la foi, il vint résider en étranger dans la terre promise,

habitant sous la tente avec Isaac et Jacob, les cohéritiers de la même promesse. Car il attendait la ville munie de fondations, qui a pour architecte et constructeur Dieu lui-même (...)

« Dans la foi, ils moururent tous, sans avoir obtenu la réalisation des promesses, mais après les avoir vues et saluées de loin et après s'être reconnus pour étrangers et voyageurs sur la terre. Car ceux qui parlent ainsi montrent clairement qu'ils sont à la recherche d'une patrie (...)

« Grâce à la foi, ils conquirent des royaumes, mirent en œuvre la justice, virent se réaliser des promesses, muselèrent la gueule des lions, éteignirent la puissance du feu, échappèrent au tranchant de l'épée, reprirent vigueur après la maladie, se montrèrent vaillants à la guerre, repoussèrent les armées étrangères (...)

« Mais d'autres subirent l'écartèlement, refusant la délivrance pour aboutir à une meilleure résurrection; d'autres encore subirent l'épreuve des moqueries et du fouet et celle des liens et de la prison; ils furent lapidés, ils furent sciés; ils moururent tués à coups d'épée; ils menèrent une vie errante, vêtus de peaux de moutons ou de toisons de chèvres; ils étaient soumis aux privations, opprimés, maltraités, eux dont le monde n'était pas digne; ils erraient dans les déserts et les montagnes, dans les grottes et les cavités de la terre » (He 11, 8-38).

Histoire d'une fidélité

Le Nouveau Testament présente Abraham comme prototype de la foi parce que, comme en peu d'autres croyants, en aucun peut-être, les alternatives dramatiques de la foi s'accomplirent en lui. Il est le vrai pèlerin de la foi.

Dieu donne à Abraham un ordre qui est en même temps une promesse: « Pars de ton pays, de ta famille et de la maison de ton père vers le pays que je te ferai voir. Je ferai de toi une grande nation... » (Gn 12, 1-2). Abraham *crut*. Que signifia pour lui croire? ... Signer un chèque en blanc, espérer contre le sens commun et les lois de la nature, s'abandonner aveuglément et sans calculs, rompre avec toute une situation bien solide: avec ses soixante-quinze ans « Abraham obéit et partit pour un pays qu'il devait recevoir en héritage, et il partit sans savoir où il allait » (He 11, 8; cf. Gn 12, 4).

Cet abandon si confiant lui coûtera très cher et le contraindra à un état de tension, non exempt de confusion et de perplexité. En un mot, Dieu éprouva durement la foi d'Abraham.

En même temps, les années passent et le fils promis n'arrive pas. Dieu maintient Abraham dans l'incertitude continue... — presque comme dans un roman d'appendice, ou comme dans les films à épisodes qui finissent chaque soir à l'instant où il nous semble entrevoir la solution — et, en différentes occasions, il réitère sa promesse de lui donner un fils (cf. Gn 12, 7; 15, 5; 17, 16; 18, 10; 22, 17). Des dizaines d'années passent et le fils n'arrive pas. À cette période, Abraham vit *l'histoire d'une fidélité* où les angoisses et les espérances se succèdent, comme le soleil qui paraît et disparaît entre les nuages. C'est l'histoire de la foi « espérant contre toute espérance » (Rm 4, 18), résistant, pour que sa foi ne défaille pas aux règles du sens commun et aux lois physiologiques (cf. Gn 18, 11), se rendant ridicule vis-à-vis sa femme: « Sara se mit à rire en elle-même et elle dit: 'Tout usée comme je suis, pourrais-je encore jouir? Et mon maître est si vieux?' » (Gn 18, 12).

La solitude commence à frapper aux portes du cœur d'Abraham. Il vit avec peine la séparation de Loth, son neveu (cf. Gn 13, 1-18). Malgré les campagnes victorieuses contre les quatre rois et le bien-être conquis, la foi commence à défaillir en son cœur et l'angoisse gagne du terrain jour après jour.

Vient le moment où sa foi est au point de manquer complètement. En proie à un découragement profond, il s'en plaint à Dieu: « Seigneur Dieu, que me donneras-tu? Je m'en vais sans enfant, et l'héritier de ma maison, c'est Eliézer de Damas... Voici que tu ne m'as pas donné de descendance et c'est un membre de ma maison qui doit hériter de moi » (Gn 15, 2-3). Au même moment, Dieu réaffirme sa promesse.

Mais la foi d'Abraham est agitée par une crise invincible: « Abraham tomba sur sa face et il rit; il se dit en lui-même: « Un enfant naîtrait-il à un homme de cent ans? Ou Sara avec ses quatre-vingt-dix ans pourrait-elle enfanter? » (Gn 17, 17). Pour toute réponse, Dieu fit sortir Abraham de sa tente par une nuit étoilée et il lui dit: « Contemple donc le ciel, compte les étoiles si tu peux les compter. » Et il ajouta: « Telle sera ta descendance » (Gn 15, 5).

La même chose nous arrive toujours à nous aussi: lorsque

la foi manque, nous avons besoin d'un signe, d'un point d'appui pour ne pas succomber.

Compréhensif et compatissant, Dieu accorde le signe en tenant compte de l'état d'urgence et de la faiblesse qui harcèle la foi d'Abraham. « Seigneur Dieu, comment saurai-je que je le posséderai? » (Gn 15, 8). Après le coucher du soleil, Dieu prit la forme (signe) d'un « four fumant et d'une torche de feu » (Gn 15, 17).

« Abraham avait cent ans quand lui naquit son fils Isaac » (Gn 21, 5).

L'épreuve du feu

Nous voyons donc comment, par ces événements, Abraham récupéra non seulement la foi dans sa totalité mais la consolida définitivement; il l'approfondit au point de vivre en permanence en amitié intime et en contact avec le Seigneur selon le commandement: « Marche en ma présence et sois intègre » (Gn 17, 1). Nous nous imaginons Abraham comme un homme endurci par l'épreuve, immunisé contre tout doute possible, en possession d'une grande maturité et d'une grande consistance intérieure: « Abraham planta un tamaris à Béer-Shéva où il fit une invocation au nom du Seigneur, le Dieu éternel » (Gn 21, 33).

Ayant remarqué la solidité de la foi d'Abraham, Dieu le soumet à l'épreuve finale du feu, une de ces terribles « nuits de l'esprit » dont parle saint Jean de la Croix, le grand mystique espagnol. Voyons avec quelle grandeur et avec quelle sérénité Abraham triomphe de l'épreuve.

> « Or, après ces événements, Dieu mit Abraham à l'épreuve et lui dit: 'Abraham'; il répondit: 'Me voici.' Il reprit: 'Prends ton fils, ton unique, Isaac, que tu aimes. Pars pour le pays de Moriyya et là, tu l'offriras en holocauste sur celle des montagnes que je t'indiquerai' » (Gn 22, 1-2).

À mon avis, dans cet épisode, la foi biblique escalade sa plus haute cime.

Pour comprendre la dimension exacte du contenu et du degré de foi d'Abraham, pensons que le fait d'accomplir une action héroïque peut même se révéler attrayant quand l'action a sa signification et sa logique: que de personnes donnent leur vie pour une belle et noble cause! Mais pour accepter un ordre absurde, ou bien il faut être fou ou bien les raisons d'une telle soumission dépassent complètement nos règles et notre concept d'héroïsme.

Plaçons-nous dans le contexte vital d'Abraham et tâchons d'explorer l'ensemble des impulsions et des motivations de ce grand croyant. Abraham avait toujours désiré avoir un fils. Il était déjà âgé et il avait perdu l'espoir d'avoir une descendance. Cependant, un jour Dieu lui promet un fils. Puisque rien n'est impossible à Dieu, Abraham croit. Des années d'espérance et de déceptions passent puis finalement le fils arrive: il sera le dépositaire des promesses et des espérances. Maintenant Abraham peut mourir en paix. Mais à la dernière heure, Dieu lui ordonne de sacrifier l'enfant.

Une demande si barbare et si folle aurait pu démolir la foi de toute une vie. Le sens commun le plus élémentaire aurait dû convaincre Abraham qu'il avait été victime d'hallucination. Cependant, une fois de plus, *il croit.* Sa foi contient un abandon et une confiance illimités. Nous pouvons imaginer le dialogue d'Abraham avec lui-même:

— Suis-je si vieux que je ne puisse avoir d'autres fils? Je ne sais rien. Il sait tout. Il peut tout.

— Peut-être vais-je mourir tout de suite et rester sans héritier? Il pourvoira; Il est capable de ressusciter les morts et des pierres, susciter des enfants (cf. Mt 3, 9).

— Peut-être est-ce ridicule et absurde ce qu'il me demande? Il est sage, nous ne savons rien.

Voilà ce que signifie être inconditionnellement disposé à se livrer, à s'abandonner avec une confiance infinie; c'est comme se sentir infailliblement sûr que Dieu est puissant, bon, juste, sage, contre toutes les évidences du sens commun; c'est un peu comme se lier les mains et les pieds et se lancer dans le vide, parce que l'on sait qu'il ne permettra pas que nous tombions. Il me semble que la substance définitive et le moment culminant de la foi biblique consistent précisément en cela.

* * *

Voyons maintenant comment se comporte Abraham plein de paix inébranlable, de grandeur et de tendresse.

> «Abraham se leva de bon matin, sangla son âne, prit avec lui son fils Isaac. Il fendit les bûches pour l'holocauste. Il partit pour le lieu que Dieu lui avait indiqué. Le troisième jour, il leva les yeux et vit de loin ce lieu. Abraham dit aux jeunes gens: « Demeurez ici, vous, avec l'âne; moi et le jeune homme, nous irons là-bas pous nous prosterner; puis nous reviendrons vers vous. »
>
> Abraham prit les bûches pour l'holocauste et en chargea son fils Isaac; il prit en main la pierre à feu et le couteau, et tous deux s'en allèrent ensemble. Isaac parla à son père Abraham: 'Mon père' dit-il, et Abraham répondit: 'Me voici, mon fils.' Il reprit: 'Voici le feu et les bûches; où est l'agneau pour l'holocauste?' Abraham répondit: 'Dieu saura voir l'agneau pour l'holocauste, mon fils.' Tous deux continuèrent à aller ensemble.
>
> Lorsqu'ils furent arrivés au lieu que Dieu lui avait indiqué, Abraham y éleva un autel et disposa les bûches. Il lia son fils Isaac et le mit sur l'autel au-dessus des bûches. Abraham tendit la main pour prendre le couteau et immoler son fils. Alors l'ange du Seigneur l'appela du ciel et cria: 'Abraham ! Abraham !' Il répondit: 'Me voici.' Il reprit: 'N'étends pas la main sur le jeune homme. Ne lui fais rien, car maintenant je sais que tu crains Dieu, toi qui n'as pas épargné ton fils unique pour moi.' » (Gn 22, 3-12).

Dans ce récit, la foi et l'abandon prennent des reliefs particuliers. «*Dieu pourvoira*» est comme une mélodie de fond qui donne son sens à tout. Il est significatif que cet épisode se termine par le verset suivant: 'Abraham appela ce lieu: *'Le Seigneur pourvoit'*, c'est pourquoi on dit aujourd'hui: 'Sur la montagne le Seigneur pourvoit'» (Gn 22, 14).

L'espérance contre l'espérance

L'histoire d'Israël est une autre histoire de « l'espérance contre toute espérance ». Durant les longs siècles qui vont du Sinaï à « l'accomplissement du temps » (Ga 4, 4), Dieu apparaît et disparaît, brille comme un soleil et se cache derrière les nuages; il y a des théophanies bruyantes et de longues périodes de silence. C'est une séquence interminable d'espérance et de découragement. Dieu a voulu que l'histoire d'Israël soit l'histoire d'une expérience de foi. Alors comme maintenant, à chaque pas de notre vie de foi, nous rencontrons donc le silence de Dieu, l'épreuve de Dieu, la nuit obscure.

Le peuple d'Israël est sauvé de l'Égypte et lancé dans un interminable pèlerinage vers une patrie définitive. Ce fut un long itinéraire de désert, de faim, de soif, de soleil, d'agonie et de mort. Il a reçu la promesse d'une terre où coulent le lait et le miel; mais il faudra qu'il paie le prix d'une longue conquête hérissée de défaites, d'humiliations, de sang et de larmes. À la fin, ni lait ni miel mais plutôt une terre calcaire et hostile à cultiver entre mille difficultés.

Vint un moment où Israël eut la conviction que, ou bien Dieu n'y était pas, ou bien il l'avait abandonné définitivement, et que comme nation, il n'aurait jamais existé: ce fut en l'an 587 avant Jésus Christ, lorsque les troupes du roi babylonien Nabuchodonosor brisèrent la résistance de Jérusalem après dix-huit mois de siège; le massacre fut horrible.

La ville sainte fut pillée, détruite et incendiée. Le glorieux temple de Salomon croula entouré de flammes, et l'Arche d'alliance disparut pour toujours. Les habitants de la ville et d'une grande partie de la région de Juda furent déportés à Babylone, surveillés par les conquérants, sur un parcours de mille kilomètres, dans la poussière, sous le soleil, humiliés et vaincus.

Ce sont là les « nuits obscures » de la voie de la foi. Dans l'obscurité, comme Israël, nous avons tendance à abandonner Dieu parce que nous nous sentons abandonnés par lui. Mais après un certain temps, lorsque notre regard sera purifié de toute poussière, son visage nous paraîtra plus radieux que jamais. Les prophètes Ezéchiel et Isaïe en rendent témoignage.

À l'exception de la parenthèse consolatrice du règne de David et de Salomon, la vie d'Israël est l'histoire sans grand intérêt de la Loi des douze Tribus. Le pays est soumis par vagues successives aux Égyptiens, aux Assyriens, aux Babyloniens, aux Macédoniens et aux Romains. Il était normal de ne plus espérer en Dieu, ou de penser que Dieu est bien peu de chose. Et pourtant, à travers cette route de déception et d'obscurité, Dieu conduisit Israël, des rêves de grandeur terrestre à la vraie grandeur spirituelle, aux clartés de la foi dans le vrai Dieu.

Ennui et agonie

Pour ceux qui s'efforcent de vivre la foi totale en Dieu, la crise subie par le prophète Élie durant son pèlerinage au mont Horeb se révèle touchante et impressionnante.

Élie était un prophète forgé par les combats avec Dieu, le courageux qui, au torrent Kerith, avait mangé seulement la nourriture apportée par les corbeaux et s'était désaltéré au même torrent. Il avait fait face aux rois, démasqué les puissants, confondu et abattu les adorateurs de Baal au torrent Kison. On ne s'attendait pas à voir s'affaisser un homme d'une pareille trempe et d'une telle force; toutefois, c'est ce qui se produisit et ce fut sérieux. Informée qu'Élie avait fait périr les prêtres de Baal par l'épée, la reine Jézabel envoya son messager au prophète pour lui annoncer qu'on le tuerait lui aussi le jour suivant. Il faut tenir compte que Jézabel avait introduit le culte des dieux étrangers en Israël.

À cette annonce, le prophète Élie entreprit la marche forcée vers le mont Horeb, symbole de l'ascension de l'âme vers Dieu au long du chemin de la foi.

> « Voyant cela, Élie se leva et partit pour sauver sa vie; il arriva à Béer-Shéva qui appartient à Juda et y laissa son serviteur. Lui-même s'en alla au désert, à une journée de marche. Y étant parvenu, il s'assit sous un genêt isolé. Il demanda la mort et dit: 'Je n'en peux plus! Maintenant, Seigneur, prends ma vie, car je ne vaux pas mieux que mes pères.' Puis il se coucha et s'endormit sous un genêt isolé. Mais voici qu'un ange le toucha et lui dit: 'Lève-toi et mange!' Il regarda: à son chevet, il y avait une galette cuite sur des pierres chauffées, et une cruche d'eau; il mangea, il but, puis se recoucha. L'ange du Seigneur revint, le toucha et dit: 'Lève-toi et mange, car autrement le chemin serait trop long pour toi.' » (1 R 19, 3-7).

Cette dépression profonde du prophète est surprenante. Ses paroles annoncent celles de Jésus: « Mon âme est triste à en mourir » (Mt 26, 38; Mc 14, 34). Selon le témoignage de saint Jean de la Croix, pour ceux qui ont pris Dieu au sérieux et qui vivent dans sa proximité et sa présence, ces découragements sont marqués par une véritable agonie.

Il n'est point d'homme qui plus ou moins fréquemment, avec une intensité plus ou moins grande ne subisse de pareils processus de purification qui sont comme des vagues d'obscurité, nuages qui cachent Dieu, presque une chape de cent atmosphères opprimant l'âme. Jean de la Croix dit que l'on mourrait si, au moment culminant de l'agonie, Dieu retirait sa main.

Au-delà du doute

François d'Assise fut un croyant qui a pu jouir de la certitude lumineuse de la foi pour une grande partie de sa vie; cependant, quelques années avant de mourir, il tomba dans une dépression profonde que ses amis et ses premiers biographes définissent comme une « tentation spirituelle très sérieuse » et qui dura environ deux ans (cf. Celano, *Vita Secunda*). Nous savons seulement que ce fut une agonie continuelle où le Poverello apparemment abandonné par Dieu marchait dans les ténèbres, tourmenté par tant de doutes et d'hésitations qu'il allait presque se désespérer. Ce fut une sérieuse et invincible inquiétude de conscience et François eut besoin d'une intervention divine particulière pour en sortir (cf. O. Englebert, *Vie de Saint François d'Assise*).

Durant les premières années de sa conversion, « le Seigneur lui avait révélé qu'il devait vivre selon le saint Évangile ». Avec la fidélité d'un chevalier errant et avec la simplicité d'un enfant, François suivit littéralement et le texte et le contexte de l'Évangile, abandonnant le bâton, la besace, les sandales (cf. Lc 9, 3). À partir de ce moment, il ne toucha plus à l'argent. Il ne voulut pas posséder de couvents, de maisons et de biens ni pour lui ni pour les siens. Il voulut qu'ils soient pèlerins et étrangers en ce monde, itinérants sur la terre entière, travaillant de leurs mains, mettant toute leur confiance dans les mains de Dieu, dépourvus de laisser-passer et de reconnaissance pontificale et exposés aux persécutions.

Il les voulut pauvres, libres et joyeux. Pas savants mais témoins. Les études, les bibliothèques et les titres universitaires n'étaient pas nécessaires mais seulement l'Évangile à vivre simplement, pleinement, sans commentaire, sans limitation et sans interprétation.

Ce « style de vie » que le Seigneur lui avait personnellement révélé attira des milliers de frères sur la nouvelle voie. Bien vite cependant, se produisit dans le mouvement franciscain et commença à prévaloir un vaste courant chez des hommes qui avaient honte d'être pauvres, *petits*, « mineurs » et qui voulaient donner une direction différente à la fraternité naissante (et déjà nombreuse).

Le courant dirigé par les « savants » et par le représentant même du Pape, encourageait des critères diamétralement opposés aux idéaux et à la « forme de vie » de François.

> Ils disaient: *nous avons besoin de savants et de gens bien préparés.*
> François répondait: *nous avons besoin de simples et d'humbles.*
> Ils exigeaient: *des diplômes universitaires.*
> François contestait: *seulement le diplôme de la pauvreté.*
> Ils réclamaient: *de grandes maisons pour les études.*
> François répétait: *d'humbles cabanes pour « passer » dans ce monde.*
> Ils affirmaient: *l'Église a besoin d'une structure de guerre puissante et bien organisée contre les hérétiques et les Sarrasins.*
> François répondait: *l'Église a besoin de pénitents et de convertis.*

François d'Assise, un homme qui n'était pas né pour gouverner et encore moins pour lutter, se trouva au milieu d'une tourmente à devoir défendre l'idéal évangélique.

Mais le cœur du drame était que, tandis que François avait la certitude intérieure absolue que le Seigneur lui avait révélé, dans la voix de la Portioncule, directement et expressément la « forme de vie » évangélique dans la pauvreté et l'humilité; le représentant du Pape et les savants affirmaient que la volonté de Dieu, à partir des nécessités de l'Église et des « signes » des temps, était d'organiser la fraternité sous le signe de l'ordre, de la discipline et de l'efficacité.

Voilà le dilemme de son conflit profond, à qui obéir? où Dieu et sa volonté se trouvaient-ils *effectivement* ?

Et en cet instant terrible où il aurait été nécessaire d'entendre la voix de Dieu, Dieu se taisait: et le Poverello se débattit en une longue agonie de doutes et de questions dans l'obscurité complète. Qu'est-ce que Dieu veut vraiment? On dit qu'il importe de donner une structure monastique ou au moins conventuelle au mouvement, tandis que le Seigneur m'a commandé de former une fraternité évangélique d'itinérants, de pénitents, de pauvres et de petits. Le même Dieu a-t-il pu inspirer des directions si opposées? Où est Dieu? À qui obéir?

Lui, François, ne serait-il pas en train de défendre « son » oeuvre au lieu de défendre l'oeuvre de Dieu? Il était ignorant, les autres étaient savants; la hiérarchie semblait signaler des critères contraires aux siens. Il était logique de penser que si quelqu'un se trompait, c'était seulement lui, l'insignifiant François. Mais alors, les voix entendues à Spolète, à saint Damien et à la Portioncule n'avaient-elles été que des délires illusionnés de grandeur? Dieu n'avait-il donc jamais été avec lui? Dieu même n'était-il peut-être qu'une hallucination irréelle?

Et le pauvre François se réfugiait dans les grottes à Rieti, Cortone et l'Alverne; il frappait aux portes du ciel et le ciel ne répondait pas. Il invoquait Dieu en pleurant et Dieu se taisait. Il perdit son calme. Cet homme qui était si rayonnant il y a un an, devint de mauvaise humeur. Il commença à menacer et à excommunier. Toujours si joyeux, il se laissa vaincre par la pire des tentations: la tristesse.

Il connut des moments où le découragement atteignit des hauteurs vertigineuses comme la nuit que j'appellerais « la nuit transfigurée » de François: dans la cabane de saint Damien, il endura toutes les souffrances physiques imaginables, mais c'était encore peu; un doute fort et torturant sur son salut l'induisit à un sens aigu de désespoir. Et finalement, précisément cette nuit-là, le ciel parla. Dieu révéla à François que son salut était assuré. Ce fut alors qu'il composa l'hymne la plus joyeuse et la plus optimiste jamais sortie d'un coeur d'homme: *le Cantique de frère Soleil.*

Comment la très grave tentation disparut-elle? Par un *acte absolu d'abandon,* précisément comme dans le cas de Jésus et des grands hommes de Dieu. Un jour qu'il était opprimé et en larmes, il entendit une voix lui dire:

— François, si tu as la foi comme un grain de sénevé, tu diras à la montagne de se déplacer vers la mer et elle t'obéira.

— Seigneur, quelle montagne est-ce?

— La montagne de la tentation!
François répondit — Seigneur, qu'il me soit fait selon ta parole.

Ce jour-là, la tentation disparut définitivement. La paix revint dans son âme, le sourire sur son visage et de nouveau et pour toujours la joie inonda sa vie.

3.

LE SILENCE DE DIEU

En vivant jour par jour à la recherche du Seigneur, ce qui déconcerte le plus les pèlerins de la foi, c'est le *silence de Dieu.* «Dieu est Celui qui se tait toujours depuis le commencement du monde. Voilà le fond de la tragédie» écrivit Unamuno.

«Où te cachais-tu?»

Il est évident que nos yeux sont faits pour la possession. Lorsqu'ils parviennent à dominer, de façon distincte et possessive notre monde de perspectives, de figures, de couleurs et de dimensions, alors ils se trouvent satisfaits, ils ont réalisé leur objectif, ils sont rassasiés d'évidence.

L'ouïe aussi, de par sa dynamique interne, est destinée à capter le monde des sons, des harmonies et des voix. Lorsqu'elle atteint son objectif, elle reste tranquille, pleinement réalisée.

Il en est de même pour les différentes puissances qui composent la structure humaine: puissance intellectuelle, intuitive, sexuelle, affective, neurovégétative, endocrine... chacune a ses mécanismes de fonctionnement et son propre objectif. Une fois le but obtenu, les puissances se reposent, mais jusqu'à ce moment-là, elles sont inquiètes; en effet, toutes sont structurées et tendent à la pacification de la possession.

Mais voici le *mystère*: l'homme met tous les mécanismes en action et, l'une après l'autre, les puissances atteignent leur objectif: toutes restent satisfaites, l'homme demeure toutefois insatisfait.

Qu'est-ce que ça signifie? ... que l'homme est une *autre chose,* est quelque chose de *plus* que la somme de toutes ses puissances. L'élément spécifique et constitutif de l'homme est une autre puissance souterraine, mieux, une superpuissance qui se soumet et qui soutient les autres.

* * *

Je m'expliquerai. Né d'un « songe » de l'Éternel, l'homme est non seulement porteur de vérités éternelles mais il est lui-même un abîme *infini* parce que conçu et creusé suivant une mesure infinie. Les créatures infinies ne parviendront jamais à remplir cet abîme; seul un infini peut l'occuper entièrement.

Étant image de l'Invisible et retentissement du Silencieux, l'homme possède dans ses profondeurs des forces inquiètes et inquiétantes qui émergent, soupirent et aspirent, en mouvement perpétuel, à leur Centre de gravité où elles peuvent enfin s'apaiser, donnant finalement un « terme à la course ».

Tout acte de foi et d'oraison intense est à son tour une tentative de possession. Les forces les plus profondes de l'esprit sont mises en action par les mécanismes de la foi. Soulevé par ces forces irrépressibles, le croyant tend à se rapprocher de son Univers pour le posséder et pour y reposer. Mais, à un moment donné de l'oraison, lorsque l'âme, déjà au seuil de Dieu, a l'impression que l'objectif est à portée de sa main, Dieu disparaît comme un rêve, il devient absence et silence.

L'impuissance a un goût amer. Le subtil sens de déception qui surgit à la « proximité de Dieu est intrinsèquement inhérent à l'acte de foi ». De la combinaison de la nature de l'homme et de la nature de Dieu naît le *silence de Dieu*: entreprise pour atteindre un objectif infini et pour le rencontrer au-delà du temps, notre marche *dans le temps* doit nécessairement être marquée par l'*absence* et par le *silence.*

La vie de foi est à la fois une aventure et une mésaventure. Nous savons qu'un « contenu » correspond à la parole DIEU. Mais aussi longtemps que nous sommes en marche, nous n'avons pas le pouvoir de le posséder vitalement ou de le maîtriser intellectuellement. Le « contenu » restera toujours imperceptible, recouvert par le voile du temps. L'éternité consistera en l'élimination définitive de ce voile. Entre-temps, nous sommes d'éternels pèlerins: nous le cherchons toujours sans jamais le « rencontrer ».

* * *

Saint Jean de la Croix exprime admirablement le silence de Dieu:

> « *Où te cachais-tu, Bien Aimé,*
> *et pourquoi me laissais-tu gémir?*
> *Tu fuyais comme le cerf,*
> *après m'avoir blessé,*
> *je courus après toi en t'invoquant: tu avais fui.* »

L'expérience de la foi, la vie avec Dieu est un exode, une perpétuelle « course après lui en l'invoquant ». C'est ici que commence l'éternelle odyssée des chercheurs de Dieu: l'histoire pesante et monotone, capable de briser n'importe quelle résistance. À chaque instant, à chaque tentative d'oraison, lorsqu'il semble que le « visage » de Dieu soit à portée de main, il a déjà « fui »: le Seigneur s'entoure d'un manteau de silence et il se cache. Un « visage » perpétuellement inaccessible apparaît et disparaît, se rapproche et s'éloigne, se réalise puis s'évanouit.

> « Pourquoi l'âme qui a rencontré Dieu conserve-t-elle toujours le sentiment de ne l'avoir pas rencontré? Pourquoi y a-t-il un sens d'absence même au cœur de la présence la plus intime? Pourquoi l'obscurité invincible de ce Quelqu'un qui est toute lumière? Pourquoi la distance insurmontable devant quelqu'un qui pénètre tout? Pourquoi la trahison de toutes les choses qui, à peine nous ont-elles laissé voir Dieu, nous le cachent immédiatement une autre fois? » (H. de Lubac)

Une âme est séduite par la tentation et se laisse entraîner par la faiblesse: Dieu se tait, il n'adresse même pas un mot de reproche. Imaginons également le cas contraire de celui qui surmonte la tentation grâce à un effort généreux: Dieu se tait encore, pas un mot d'approbation.

Tu passes la nuit entière à veiller devant le Très Saint Sacrement. Tu es seul à parler durant la nuit tandis que l'interlocuteur se tait. Lorsqu'à l'aube, tu t'en iras marqué par la fatigue et le sommeil, tu n'entendras pas un mot aimable de gratitude ou de courtoisie. L'*Autre* s'est tu toute la nuit et il se tait encore au moment de prendre congé.

Tu sors dans le jardin: les fleurs parlent, les oiseaux parlent, les étoiles parlent. Dieu seul se tait. On dit que les créatures parlent de Dieu mais Dieu se tait! Dans l'univers, tout constitue une immense et profonde évocation du Mystère, mais le Mystère disparaît dans le silence.

* * *

La vie et l'univers qui nous entourent se peuplent d'énigmes et de questions. Le cri de la souffrance et du désespoir humain retentit chaque jour à nos oreilles. Nous voyons les morts, les mutilations, le chômage, l'injustice et la guerre... Que fait Dieu? N'est-il pas Père? N'est-il pas Tout-Puissant? Pourquoi se tait-il?

C'est un silence obstiné et insupportable qui mine peu à peu les résistances les plus solides. La confusion se fraie un chemin. Des voix de plus en plus insistantes et qui proviennent de partout te demandent: «Où est ton Dieu?» (Ps 41, 4). Il ne s'agit pas toujours de sarcasme ou d'argumentation provocatrice d'intellectuel athée.

Le chrétien est le premier à subir le silence enveloppant et déconcertant de Dieu; une vague impression d'incertitude l'envahit peu à peu et il se demande si tout est encore vrai ou s'il ne s'agit que d'imagination d'insensé. Toi aussi, tu continues à naviguer sur des eaux incertaines, déconcerté par le silence de Dieu. La parole du psaume s'accomplit: «Mais tu as caché ta face, et je fus épouvanté» (Ps 29, 8).

Jérémie expérimenta, avec une terrible cruauté, le silence de Dieu. Le prophète s'adresse au Seigneur:

> «Je ne vais pas chercher ma joie
> en fréquentant ceux qui s'amusent.
> Contraint par ta main je reste à l'écart,
> car tu m'as rempli d'indignation.
> Pourquoi ma douleur est-elle devenue permanente,
> ma blessure incurable, rebelle aux soins?

Vraiment tu es devenu pour moi
comme une source trompeuse au débit capricieux » (Jr 15, 17-18).

La dernière victoire

Qu'est-il arrivé à Jésus aux derniers moments de son agonie sur la croix? Quelque chose qui eut toutes les caractéristiques d'une crise d'égarement à cause du *silence de Dieu*. À ce moment-là, le Père fut pour Jésus « Celui qui se tait ». Jésus eut cependant une réaction magnifique, il fit une claire distinction entre le *sentir* et le *savoir*.

Pour mesurer et comprendre cette crise, nous devons prendre en considération quelques éléments humains d'ordre physiologique et psychologique.

Selon les experts, Jésus devait avoir perdu presque tout son sang à ce moment-là. Le premier effet de pareille hémorragie, c'est la déshydratation complète, phénomène par lequel la personne ne souffre pas d'une douleur aiguë mais d'une sensation étouffante et désespérée. Comme conséquence, Jésus fut affligé par cette soif ardente qui ne prend pas seulement la gorge mais tout l'organisme; la même soif que celle des soldats qui meurent d'hémorragie sur les champs de bataille. Aucun liquide ne pourrait calmer pareille soif si ce n'est une transfusion de sang.

De plus, toujours à cause de l'épuisement total, Jésus fut frappé d'une très haute fièvre qui dut à son tour lui causer le « delirium tremens » qui en pareil cas et en termes psychologiques, se traduit en une sorte de confusion mentale: pas un évanouissement mais la perte, à un degré plus ou moins grand, de la conscience de son identité et des réalités environnantes. On doit tenir compte de toutes ces données lorsqu'on réfléchit sur l'agonie profonde du Christ.

En plus de cela, et en nous plaçant à un niveau plus intime, il faut considérer que Jésus, obéissant à la volonté du Père, mourut en pleine jeunesse, au début de sa mission évangélisatrice, abandonné par les masses et par les disciples, trahi et renié, sans aucun prestige ni honneur, apparemment, sans avoir obtenu de succès, au contraire, en donnant l'impression d'avoir pleinement échoué (cf. Mt 23, 37). Une sombre prière du psalmiste reflète cet état psychologique:

« Dieu, sauve-moi:
l'eau m'arrive à la gorge.
Je m'enlise dans un bourbier sans fond,
et rien pour me retenir.
Je coule dans l'eau profonde,
et le courant m'emporte.
Je m'épuise à crier,
j'ai le gosier en feu;
mes yeux se sont usés
à force d'attendre mon Dieu » (Ps 68, 2-4).

Mais dans l'être humain, il y a des niveaux plus profonds que le physiologique ou le psychologique. Ces deux niveaux auraient pu être détruits en Jésus. Mais là, dans la zone la plus intime de l'esprit, Jésus avait réussi à garder une admirable sérénité durant toute la passion.

Toutefois, à un certain point de son agonie, les circonstances décrites l'entraînèrent dans un état de bouleversement et de confusion. Crise? Chute de la stabilité émotionnelle? On ne saurait comment appeler cet état. Que fut-il? Affaissement? cauchemar? *nuit de l'esprit* passagère? aridité à un degré suprême? poids de l'échec? peur de se trouver seul devant un abîme?

Chose certaine est que toutes les lumières s'éteignirent soudainement dans le ciel de son esprit, comme par une éclipse totale. Autour de lui, d'un horizon à l'autre du monde, on ne voyait rien, on n'entendait rien, rien ne respirait. L'absence, le vide, la confusion, le silence et l'obscurité s'abattirent tout à coup sur Jésus, comme des proies implacables. Le néant? L'absurde? Le Père était-il lui aussi parmi la masse de déserteurs?

C'était le jugement du Juste. Les injustes l'avaient jugé injustement et ils l'avaient condamné. C'était normal. Mais au moment opportun, le Père aurait dû prendre parti pour le Fils en faisant pencher la balance en sa faveur; ou peut-être avait-il pris place lui aussi à côté de Caïphe et de Pilate? Le Père se serait-il posté lui aussi le long du chemin pour voir passer le condamné?

À qui avoir recours alors? Toutes les frontières et tous les horizons étaient fermés. De sorte que la « raison » était-elle contre le Fils? Alors Jésus avait-il été un intrus plutôt qu'un envoyé? Un rêveur? Tout avait-il été inutile? Enfin, tout disparaissaitil dans un cauchemar psychédélique, dans un kaléidoscope hallucinant?

Le « Fils de l'homme » flottait comme un naufragé sur les abîmes infinis. À ses pieds, rien. Et rien sur sa tête. « Mon Dieu, mon Dieu, pourquoi m'as-tu abandonné? » Le silence de Dieu était descendu dans son âme avec le poids insupportable d'un monde en ruine.

Ce ne fut toutefois qu'une *sensation.* Mais la foi ne consiste pas à *sentir* mais à *savoir.*

Jamais Jésus ne fut si magnifique qu'aux derniers instants de son agonie. Il ouvrit les yeux. Il hocha la tête comme quelqu'un qui se réveille et qui chasse un maudit cauchemar. Il se reprit du mauvais moment. La conscience de son identité émergea de la brume du « délire » et prit possession de sa sphère vitale. Rasséréné, il déclencha le dernier combat: le combat de la certitude contre l'évidence, du *savoir* contre le *sentir.* Et la dernière victoire s'accomplit.

Sans parler, il dit: « Père aimé, je ne te *sens* pas, je ne te *vois* pas. Mes sensations intérieures me disent que tu es loin, que tu t'es transformé en ombre fugitive, en distance sidérale, en vide cosmique, en néant! Contre toutes ces impressions, je *sais* toutefois que tu es *ici, maintenant, avec moi*: 'en tes mains, je remets mon esprit' » (Lc 23, 46).

En pleine obscurité, Jésus fit le « saut mortel » dans un précipice très profond, sachant que là, le Père l'attendait à bras ouverts. Et il ne se trompa pas. Ce fut une finale de gloire. Le Père ne l'avait pas préservé de la mort, mais il le rachetait très promptement de ses griffes.

Trois allégories

Il n'est pas facile d'exprimer la signification concrète du *silence de Dieu* en termes précis. La Bible dit mille fois que Dieu *est avec nous* et elle dit également que nous sommes « loin du Seigneur » (2 Co 5, 6). Contradiction? Non. Il s'agit simplement d'expériences profondes, pleines de contrastes, et qui, une fois expliquées, paraissent contrariantes mais qui ne le sont plus une fois vécues.

L'allégorie constitue le moyen le plus adéquat pour expliquer l'inexplicable. C'est pourquoi j'ai imaginé, et je les écris de suite, trois allégories desquelles l'expérience du silence de Dieu pourra transparaître un peu plus concrètement.

Loin du Seigneur

De ma profondeur inconnue naissent des impressions vagues, des souvenirs qui ressemblent à des rêves oubliés. Quelque chose en moi me dit que, dans les temps passés, je vécus dans une patrie lointaine et heureuse. Il ne reste cependant rien de cela: aucune image et aucun souvenir sauf la nostalgie. Je ne suis que cela: une nostalgie comme une flamme agitée par le vent. J'ai l'âme errante des exilés.

Dès l'aube mon cœur a commencé à chercher son visage dans la brume. Une fade effigie de mon Désiré se dessine parfois à distance. C'est un visage de brouillard sur du brouillard.

On me crie tout à coup: « Il passa par ici la nuit dernière. Ce matin, on a vu ses traces. Les voici, regarde! » Tout est clair: personne ne l'a vu, mais à présent je sais qu'il a passé par ici au cours de la nuit.

Tourmenté par la soif, je parcourus les vallées et les steppes à la recherche d'une fontaine. Je me dis, c'est inutile, il n'y a pas d'eau; ma vie prendra fin ici. À l'instant, mille voix s'élevèrent de la terre pour me crier en chœur: « Pèlerin, quand on a soif, il faut trouver une fontaine. Marche! »

Je franchis les plaines et les collines. Je demandai maintes fois: « Où est Celui que mon cœur aime? » Le monde entier devint une réponse pour moi: le vent appelait, les fleuves chantaient, les étoiles riaient, les arbres interrogeaient, la brise répondait... mais mon Bien Aimé se taisait. Je poursuivis en demandant: « Où habite-t-il Celui que je cherche dès l'aurore? Plus haut que les étoiles rouges? Dans le bruit de la forêt? Dans la dernière solitude de mon être? »

Le silence s'étendit de nouveau sur ma tête, sur les pierres obstinées. Où es-tu? Pourquoi est-ce que je ne te hais pas? Ne suis-je pas ton écho? Pourquoi te tais-tu? Ne suis-je pas la voix de ta Voix?

Je suis une étincelle de ton Feu. Pourquoi ne t'enflammes-tu pas? Pourquoi ne me brûles-tu pas? Tu me créas en guise de l'antique buisson qui ne se consumait pas tout en brûlant. Jusqu'à quand, serai-je une flamme inquiète? Tu es eau immortelle. Pourquoi n'apaises-tu pas ma soif une fois pour toutes? Tu es eau tranquille et repos. Pourquoi me tiens-tu éternellement à un câble, en suspens sur l'abîme?

Tu me fis semblable à une forêt aux mille branches tendues pour embrasser. Pourquoi te transformes-tu en ombre éternellement errante lorsque je suis sur le point de te rejoindre?

Tu es la mer, je suis le fleuve. Quand reposerai-je en toi? Tu es la mer, je suis la plage. Inonde et calme toute chose.

À la tombée de ce jour, alors que les feux du jour s'éteignent et que la sérénité inonde la terre, que mon humble supplication monte jusqu'à Toi: « Toi qui tiens les mondes dans tes mains, pacifie et comble toutes mes attentes! J'ai sommeil. Je veux dormir. »

Agonie et extase

Je suis un homme de quarante-quatre ans et j'ai trois fils. Avec mon épouse, nous formons une famille heureuse et honorée. Les gens pensent et disent que les étoiles brilleront toujours au ciel de ma vie. Mes amis m'appellent l'homme chanceux. Ils n'ont cependant pas d'yeux pour pénétrer les latitudes les plus lointaines.

Depuis ma jeunesse, peut-être, presque depuis mon enfance, une force de contradiction qui me dérange et m'apaise habite en moi. Elle ne me laisse jamais en paix et me laisse toujours la paix. Elle me moleste comme la fièvre et me rafraîchit comme l'ombre. Elle est en même temps agonie et extase. J'ai parfois envie de la traiter comme on traite un hôte insupportable: la mettre à la porte. Mais c'est impossible: elle est venue au monde avec moi et elle descendra dans la tombe avec moi. Elle m'appartient autant que mon sang.

Je ne sais comment l'appeler: sensibilité divine? Il y a un fait concret: je ne puis vivre sans mon Dieu. J'ignore si le Seigneur alluma exprès cette flamme en moi ou si c'est une prédisposition naturelle, une combinaison fortuite de codes génétiques, résultat heureux de lois héréditaires. En d'autres mots, j'ignore si c'est la grâce ou la nature. Je la considère parfois comme le plus grand don de ma vie. D'autres fois, elle me paraît un « trouble-fête ».

J'ai une certitude inébranlable: Dieu *est* et reste avec moi, même si je n'ai jamais découvert une lueur de la splendeur de son visage. Toutefois, il y a en moi quelque chose qui me dit que cette splendeur existe et brille. C'est une certitude plus « certaine » que les évidences géométriques.

Je sais bien ce qu'est une « nuit privée d'étoiles ». Le visage de mon Dieu s'estompe comme une ombre dédaigneuse. Le monde se convertit en un désert immense, et sur la lande sablonneuse infinie, il n'y a que moi qui parle, moi seul. J'appelle mon Dieu et il me répond par le silence. Cet état de choses dure parfois des semaines. Mais lorsque le désespoir semble toucher le fond, c'est alors que je reçois la « visite » inattendue de mon Seigneur. Si je racontais ce qui arriva, personne ne le croirait; il est d'ailleurs impossible de le raconter. Je dis seulement qu'il n'y a pas au monde, de succès, de conquêtes, d'émotions qui puissent donner autant de gaieté qu'une de ces « visites ». L'absurde de la vie se présente parfois à ma porte, me lance une insistante bordée de questions et s'en va: la mort? l'injustice? la trahison? le sang? la faim des innocents? Et je reste abasourdi des jours et des semaines sans savoir où en venir. Que réponds-tu? Où est ton Dieu?

Je recours à mon Dieu pour lui poser quelques questions et pour me soulager un peu. Un coup de silence répond à chaque *pourquoi.* Comme un écho, seul le rire de l'absurde continue à siffler.

Je me demande comment la vie serait plus heureuse: avec ou sans la foi. Il est évident que, la foi éteinte, toutes les lumières vertes de toutes les passions s'allument. Mais lorsque arrivent les coups, lorsque la nausée nous envahit ou qu'approche la vieillesse, l'homme sans foi doit se sentir misérable, impuissant et désarmé. Il ne voudrait pas rester dans sa peau en ces moments.

Je connais intimement quelques-uns de mes amis. La plupart d'entre eux jetèrent la foi au débarras des vieux objets comme un objet inutile; pire, comme une compagnie moleste. Je ne les envie toutefois pas. Je sais qu'ils laissent toute bride à toutes leurs passions. Je connais également le vide infini de leur vie.

Il arriva plusieurs fois que la tentation, vêtue de fleurs, se présenta aussi à ma porte. Elle me dit que l'on ne vit qu'une seule fois; qu'une fois devenu vieux, on ne désire plus rien et personne ne nous désire: qu'à présent, le temps de la pleine vigueur est le moment opportun pour se couronner de roses. Ces jours-là, Dieu me sembla être une ombre inconsistante et inexistante; je perdais mon temps, le banquet de la vie ne se répéterait plus. Puisant la force, je ne sais où, j'invoquai mon Seigneur de me retirer de ce précipice dangereux. Pour toute réponse, une fois de plus, le silence s'étendit obstinément sur moi.

Quelqu'un me dit un jour que là où il y a un drame, il n'y a pas d'ennui; et puisque la foi est un drame, nous sommes sauvés du mal suprême, le vide de la vie. Je répondis: Du vide de la vie oui, mais pas du trouble. Il y a toujours un météore qui croise mon ciel par les nuits claires aussi bien que par les nuits privées d'étoiles: la *certitude.*

Je suis *sûr* que mon Seigneur gardera le trésor de ma vie dans une caisse d'or jusqu'au jour de la couronne finale. J'ai la certitude d'être destiné à une vie incorruptible et immortelle.

« *Je sais bien, moi que mon rédempteur est vivant,*
que le dernier, il surgira sur la poussière.
Et qu'après qu'on aura détruit cette peau qui est mienne, c'est bien dans ma chair que je contemplerai Dieu.
C'est moi qui le contemplerai, oui, moi!
Mes yeux le verront, lui, et il ne sera pas étranger » (Jb 19, 25-27).

Toutes les nuits obscures, tous les silences, toutes les tragédies du monde ne parviendront pas à abattre cette certitude.

Ô l'incroyable aventure de la foi!

Analyse du doute

Je suis un religieux. Un jour, j'ai clairement entendu la voix de Dieu qui m'invitait à le suivre. J'ai obéi. Et il m'a placé dans ce désert de la foi. Les premiers temps, le Seigneur est un don. Le jour, il se transforme en blanche nuée, il me protège des rayons du soleil. La nuit, il prend la forme d'un flambeau d'étoiles resplendissant, il me protège de l'obscurité et de la peur.

Les années passent. Tout continue de la même façon. Chaque jour, je me lève et je recommence à chercher le visage du Seigneur. Je me lasse parfois de tant chercher sans jamais rien rencontrer.

Je suis encore jeune. J'ai un cœur solitaire et vierge. Dieu *l'habite*. Cependant, il me semble parfois que personne n'y demeure. J'ai passé quelques nuits entières devant le Très Saint Sacrement; à l'aube, j'avais sommeil et j'étais déçu. Je fus seul à parler. Dieu a été « Celui qui se tait toujours ».

D'autres années passent. Des jours sereins et des jours d'orage se succèdent en mon âme. Pour la première fois, j'ai senti la *morsure* de quelques questions qui, rangées comme un régiment en ordre de bataille, ont assailli ma pauvre âme. N'aurai-je pas été victime d'une hallucination? Cette aventure dans laquelle je me suis mis et compromis ne sera-t-elle pas une mésaventure? On ne vit qu'une seule fois et le projet de vie que j'ai choisi pour cette unique fois ne sera-t-il pas une « passion inutile »? J'ai adressé ces questions au Seigneur. Mais je n'ai pas eu de réponse.

La jeunesse s'en est allée à jamais. Je me sens souvent déprimé, j'éprouve quelque chose qui doit être l'ennui de la vie. Les audaces de jeunesse ont disparu à jamais et les signes de décadence commencent à affleurer. J'éprouve parfois d'étranges sensations: pour ne pas faiblir, je tente de m'accrocher à Dieu, mais, j'ai l'impression de toucher un fantôme. D'autres fois, je peux distinguer clairement le visage du Seigneur. Alors je sens que j'ai des ailes et j'ai grande envie de m'envoler comme les aigles.

Je me sens comme un sac de sable, très fatigué de lutter contre l'obscurité de la foi. Je me dis: si le Seigneur daignait me visiter cette nuit pour me donner un peu de réconfort et de force... Mais cette nuit, le Seigneur ne s'est même pas montré. Cependant, aux premières lueurs, je me suis abandonné entre ses mains et j'ai éprouvé un calme insolite, profond comme jamais. D'autres années ont passé. Je suis au déclin de la vie. Je n'ai pas eu de fils. Mon sang ne se perpétuera pas dans d'autres veines. Me serai-je trompé? « Tout » aura-t-il été stérile? Non: *« je sais en qui j'ai mis ma foi et j'ai la certitude qu'il a le pouvoir de garder le dépôt qui m'est confié jusqu'à ce Jour-là »* (2 Tm 1, 12).

Un signal

Elles sont nombreuses les personnes compromises à fond avec le Seigneur que j'ai entendues se défouler dans des expressions comme celles qui suivent.

En ce moment, j'ai la certitude de toucher cette pierre et de fouler ce sol. Si j'avais la même certitude que mon Dieu *est vraiment le Dieu vivant,* je serais l'homme le plus heureux du monde. Si le Silencieux se transformait en voix, au moins une voix légère comme la brise; si l'Invisible se transformait en révélation au moins pour l'instant d'un éclair; si une « grâce » mettait en mon âme le sceau de Dieu au moins une fois dans la vie... je serais plus courageux, plus gai, plus fort, je risquerais tous les combats, j'assumerais les coups de la vie sans me plaindre, je pardonnerais avec facilité, je surmonterais les crises avec bonheur, j'aimerais sans mesure.

Si j'avais une de ses « visites » imprévues, ineffaçable et réconfortante, si pour un seul instant la splendeur du visage du Seigneur déchirait l'obscurité de ma nuit, il y aurait dans ma vie « plus de joie dans mon cœur qu'au temps où abondent le vin et le blé » (Ps 4).

Mais il n'y a pas de trêve. Un écho reproduisant une incertitude obscure résonne toujours au plus profond de la conscience du croyant. Une sorte d'incertitude semble appartenir à la nature même de la foi. Le croyant a toujours l'impression de courir un risque. C'est précisément ici que transparaît la grandeur de la foi.

Nous surprenons plusieurs hommes de la Bible fréquemment dominés par cette déception causée par le silence de Dieu. Ils sentent eux aussi qu'ils font naufrage dans des eaux incertaines et ils cherchent un signal visible, non équivoque, que Celui avec qui ils ont à faire est précisément *Lui* et pas le vague produit d'une hallucination.

> « Gédéon lui dit: 'Si vraiment j'ai trouvé grâce à tes yeux, manifeste-moi par un signe que c'est toi qui me parles. Je t'en prie, ne t'éloigne pas d'ici jusqu'à ce que je revienne vers toi, le temps d'apporter mon offrande et de la déposer devant toi' » (Jg 6, 17-18).

Vaincus par le silence

Parmi la grande variété de situations produites par le silence de Dieu, je crois pouvoir distinguer trois groupes bien différents, surtout parmi les personnes consacrées à Dieu. Le premier groupe est celui des *vaincus*.

Ils ont définitivement abandonné la vie d'union avec Dieu et ils s'organisent pour vivre comme si Dieu n'existait pas. Pendant de longues années, ils se sont efforcés de vivre leur foi. Ils se réveillaient au milieu de la nuit, invoquaient Dieu et Dieu ne répondait pas. Ils se levaient le matin, appelaient le Seigneur, et ils avaient l'impression que l'interlocuteur était lointain, ou tout simplement absent. Toute tentative d'oraison se terminait par un échec. Ils ont mille fois pensé de tout faire échouer; ils réagirent mille fois contre cette tentation se disant qu'après tout Dieu était l'unique à donner un sens à la vie. Ils ne se posèrent jamais vraiment le problème intellectuel de l'*hypothèse* Dieu. Ils avaient peur de faire la rencontre avec le sépulcre vide.

Aujourd'hui, ils se sentent perdus. Ils sont enfoncés dans une situation extraordinaire et singulière: tandis qu'ils voudraient que Dieu soit une réalité *concrète et vivante,* ils le « sentent » toutefois comme mort. Ils ne nient pas Dieu, ni à eux-mêmes et moins encore devant les autres. Ils aimeraient croire mais ils n'ont plus la force de lever la tête. Ils sont convaincus qu'il n'y a rien à faire.

Ils ont abandonné la structure ecclésiastique ou vont le faire. Le symptôme spécifique des vaincus, c'est l'agressivité, selon la réaction typique de tous les frustrés: la violence compensatrice. On les voit tristes. Ils ont « besoin » de détruire. C'est leur manière de masquer leur propre défaite à eux-mêmes et aux autres. Ils critiquent sombrement et sans cesse l'édifice général de l'Église: les structures, les institutions, l'autorité, les systèmes de formation, la doctrine sociale...

Ils ne parlent pas contre Dieu. Au contraire, ou bien ils ne parlent pas de lui, ou bien ils parlent presque « en son nom ». Mais, à mon avis, ils effectuent un transfert, une transaction psychologique: lorsqu'ils attaquent l'Église avec tant d'obsession, au fond, ils se révoltent contre Dieu qu'ils considèrent comme un ennemi inexistant mais hallucinant qui a gâté la fête de leur vie. Leur déception et leur frustration sont orientées contre lui seul.

J'ai écouté les déclarations les plus incohérentes de quelques-uns d'entre eux: j'ai désormais quarante ans, je dois commencer à vivre, mais l'on ne peut pas retourner à l'enfance ou à la jeunesse pour recommencer à faire des projets et à rêver; on ne vit qu'une fois, et en cette unique fois, je me suis trompé; j'ai gaspillé les meilleures années de la vie et je ne puis les récupérer...

En entendant ces déclarations et d'autres semblables, on ne peut faire autrement que de demeurer dans une attitude de silencieux respect.

Désorientés par le silence

Le flambeau a hautement brillé pendant de longues années. Il y a eu une longue « lune de miel » durant laquelle Dieu était une *fête*. Ces années-là les idéaux flottaient, les renoncements se résolvaient en liberté et les privations en plénitude; ils sentaient que rien au monde ne leur manquait. Ce fut une époque d'or.

Les années passèrent et la nuit du silence commença à les opprimer. Les forces de la jeunesse s'éteignaient en un inexorable compte à rebours. À ce point, le Seigneur n'était déjà plus la « fête » du passé. La vie les enveloppa de plus en plus et, comme par une osmose, elle leur enlevait leur enthousiasme. Durant ces années, ils ne reçurent jamais aucune révélation divine d'en-haut. Jamais une de ces grâces qui marquent, affermissent et confirment les âmes dans la foi et les enracinent dans la certitude. L'habitude envahit leurs journées comme un brouillard invincible.

Cette nuit du silence fut longue, trop longue. La fatigue commença à gagner les pèlerins. Ils continuèrent en s'usant lentement jusqu'à rester sans volonté de poursuivre la route. Ce fut — comment dire? — une sensation entre le désenchantement, l'impuissance et l'échec; comme celui qui dirait: je n'ai pas d'ailes pour de si hautes envolées. Mais la parole la plus exacte pour définir telle situation c'est la *désorientation*: « mais tu as caché ta face, et je fus épouvanté » (Ps 29).

Morte, l'illusion du Seigneur, l'apathie la remplace. L'effort de l'oraison personnel abandonné, on fréquente encore quelque sacrement plus par habitude que par désir, on assiste à quelque prière communautaire. Le vide de Dieu est comblé par de fortes doses de compensation. Pour échapper à la sensation de défaite, on se lance de façon désordonnée dans une activité frénétique qui se prétend apostolique. Selon la loi des équilibres, au plus grand vide intérieur correspond une plus grande activité.

À part le découragement et la désorientation, un symptôme typique chez eux, c'est la *nostalgie.* Sans le vouloir mais aussi sans pouvoir l'éviter, ils reviennent aux années du *premier amour,* lorsque l'enchantement pour le Seigneur revêtait toute chose de beauté et de *signification.*

> « *Je me laisse aller à évoquer le temps où je passais la barrière,*
> *pour conduire jusqu'à la maison de Dieu,*
> *parmi les cris de joie*
> *et de louange, une multitude en fête* » (Ps 41).

Même au milieu des activités frénétiques, une voix qu'ils ne peuvent faire taire les poursuit et les hante: « Je te rappelle ton attachement, du temps de ta jeunesse » (Jr 2, 2).

Ils donneraient leurs succès professionnels actuels pour récupérer ce premier amour, la vivante passion d'autrefois pour le Seigneur. Ils éprouvent surtout la perte de la joie. Et là, très loin, en quelque région profonde, ils arrivent à se convaincre que, sans Dieu, il n'est point de source de joie. Et ils sont toujours disposés à reprendre la route du retour vers cette source. La plupart des *désorientés* finissent par récupérer l'enthousiasme primitif, tôt ou tard.

Les confirmés

Une longue histoire douloureuse pèse sur les épaules des *confirmés.* Il y eut de tout dans leur vie: marches et contremarches, crises, chutes et remises en cause. Une fidélité fondamentale couvrit les ruines passagères d'un manteau. Et « Celui qui se tait toujours » commença à durcir, à forger et à confirmer noblement et définitivement ceux qui se donnaient à lui dans la lumière et dans l'obscurité.

Au début, il leur accorda la grâce de percevoir clairement que, dans les adversités de la vie, Dieu seul peut donner du sens et de la solidité à leur projet de vie. Pendant de longues années, ils élevèrent sans cesse des clameurs vers le Seigneur Dieu:

> « *Ne me cache pas ta face! N'écarte pas ton serviteur avec colère!* » (Ps 26).
>
> « *Ne cache plus ta face à ton serviteur. Je suis dans la détresse; vite, réponds-moi* » (Ps 68, cf. 87 et 101).
>
> « *Fais briller ta face sur ton serviteur* » (Ps 30).
>
> « *Heureux le peuple qui sait t'acclamer! il marchera à la lumière de ta face, Seigneur* » (Ps 88).
>
> « *Dieu, fais-nous revenir; que ton visage s'éclaire et nous serons sauvés* » (Ps 79).

Quelle fut la mystérieuse recette qui enracina et qui confirma ces croyants dans la foi? Ce fut un *esprit d'abandon* profond et total. Ne pas résister mais *se donner*: telle fut la clé de leur confirmation. Dieu fut pour eux aussi « Celui qui se tait toujours ». Mais ils ne s'impatientèrent pas, ne s'irritèrent pas, ne s'épouvantèrent pas, n'exigèrent jamais de garantie de crédibilité, de signal pour *voir,* de béquilles pour marcher. Sans résister, ils se donnèrent, jour après jour, en silence, au silence.

Ils traversèrent de longues périodes d'aridité et de sécheresse mais ils ne se laissèrent pas abattre. Ils restèrent abandonnés à Dieu au milieu de l'obscurité la plus complète. Assaillis de coups inattendus qui secouèrent leur arbre jusqu'aux racines, ils ne s'agitèrent pas. Ils s'abandonnèrent en silence, au silence.

Les crises survinrent. Pendant de longues périodes, le ciel demeurait muet et le monde semblait gouverné par l'absurde ou par la fatalité. Ils n'en furent pas confondus ni découragés pour autant mais, les mains et les pieds liés, ils se laissèrent porter par le courant dans la mer infinie de Dieu. La certitude fut la boussole qui orienta leur navigation.

Comme Abraham et plusieurs autres hommes de Dieu, ces confirmés commencèrent à couper les ponts derrière eux, c'est-à-dire à laisser de côté les certitudes du passé, les règles du sens commun et les calculs de probabilité; ils ne se soucièrent pas des explications qui n'en sont pas et des évidences qui n'apaisent pas, et les yeux fermés, ils se confièrent au « totalement Autre », en répétant continuellement: *Amen!* Dans le style des *pauvres de Dieu,* ils s'abandonnèrent sans points d'appui, en pleine obscurité, inconditionnellement à leur Dieu et Père.

Ainsi furent-ils confirmés pour toujours dans la certitude de la foi.

Force dans le silence

Dans les temps modernes, nous avons une haute représentante de cet abandon en Thérèse de l'Enfant Jésus. Voici ses paroles d'une grandeur presque surhumaine:

> « L'aridité la plus absolue et presque l'abandon furent mon patrimoine. Comme toujours, Jésus continuait à dormir dans ma barque. »

C'est très réconfortant pour nous de savoir qu'une âme si privilégiée ait vécu avec tant de paix et de sourire l'abandon de la foi, malgré le silence absolu de Dieu.

Ce témoignage prend une grandeur nouvelle à la lumière d'autres paroles:

> « Il peut arriver que (Jésus endormi) ne se réveille pas avant mon entrée dans l'éternité. Mais au lieu de m'attrister, cela me réconforte beaucoup. »

Cette femme fragile est de la descendance d'Abraham. Comme nous verrons plus tard, quelques âmes passent par le monde, soutenues par les consolations de Dieu. Mais pour beaucoup d'autres, c'est le tourment. Seul l'abandon (la foi absolue) transforme la torture en douceur. Thérèse de Lisieux appartient à cette classe d'âmes. Ses déclarations, quelques jours avant de mourir, nous laissent muets. Elles l'élèvent au-dessus de plusieurs hommes de Dieu qui, dans la Bible, demandent un « signe » pour avoir la certitude que Dieu existe. Thérèse récuse volontairement cette « grâce ».

> « Je ne désire pas voir Dieu sur cette terre...
> Je préfère vivre de foi. »

Par des paroles simples, par une comparaison poétique, elle nous révèle le secret de sa foi:

> « Je me considère un faible oisillon recouvert seulement de duvet. Je ne suis pas un aigle; je n'ai que des yeux et un cœur d'aigle, mais, malgré ma petitesse extrême, j'ose fixer le Soleil divin, le Soleil de l'amour, et mon cœur ressent toutes les aspirations de l'aigle. L'oisillon désire voler vers ce brillant Soleil qui fascine son regard...
>
> « Qu'en sera-t-il de lui? Il mourra de peine en se sentant si impuissant? Oh, non! L'oisillon n'arrive même pas à s'affliger. Par un abandon audacieux, il veut continuer à fixer son divin Soleil. Rien ne serait capable de l'effrayer, ni le vent, ni la pluie. Et si de sombres nuages viennent cacher l'Astre d'Amour, l'oisillon ne change pas de direction; il sait qu'au-delà des nuages, son Soleil continue à briller, que sa splendeur ne pourrait s'éclipser un moment. »

Voilà donc le mystère final de la foi. Nous avons été *structurés* pour tendre vers un objectif infini. Mais notre attitude a été détériorée par un désastre qui rend difficile la poursuite de l'objectif originel.

Nous ne sommes que des moineaux, tout en ayant un cœur d'aigle. C'est le terrible mystère contradictoire de l'homme: avoir un cœur d'aigle et des ailes de moineaux.

Que faire? Je sais que je ne puis voler haut. Je n'essaie même pas d'agiter les ailes. Je me laisse aller sur les ailes du vent: Dieu est le vent. Le reste, c'est Lui qui le fera. Je sais que je suis un moineau; mais Lui peut me prêter les ailes puissantes de l'aigle. Y a-t-il quelque chose d'impossible pour Lui? Je sais que je suis un tas de ruines et de désolation mais si je m'abandonne à Dieu, Il peut me transformer en demeure fascinante. Il est puissance et grâce.

Si Dieu s'enveloppe d'un manteau de silence ou s'il se cache derrière les nuages, je le suivrai avec un abandon audacieux bien que je ne voie rien et que je ne sente rien. Même si mille voix me parlent d'illusion, je sais que Dieu est là, présent derrière le silence. Je le suivrai en le fixant obstinément en paix. Et bien que Dieu reste « endormi » sur ma barque pour toute ma vie, peu importe; je sais qu'il se « réveillera » au grand jour de l'éternité.

« Tu crois que la lune est apparue maintenant que les nuages se sont dispersés. Tu te trompes. La lune brillait derrière les nuages depuis de longues éternités » (Proverbe oriental).

4.

VERS LA CERTITUDE

Ils étaient comme deux *vieux amis*. Ils allaient parvenir au terme d'une entreprise mémorable. Luttant coude à coude sans égal, sans s'accorder et sans recevoir de pauses, ils avaient rassemblé un peuple opprimé. Ils le conduisirent à travers la patrie des libres qu'est le désert, l'acheminant vers un rêve lointain et presque impossible. Les deux se parlaient avec la camaraderie de deux vétérans de guerre. C'étaient Dieu et Moïse.

Mais Dieu était un « compagnon » invisible. Toutefois, d'ardent contemplatif qu'il était, Moïse désirait voir son visage. Un jour que l'anxiété allait l'écraser, il se laisse aller à une supplication qu'il réprimait depuis longtemps: *Seigneur mon Dieu, montre-moi ta Gloire!* Et le Seigneur lui répondit:

> « Je ferai passer sur toi tous mes bienfaits et je proclamerai devant toi le nom du 'Seigneur'; j'accorde ma bienveillance à qui je l'accorde, je fais miséricorde à qui je fais miséricorde. » Il dit: « Tu ne peux pas voir ma face, car l'homme ne saurait me voir et vivre. » Le Seigneur dit: « Voici un lieu près de moi. Tu te tiendras sur le rocher. Alors, quand passera ma gloire, je te mettrai dans le creux du rocher et, de ma main, je t'abriterai tant que je passerai. Puis, j'écarterai ma main et tu me verras de dos; mais ma face, on ne peut la voir » (Ex 33, 19-23).

Cette scène si étrange et si significative nous dévoile admirablement tout le mystère de la foi: aussi longtemps que dure le combat de la vie, il est impossible de contempler le Seigneur face à face. Il n'est possible de l'entrevoir que dans quelque vestige éphémère, en remontant des effets à la Cause, en élaborant des déductions et des analogies, dans la pénombre: en un mot, « de dos ».

La nuit obscure

Saint Jean de la Croix ne se lasse pas de dire, avec des expressions différentes, que la foi « est l'enveloppe de l'âme qui l'habille de façon *certaine et obscure* ». J'ai toujours considéré ce saint comme le grand *docteur de la foi* puisque s'il est maître et guide en tous les sentiers de l'esprit, il l'est tout spécialement dans la voie nocturne de la foi. Parmi les nombreux concepts développés dans ses livres sur ce thème, les paroles qui suivent peuvent être considérées comme la synthèse de toutes ses idées.

> « La foi est la substance des choses que nous espérons, et bien que l'entendement y adhère avec fermeté et certitude, elles ne sont pas dans le champ de celles qu'il découvre, parce que, s'il les découvrait, ce ne serait plus la foi. Car bien que la foi donne la certitude à l'entendement, elle ne lui rend pas l'objet manifeste, elle le laisse au contraire dans l'obscurité » (*La Montée du Carmel*).

J'essaierai d'expliquer ces deux concepts qui, comme une ossature, constituent l'essence de la foi: *obscur et certain.*

* * *

Partons d'une expression, peut-être un peu difficile: *processus cognitif,* pour au moins démêler un peu le mystère de la foi.

Les impressions et les sensations des différents objets entrent dans l'intelligence humaine à travers les sens. L'intelligence est une sorte de filtre ou encore une gare de triage. De chaque objet saisi par les différents sens, elle sépare ce que l'objet a de propre ou d'individuel de ce qu'il a en commun avec tous les autres objets de la même espèce. C'est-à-dire qu'elle se forme une idée commune à tous les objets et, par conséquent, universelle. C'est un processus d'*universalisation.* Donnons un exemple concret.

Ici, je vois une chaise, plus loin, je vois une autre chaise différente de la première, puis une troisième qui ne ressemble pas aux deux premières ni par la grandeur ni par le dessin. Dans ce cas, c'est ainsi qu'entrent dans mon intelligence les images de trois chaises de différentes formes; laissant de côté ce qui est spécifique à chacune de ces chaises, mon intelligence tire et retient ce qui est commun à toutes: une idée universelle de chaise. Je saurai désormais reconnaître une chaise parmi mille objets différents.

Est-ce ce qui arrive dans le processus de la connaissance de Dieu? En vérité, non. Le Seigneur ne s'habille pas de couleurs ni de parfum, il n'a ni poids ni mesures, il ne peut donc être connu par les sens; par conséquent, il ne peut *passer* dans le laboratoire de l'intelligence pour être soumis au processus d'analyse et de synthèse. Dieu ne sera donc jamais proprement un *objet d'intelligence* parce que rien n'arrive à l'intelligence sans d'abord passer par les sens. Le Seigneur est au contraire un *objet de foi.* On ne peut « le comprendre » parfaitement que dans la foi.

De plus, Dieu n'entre jamais dans notre jeu. Il reste toujours au dehors, il est transcendant; il est *au-dessus* du processus normal de cognition humaine. Il est dans une autre orbite. Dieu est une *autre chose.*

Je veux dire que Dieu ne peut être « compris » analytiquement parce qu'il n'entre pas dans le jeu acrobatique des raisonnements, des prémisses et des conclusions, des inductions et des déductions. Dieu, on le « comprend » à genoux: en l'assumant, en l'accueillant, en le vivant. Le « accomplir la chasse » de saint Jean de la Croix ne doit pas être compris au sens intellectuel, qui est impossible, mais bien au sens vital. Conquérir (intellectuellement) Dieu? Dans ce sens, le Seigneur est « inexpugnable ». Ce qui est difficile et nécessaire, c'est de nous laisser conquérir par Lui.

S'il est impossible « d'accomplir la chasse » rationnellement, alors Dieu est *mystère.* Ça ne veut pas dire qu'il est une *chose mystérieuse,* mais bien qu'il est inaccessible à la puissance intellectuelle: comme dit la Bible, nous ne pourrons le regarder face à face.

> « Dans tous les sens, Dieu est totalement différent. Un processus qui nous porte à d'autres êtres ou à d'autres vérités est incapable de nous porter à Lui; c'est ainsi que les représentations aptes à exprimer d'autres êtres sont incapables de L'exprimer.
>
> « Encore après que la logique nous a obligés à affirmer que Dieu existe, son mystère continue à rester inexploré. Notre raison

n'arrive pas jusqu'à Lui. Dialectique et représentation ne peuvent franchir le seuil.

« Mais avant toute dialectique et toute représentation, notre esprit affirme déjà que Celui à qui l'on parvient par la dialectique et la représentation est au-delà de toute représentation et de toute dialectique.

« Et cette affirmation, passant ainsi des ténèbres à la lumière, puis de la lumière à d'autres ténèbres, demeure toujours vivante » (H. de Lubac).

Ce passage superbe souligne admirablement l'« hommage » de la foi: avant, au-delà, et en-deçà de la dialectique et de la représentation, le vrai croyant *s'abandonne* dans l'obscurité, alors seulement commence-t-il à comprendre le « mystère » et à acquérir la certitude.

* * *

Saint Augustin dit:

« Crois-tu savoir qui est Dieu? Crois-tu savoir comment est Dieu? Il n'est rien de ce que tu imagines, rien de ce que ta pensée embrasse. »

« Oh, Dieu, qui es au-dessus de tout nom, au-dessus de toute pensée, plus au-delà que tout idéal et toute valeur ! Oh, Dieu vivant ! » (*Contra Adimantum, II*).

C'est pourquoi les paroles humaines ne seront jamais vraiment « porteuses » de la substance réelle de Dieu. Les paroles véhiculent et transmettent des images des réalités que nous vivons, entendons et sentons. Dieu étant au dehors de la portée de nos sens et par conséquent de notre langage, toutes les paroles que l'on rapporte à lui sont au négatif: in-fini, in-visible, in-compréhensible, in-créé, dont on ne dit pas le nom... Aucune parole ne peut le contenir: le Seigneur est beaucoup plus grand, admirable et magnifique que tout ce que nous pouvons concevoir, rêver, désirer, imaginer de lui. Il est réellement l'Incomparable.

On *assume* Dieu dans la foi. Plus qu'objet d'intellection, il est objet de contemplation. Il faut très bien aller au fond des choses de Dieu. Mais, originellement, l'acte de foi consiste à accueillir le « mystère » dans l'obscurité de la nuit. Saint Jean de la Croix dit:

> « Ce que l'on peut comprendre dans l'union avec Dieu, on ne l'obtient pas en comprenant mais en croyant... parce que la chose la plus haute que l'on puisse comprendre de Dieu est infiniment loin de Dieu » (*La Montée du Carmel*).

« Quel est ton nom? »

Les écrivains de la Bible n'osent pas définir, ni décrire, ni nommer Dieu. Définir signifie en quelque sorte comprendre quelque chose et le Seigneur Dieu est in-compréhensible. Pour les sémites, le *nom* équivaut à la personne; et nommer est en un certain sens apprendre et mesurer l'essence de la personne, et Dieu est in-commensurable.

C'est pourquoi la Bible fait à l'égard de Dieu un jeu d'en-haut ou transcendant: elle passe par-dessus et elle évite de lui donner un nom. Au lieu du nom, elle emploie des circonlocutions, des expressions indirectes pour le désigner: « Le Dieu d'Abraham, le Dieu d'Isaac, le Dieu de Jacob » (cf. Ex 3, 6). Suivant ce même style, saint Paul parlera de « Dieu, Père de notre Seigneur Jésus Christ ». La manière la plus appropriée pour représenter ou signifier Dieu serait donc la suivante: *Celui* qui se révéla aux patriarches; *Celui* qui se révéla en Jésus Christ. Pour se référer à Dieu, le pronom suffit; on ne peut lui donner un nom.

C'est pourquoi les Israélites ne prononçaient jamais le nom de Yahvé. Cette pratique cache une grande et profonde réalité: la transcendance du Dieu d'Israël.

* * *

Malgré cela, l'Israélite continuait à interroger le Seigneur: *qui es-tu? comment t'appelles-tu?* Nous comprenons la scène biblique suivante dans ce contexte.

Fuyant les colères du pharaon, Moïse s'était réfugié dans la région de Madian et il gardait les troupeaux de son beau-père. Dieu lui dit: « Va, maintenant; ... fais sortir d'Égypte mon peuple, les fils d'Israël.» Moïse dit à Dieu: «Voici! je vais aller vers les fils d'Israël et je leur dirai: Le Dieu de vos pères m'a envoyé vers vous. S'ils me disent: Quel est son nom? — que leur dirai-je?» Dieu dit à Moïse: «*JE SUIS QUI JE SERAI.*» Il dit: «Tu parleras ainsi aux fils d'Israël: *JE SUIS m'a envoyé vers vous*» (cf. Ex 3, 10-14).

Dieu n'élude pas la demande de Moïse, mais il donne l'unique réponse humainement compréhensible. En vérité, Dieu ne peut avoir un *nom*! Il est précisément l'In-nommable! On ne peut le classifier; aucune parole humaine ne peut prétendre le renfermer dans ses propres confins. Dieu navigue dans les espaces irrépressibles de l'Être. Est-ce possible de canaliser les eaux d'un fleuve gigantesque dans le sillon minuscule d'une charrue?

L'épisode mystérieux et dramatique du combat nocturne entre Jacob et l'«inconnu» près du gué de Yabboq a la même signification. À l'aube, Jacob lui demanda: «De grâce, indique-moi ton nom». Il répondit évasiment: «Et pourquoi, me demandes-tu mon nom?» (cf. Gn 32, 25-33).

Manoah s'entendit donner la même réponse: «Pourquoi me demandes-tu mon nom? Il est mystérieux» (Jg 13, 18). Dieu n'a donc pas de nom, on ne peut le nommer. Il dépasse toute configuration humaine, toute possibilité de représentation, toute parole, toute idée. Il est toujours «quelque chose d'autre»: plus profond que les abîmes, plus haut que les cieux, plus inexprimable que les harmonies du monde. Il n'est pas son, mais Être.

Dans la nuit profonde de la foi, lorsque l'âme, comme une terre obscurcie et desséchée, s'offre docilement à l'action divine et qu'elle accueille le Mystère infini qui tombe sur elle comme une pluie paisible et la féconde... alors seulement, abandonnée et réceptive, commencera-t-elle à comprendre l'Inintelligible.

Analogies, vestiges, symboles

Pèlerins de la nuit, privés même de la splendeur des étoiles, comment éviterons-nous d'être dévorés par la crainte? à quoi nous accrocher pour ne pas céder au découragement? quels phares, quels signaux nous diront si nous sommes bien orientés? où est Dieu? comment le contempler au moins «de dos»?

La Bible nous offre des images et des symboles. L'Invisible se fait visible à travers les forces cosmiques, les paroles écrites, les événements historiques ou les phénomènes telluriques: toute chose est une invitation à nous plonger dans les profondes eaux divines.

Dieu prend fréquemment la forme du feu, signe le plus approprié pour le rendre visible par la splendeur avec laquelle il illumine les obscurités et par l'énergie avec laquelle il calcifie, cautérise ou vivifie. Sur le mont Horeb, Moïse est fasciné par le spectacle du buisson ardent qui « ne se consume pas » dans le feu (Ex 3, 2). Au Sinaï, la montagne brûle mais ne se consume pas (cf. Ex 19, 18). Dieu est un feu qui ne détruit pas, il purifie.

* * *

Le long de notre route d'« aveugles » en pèlerinage, il y a beaucoup de signes, d'empreintes ou de vestiges par lesquels il nous est possible, bien qu'avec fatigue, de découvrir l'être et le visage du Seigneur.

Il suffit de fouiller un peu la profondeur de l'homme pour découvrir que ses dimensions sont à la mesure de l'infini. Qui y creusa un puits si profond? Qui y mit un feu qui brûle toujours sans jamais s'éteindre? D'où vient cette faim que tous les aliments du monde ne peuvent satisfaire? Et cette soif que toutes les sources des montagnes n'apaisent pas? Bien que personne ne parle, *il doit y avoir* au commencement une Source de vie, une Cause originale, puis un But final.

Et ce miroir brillant qu'est le monde?... Derrière tant de beauté, il doit y avoir la Beauté; derrière tant de vie, il doit y avoir la Vie, derrière tant de tendresse, il doit y avoir l'Amour.

Ainsi remontons-nous des créatures au Créateur, des effets à la Cause mais toujours par une voie obscure, conduits par la main, par des analogies et des déductions, à tâtons, dans la pénombre, vers la foi.

* * *

Malgré — qu'à « l'accomplissement du temps » (cf. Ép 1, 10) — Dieu se soit manifesté par des prodiges et des paroles de salut, son mystère reste toutefois voilé et retenu dans le silence.

Par la Parole, ce voile fut enlevé « et j'ai connu le mystère... le mystère du Christ » (Ép 3, 3-4). La réalité profonde et ultime du mystère continue toutefois à être retenue dans les paroles et les signes, et nous reflétons la « gloire du Seigneur... comme dans un miroir » (2 Co 3, 18).

Désormais, au long des siècles, le destin de l'Église consiste à découvrir de plus en plus clairement ce mystère jusqu'à ce que le voile soit complètement déchiré. À chaque étape de son histoire, l'Église avance vers le cœur du mystère: c'est une marche de croissance, de pénétration et de profondeur, d'éclaircissement du mystère de Jésus Christ.

La révélation est un événement *historique,* en ce sens qu'elle s'est réellement produite *dans le passé.* Mais cette révélation ne s'épuise pas dans le passé, au contraire, elle se poursuit en se déployant au long de l'histoire. C'est-à-dire que la connaissance du mystère de Jésus Christ ne s'épuise pas avec les données des Écritures, mais elle s'enrichit et s'approfondit par l'apport contemplatif des siècles et des cultures. L'histoire n'est rien d'autre qu'une marche vers la profondeur de la Parole.

Le grand saut dans le vide

Le croyant « adulte » est celui qui croit en *s'abandonnant.*

Nous pourrions donc parler de *foi adulte.* Pour la comprendre, commençons par examiner les concepts du langage commun. L'*enfant* est un être essentiellement dépendant: il a besoin de s'appuyer sur quelqu'un pour marcher, manger, vivre. Est *adulte* celui qui est capable de se tenir debout sans s'appuyer sur personne: il se suffit à lui-même pour vivre, pour gagner sa vie, pour former un groupe familial...

Si nous appliquons ces concepts à notre cas, la *foi puérile* est celle qui, pour s'abandonner, a besoin d'appuis, de garanties tranquillisantes. La *foi adulte* est celle qui, sans appui, se tient debout seule, court tous les risques, a confiance, permet et s'abandonne. Elle s'abandonne en l'absence des sécurités, des évidences ou des encouragements. Elle le fait debout, seule.

La personne qui a besoin pour croire de raisonnements continuels et de preuves possède une foi puérile. C'est comme si quelqu'un se présentait pour lui dire: à l'apparence ce que tu crois est inacceptable pour le sens commun; c'est contre les lois de l'univers et contre la raison. Mais tranquillise-toi. Je peux t'offrir des arguments de raison qui démontrent que ce que tu crois n'est pas si extravagant que cela. Tu te convaincras que la foi n'est pas contre la raison ni la raison contre la foi; je peux te prouver que les miracles sont possibles parce que Celui qui fit les lois peut aussi les abroger et, enfin, que les vérités fondamentales de la foi peuvent soutenir le défi des sciences... Voilà, tu peux croire tout tranquillement.

Elle est puérile cette foi si elle a besoin de pareilles béquilles pour avancer. Il est bon que le croyant approfondisse intellectuellement la matière de foi; mais la foi qui a besoin de pareils « réconforts » pour se tenir debout et pour atténuer la peur du saut, n'est pas de la foi. L'acte adulte de la foi est capable de faire un saut sans appui.

L'adulte surmonte toutes les distances et les limites inhérentes à la foi en sortant de lui-même; il se détache de tous les points d'appui intellectuels que le raisonnement lui procure et il accomplit le grand saut dans le vide en pleine nuit obscure, en s'abandonnant au *totalement Autre*. C'est un saut dans le vide vers ce précipice profond qu'est le Mystère.

* * *

Dans ma vie, j'ai rencontré de très nombreuses personnes, surtout des consacrées à Dieu, et j'ai écouté leurs confidences et leurs problèmes. Cela m'a permis de me convaincre qu'ils sont peu nombreux les croyants qui, au long des années, se libèrent des hésitations et des perplexités au sujet de la foi.

Le croyant a toujours la sensation de courir un risque. Ce ne sont jamais des pensées bien ordonnées, mais aveugles et « irrationnelles » qui prennent possession de son esprit et qui le pressent par mille questions inquiétantes: comment as-tu pu avoir confiance à ce point? quelle garantie as-tu reçue? tu t'es fié à « Quelqu'un »: sera-t-il vraiment en mesure de te sauver d'une illusion sensationnelle? Et il reste sans protection concrète, sans aucune preuve empirique, sans explication qui éclaire, sans évidence qui tranquillise... C'est le vide sur lequel il faut faire le grand saut; pas une seule fois mais en permanence.

C'est le grand moment de la foi, l'acte radical où se produit tout mérite et toute valeur transformante. Il est beau de croire en la lumière quand il fait nuit. Je crois que derrière ce silence, Tu respires. Je crois que derrière cette obscurité, Ton visage brille. Bien que tout aille mal pour moi, bien que les accidents se succèdent, je crois que tu m'aimes. Bien que tout paraisse fatalité, bien que je voie les hommes haïr et les enfants pleurer, bien que la tristesse règne et que j'aie envie de mourir... je crois, je m'abandonne à Toi. Sans Toi, quel sens aurait cette vie? Tu es la Vie éternelle.

Voilà la foi qui déplace les montagnes et qui donne une force indestructible aux croyants. C'est ce « saut » qui fait en sorte que l'acte de foi soit un *hommage*. Sans doute, la foi est *don* de la part de Dieu, le premier don. Mais de la part du croyant, c'est un bel acte fondamental de *gratuité*: en pleine obscurité, il se jette dans les bras du Père, de quelqu'un qu'il ne voit pas, sans aucun autre motif et sans aucune autre sécurité que sa Parole. Dans l'acte de foi, il y a beaucoup de *gratuité* (et de mérite) de la part de l'homme.

> « La foi ne signifie pas seulement retenir quelque chose pour vrai. Il ne s'agit pas non plus de simple confiance. Croire signifie dire *amen* à Dieu, se consolider et se baser sur lui. Croire signifie laisser Dieu être totalement Dieu, en le reconnaissant comme l'unique raison et signification de la vie. La foi, c'est donc exister dans la réceptivité et dans l'obéissance » (W. Kasper).

Nuit transfigurée ou certitude

S'il est vrai que l'acte de foi implique tout l'homme (sentiments, pensées, comportements), toutefois, il est fondamentalement un acte de volonté parce qu'il s'agit d'une adhésion vitale qui met en jeu les intérêts personnels et tout le destin personnel.

Eh bien, par cet acte d'abandon libre et courageux, le croyant traverse d'un coup la nuit entière de la foi et il supplée à cette incapacité radicale de notre intelligence de « dominer » intellectuellement Dieu. Le croyant qui s'abandonne dépasse les processus mentaux, saute au-delà des problèmes de formules et de contenu... « atteint » Dieu, et le Seigneur se transforme en certitude.

La sécurité que le raisonnement ne put nous donner, Celui même qui est le contenu de la foi nous la donnera à condition d'avoir été *accepté* par une confiance « déférente » et inconditionnée.

C'est ainsi que la nuit de la foi est vaincue et que, sans cesser d'être nuit, elle se transfigure, assume l'apparence de la lumière, mieux, en tient lieu: c'est la *certitude.* Saint Denis appelle la foi *rayon ténébreux*: un faisceau d'obscurité pénètre le monde et « illumine » tout, pas par des visions ni par des évidences, mais par des certitudes qui viennent de l'intérieur et qui sont autre chose que la clarté. Dans la foi, il n'y a pas de clarté mais de la sécurité (« certitude obscure »). Cette certitude n'est pas un produit des vérités évidentes mais quelque chose qui provient de la confiance même de la foi. Ainsi le psalmiste affirmera-t-il:

> *« Même les ténèbres ne sont pas ténébreuses pour toi,*
> *et la nuit devient lumineuse comme le jour »* (Ps 138, 12).

Transformé en lumière (certitude) Dieu précède alors et préside la caravane des croyants au long du désert de la vie, dans la foi et l'espérance (cf. Ex 13, 21). Afin que le peuple ne se décourage pas à cause de l'obscurité de la nuit, Dieu même prendra la forme d'« une colonne de feu pour les éclairer » (Ex 13, 21).

* * *

Nous pouvons donc définir la foi par la parole: *certitude.* La foi étant, répétons-le, le premier don de Dieu, la certitude est également la *première grâce* du Dispensateur de tout don. Toutefois, en considérant la certitude comme phénomène humain (et spirituel), cherchons ses sources.

Saint Jean de la Croix nous dévoile en vers immortels, comment la nuit de la foi se transforme en lumière de midi:

«... sans autre lumière et guide
que celle qui brûlait dans le cœur.
Elle me guidait plus sûrement que la lumière de midi.»

La certitude («la plus sûre») ne provient pas des vestiges de la création, ni des déductions analogiques mais de la structure interne de la foi elle-même («celle qui brûlait dans le cœur»). Sans croire, on ne comprend rien. Sans s'abandonner, on ne croit rien. Et personne ne s'abandonne sans décision vitale. Il n'y a pas de conflits intellectuels de foi pour celui qui se confie. La sécurité naît toujours de la vie.

Le croyant commence à ne plus craindre l'obscurité, et à ne plus supporter le silence. Séduit par la voix de Celui qui l'appelle de l'obscurité profonde et brillante, le croyant sort de lui-même, surmonte les perplexités et les insécurités de celui qui ne voit rien et qui foule la terre inconnue. Comme les étoiles éclairent d'une splendeur faible les ténèbres de la nuit, de même la lumière semi-voilée du visage de Dieu illumine les pas du croyant. Il y a de plus, «une autre lumière et guide»: «celle qui brûlait dans le cœur».

La confluence de ces deux lumières (qui n'empêchent pas que la nuit continue à être obscure) fait en sorte que la marche du croyant devienne aussi ferme et aussi sûre que si la lumière de midi brillait. C'est une nuit mystérieuse et resplendissante comme une nuit de noces: le croyant se confie à Dieu, il confesse, il affirme, sans le voir, il le «voit», sans le sentir, il l'acclame, il lui «consigne les clés» et les deux s'unissent en une alliance éternelle et transfigurante. À l'instant, toutes les insécurités se dissipent et le ciel et la terre et la mer et tout ce qu'elle contient, tout se couvre de certitude, une certitude sereine comme le crépuscule. Et le croyant est confirmé pour toujours dans la foi.

Réellement, la certitude naît de la vie. C'est le fruit du cœur, pas de la raison.

«Comme je connais bien...»

Une fois de plus, c'est saint Jean de la Croix qui joue génialement entre certitude et obscurité dans son «Cantar del alma que se huelga de conocer a Dios por la fe» (Cantique de l'âme qui jouit de connaître Dieu par la foi).

En voici quelques fragments:

«Je la connais la source qui coule et se répand,
Quoique ce soit de nuit!

Cette fontaine éternelle est cachée
Mais comme je sais bien où elle est
Quoique ce soit de nuit!

Dans cette nuit obscure de cette vie
Comme je connais bien, par la foi, la fontaine
Quoique ce soit de nuit!

Sa clarté n'est jamais obscurcie
Et je sais que toute lumière vient d'elle
Quoique ce soit de nuit!

Cette source vive, vers laquelle je soupire,
Je la vois dans ce pain de vie
Quoique ce soit de nuit!

Le mystère profond de la foi se situe précisément en ces deux expressions antithétiques qui traversent, scandent et dominent le cantique: «comme je sais bien» (certitude), «*bien que ce soit de nuit*» (obscurité). L'acte de foi consiste en cette force contrastante et unifiante qui cesse d'être un paradoxe au moment où l'on commence à la vivre.

Chapitre III

ITINÉRAIRE VERS LA RENCONTRE

En écrivant ce chapitre, je pensais surtout aux chrétiens qui ne peuvent disposer de guides ou de conseillers pour alimenter et canaliser leurs aspirations profondes.

Pour les aider le plus possible, j'ai proposé des orientations d'ordre pratique afin qu'ils puissent accomplir eux-mêmes leur propre marche vers l'intimité du mystère infini de Dieu, en transformant leur vie en amour.

Signification de ce chapitre

La patience, la constance et l'espérance seront comme trois anges qui accompagneront notre marche pour éviter que la nuit de la désolation ne nous surprenne.

Il faut du *calme*. Un chrétien dominé par la dispersion intérieure, bouleversé par l'agitation et la nervosité ne peut parvenir à l'union transformante avec Dieu. Nous indiquerons une série d'exercices faciles à pratiquer pour vaincre la nervosité.

Il faut de la *paix*. Un chrétien surchargé de fortes agressions, de résistances secrètes et de révoltes viscérales ne peut entrer dans le temple de la paix qui est Dieu. Pour pacifier l'âme, nous avons décrit un processus de purification profonde, par des exercices pratiques d'abandon.

De plus, il faut de l'*unité intérieure*. De hautes vagues se lèvent durant la navigation spirituelle: distractions, sécheresse, aridité... Que faire? Nous indiquerons les moyens pratiques pour vaincre ces obstacles.

Pour faire les premiers pas, nous nous appuierons sur la *parole* comme pont entre l'âme et Dieu. Comme moyens pratiques, nous suggérerons l'oraison vocale, la lecture méditée, etc.

Il y a des aspects qui paraissent secondaires et qui ont toutefois une incidence sur le résultat de l'oraison. Où, quand, comment prier? Position, respiration... Nous donnerons des conseils pratiques pour les problèmes concrets.

Il n'est pas facile de prier

À mon avis, ce qui compromet et désoriente les âmes, c'est de croire qu'il soit facile de prier, aussi facile que de s'entretenir avec son père, sa mère ou son ami. Je comprends que certaines oraisons vocales soient faciles, de même que certaines pratiques communautaires, les invocations ou encore une communication superficielle avec Dieu.

Mais pénétrer les mystères impénétrables de Dieu, habituer et habiliter les facultés psychologiques à la croissance de la grâce, en conditionnant cette croissance aux changements de la structure humaine, continuer à avancer le long des côtes obscures et pénibles des exigences de Dieu jusqu'à l'union transfigurante... tout ce processus est d'une lenteur et d'une difficulté énervantes. Procéder jusqu'à la fin, dans la vie avec Dieu, est sans doute la plus complexe et la plus difficile des entreprises humaines. Prier n'est pas facile.

La grâce offre un éventail illimité de possibilités, de zéro à l'infini. La capacité de développement n'a pas été donnée à tous; on n'exigera pas le même résultat de tous; on demandera à chacun en proportion de ce qui lui aura été donné. Mais personne ne pourra dire: moi, j'ai reçu tant et on n'exigera que tant de moi. Parce que seul Dieu est donneur, Lui seul connaît la mesure. Nous, nous avons à être totalement fidèles, sans supputer ce qui nous a été donné et combien nous devrons correspondre.

Quoi qu'il en soit, avec peu d'oraison, sans persévérance et sans discipline, ne nous attendons pas à une forte expérience de Dieu; ne nous attendons pas non plus à une vie transfigurée,... encore moins à devenir des prophètes qui resplendissent.

L'oraison est un art

Bien que la prière soit fondamentalement l'œuvre de la grâce, elle est aussi un art, et comme art, elle est soumise aux lois psychologiques ou aux normes d'un apprentissage comme toute autre activité humaine. Pour bien prier, il faut donc une méthode, de l'ordre et de la discipline. En un mot, une technique rigoureuse.

Je comprends qu'à une simple paysanne, sans nécessité d'aucune technique, Dieu puisse faire découvrir les panoramas grandioses du mystère de son être et de son amour par voie de grâces infuses et extraordinaires. Mais ces grâces ne se méritent ni ne s'obtiennent n'importe comment. Elles « se reçoivent » en dehors de tout calcul et de toute logique parce qu'elles sont gratuité absolue.

La technique sans la grâce n'obtiendra aucun résultat. Mais au contraire, j'ai pu observer plusieurs fois que des âmes douées de grandes qualités et *fortement appelées* sont restées sur les premières marches de la vie avec Dieu par manque d'effort ou de discipline, lorsqu'en réalité, elles avaient « reçu » des ailes et du souffle pour des ascensions extraordinaires.

Pensons combien il faut d'années, d'énergies, de méthodes et de soins pour toute formation humaine: un peintre, un compositeur, un professionnel, un technicien. Si prier est, entre autre chose, un art, nous ne pouvons penser pouvoir atteindre un haut niveau dans la vie avec Dieu sans énergie, sans ordre et sans méthode.

Il est sûr que nous avons affaire ici à un pédagogue original qui peut faire sortir des gonds toutes les méthodes, nous acheminer sur les sentiers les plus surprenants, en sautant toutes les lois psychologiques et pédagogiques.

Mais Dieu se soumet normalement aux lois évolutives de la vie, comme dans le cas d'une graine de moutarde: c'est une graine insignifiante, presque invisible. On la jette en terre. Les jours et les semaines passent, et il ne se produit rien apparemment. Toutefois, après un certain temps, quelque chose commence à sortir du sol, un semblant de plante qu'on ne voit presque pas. Les mois passent, elle croît et croît jusqu'à devenir un arbuste touffu qui étend de grandes branches « si bien que les oiseaux du ciel peuvent faire leurs nids à son ombre » (Mc 4, 32).

Ce lent processus évolutif vaut pour toute forme de vie, pour la croissance dans l'oraison, dans la vie fraternelle, pour modeler l'image du Seigneur Jésus dans notre vie.

À vol d'oiseau

Si nous considérons à vol d'oiseau, la route de la vie avec Dieu, de l'oraison vocale aux communications les plus profondes, nous avons le panorama général suivant. Aux premières étapes, Dieu laisse l'initiative à l'âme, suivant le fonctionnement normal des mécanismes psychologiques. La participation de Dieu est rare. Il laisse l'homme chercher ses propres moyens et ses appuis, comme s'il était le seul constructeur de sa maison. Et même s'il est vrai que les consolations divines abondent au cours de ces étapes, l'oraison semble un édifice qui repose exclusivement sur des échafaudages humains.

À mesure que l'âme avance vers des degrés plus élevés, Dieu prend lentement et progressivement l'initiative en intervenant de façon directe, moyennant des soutiens spéciaux. L'âme commence à sentir que les moyens psychologiques qui l'aidaient tant auparavant sont désormais des béquilles inutiles; avec une décision chaque fois plus grande, Dieu arrache l'initiative à l'âme, la pousse à la soumission et à l'abandon au fur et à mesure qu'entre en scène l'autre sujet, l'Esprit qui reste finalement l'unique architecte jusqu'à ce que l'âme soit transformée en « fille » de Dieu, image vivante du Fils.

> « De même, l'Esprit aussi vient en aide à notre faiblesse, car nous ne savons pas prier comme il faut; mais l'Esprit lui-même intercède pour nous en gémissements inexprimables, et Celui qui scrute les cœurs sait quelle est l'intention de l'Esprit: c'est selon Dieu en effet que l'Esprit intercède pour les saints » (Rm 8, 26-27).

Les premiers pas sont compliqués. Comme un enfant qui commence à marcher, l'âme a besoin d'appuis psychologiques, de méthodes de concentration, de modes de relaxation, de points de réflexion.

Mais lorsque Dieu fait irruption dans la scène, en proximité de Dieu, l'âme éprouve le contraste entre sa « face » et la « face » de Dieu, et elle se sent traînée dans des purifications successives par une expropriation générale. Ayant conquis la pureté, la liberté et la paix, l'âme n'éprouve plus d'empêchement à avancer à voiles déployées sous la conduite de Dieu vers l'union transformante, tandis que la figure du Seigneur Jésus, pleine de maturité, de grandeur et d'humilité, est gravée en elle.

> « Ces transformations intérieures ont un écho répercutant dans la conscience psychologique. Indépendamment des grâces extraordinaires qui causent de vraies collisions dans la conscience et qui y laissent des blessures salutaires, la grâce crée dans l'âme, silencieusement et lentement, à travers des joies passagères souvent débordantes, à travers des souffrances violentes et même avec elles, une région de paix: un refuge auquel ne parviennent qu'exceptionnellement le bruit et les tempêtes. — oasis et source de force et de joie » (P. Eugenio del N.J., *Quiero ver a Dios*).

La patience

Plusieurs entreprennent le chemin de l'oraison. Certains l'abandonnent presque aussitôt en disant: je ne suis pas né pour ça. Ils disent aussi: c'est du temps perdu, je ne vois pas les résultats. Fatigués, d'autres s'arrêtent aux premières marches, stationnent dans la médiocrité, continuent à prier au ras du sol. Enfin, il y en a d'autres qui avancent parmi les difficultés jusqu'aux régions inexplorées de Dieu.

Le principal ennemi, c'est l'inconstance qui naît de la sensation de frustration que l'âme éprouve lorsqu'elle s'aperçoit que les fruits n'arrivent pas ou ne correspondent pas au travail accompli. Ils disent: tant d'efforts et des résultats si petits; tant d'années dédiées assidûment à l'oraison et si peu de progrès.

Nous sommes habitués à deux lois typiques de la civilisation technologique: la rapidité et l'efficacité. En toute activité humaine, le circuit dynamique fonctionne ainsi: à telle cause, tel effet; à tant d'action, tant de réaction; à tels efforts, tels résultats. Les résultats sont des prix qui stimulent l'effort. Nous poursuivons nos efforts parce que nous touchons du doigt les résultats positifs tandis que les résultats soutiennent l'effort.

Mais il n'en est pas de même dans la vie de la grâce. Ici, il arrive comme à ces pêcheurs qui veillèrent toute la nuit, les filets tendus, et qui de bon matin, s'aperçurent que les filets étaient complètement vides (cf. Lc 5, 5).

Nous avons besoin de *patience* pour accepter le fait qu'avec de grands efforts on peut obtenir de petits résultats; ou au moins, pour accepter l'éventuelle disproportion entre l'effort et le résultat.

D'autres disent que la patience est l'art d'espérer. D'autres répondent que c'est l'art de savoir. Nous pourrions combiner les deux concepts: la patience est l'art de *savoir espérer*. On espère parce qu'on sait. La patience est un acte d'espérance parce qu'on sait et qu'on accepte en paix la réalité telle qu'elle est.

Quelle réalité? Dans notre cas, il s'agit de deux réalités. La première, que Dieu est essentiellement gratuité, donc, que sa « conduite » est essentiellement déconcertante. La deuxième, que toute vie avance lentement et en évoluant.

* * *

La chose la plus difficile pour ceux qui se sont embarqués dans l'aventure de la foi, c'est d'être patient avec Dieu. La « conduite » du Seigneur envers ceux qui se donnent à lui est très souvent déroutante. Il n'y a pas de logique dans ses « réactions ». Il n'y a donc pas de proportion entre nos efforts pour découvrir son visage voilé et les résultats de tels efforts; plusieurs perdent patience, et découragés, ils abandonnent tout.

Dieu est la source d'où tout naît et à laquelle tout retourne en se consumant. Il est la source intarissable de toute vie et de toute grâce. Il dispose et dispense tout selon son bon plaisir. Dans le dynamisme général de son économie, il n'existe qu'une direction: celle de *donner*. Personne ne peut rien exiger de Lui. Personne ne peut l'interroger en l'affrontant avec des questions.

Les relations avec Lui ne sont pas de la même nature que nos relations humaines. Nous stipulons des contrats d'achat et de vente, de travail et de salaire, de mérite et de récompense. Dans les relations avec Dieu, rien de tout cela n'existe. Il n'y a que de la gratuité, de la grâce et du don. Il est d'une autre nature que la nôtre; nous sommes sur des orbites différentes. La première chose que doit faire celui qui se décide de considérer sérieusement Dieu est de prendre conscience de cette différence et de l'accepter en sainte paix. Ça signifie être patient avec Dieu.

Il est bon de marcher vers Dieu avec des méthodes d'oraison déjà expérimentées mais sans perdre de vue le décor de fond qui est le mystère de la grâce. Patience signifie prendre conscience et accepter en paix le fait de devoir nous mouvoir dans cette dynamique étrange, déconcertante et imprévisible qui tient très souvent notre confiance et notre foi en échec.

Notre Dieu est déconcertant. Au moment le moins prévisible, comme dans un assaut nocturne, il se précipite sur une personne, l'abat par une présence puissante et ineffablement consolatrice, la confirme pour toujours dans la foi et la laisse vibrante peut-être pour le restant de ses jours. En face d'opérations si spectaculaires et si gratuites, plusieurs se demandent: et pourquoi pas à moi? On ne peut adresser de questions à Dieu. Il faut commencer par l'accepter comme il est.

Le Seigneur conduit d'autres personnes sur les lieux du désert, en un éternel crépuscule d'aridité. À d'autres, il donne une sensibilité remarquable pour les choses divines comme prédisposition naturelle de personnalité; toutefois, il ne leur concédera jamais une gratuité infuse proprement dite. Dans l'histoire il y eut des hommes qui ne se préoccupèrent jamais de Dieu, ni pour l'attaquer ni pour le défendre; malgré cela, Dieu même est allé vers eux avec gloire et splendeur. D'autres naviguent sur une mer de consolations, d'un horizon à l'autre de leur existence; comme il y a des âmes destinées à avancer par une perpétuelle nuit privée d'étoiles. D'autres encore traversent les hauts et les bas de la vie, sous un soleil brillant ou d'épais nuages. Enfin, pour certains, la vie avec Dieu est une journée perpétuellement grise. Toute personne est une histoire, une histoire absolument unique et singulière.

Celui qui veut s'enrôler parmi les combattants de Dieu doit commencer par accepter cette réalité primaire: Dieu est gratuité absolue, constamment nouvelle et imprévisible.

* * *

Personne ne peut interroger Dieu en lui disant: qu'est-ce que cela, Seigneur? À celui qui a travaillé une heure, tu es en train de payer le même salaire qu'à l'autre qui a travaillé toute la journée? Il répond: ce que je donne à celui-ci et à celui-là n'est pas un salaire mais un cadeau, et je peux disposer pour le mieux de ce qui m'appartient.

Dans le royaume de Dieu, les verbes *payer* et *gagner* n'existent pas. Rien ne s'y paie parce que rien ne s'y gagne. Tout est reçu. Tout est cadeau, grâce. Les canons de notre justice ne valent pas; nos mesures ne sont pas les siennes. Ses critères sont autres parce que sa nature est *autre*.

Si les âmes qui entreprennent la montée vers Dieu, répétons-nous, ne commencent pas par se rendre compte et par accepter en paix la nature gratuite et déconcertante de Dieu, elles sombrent souvent dans la confusion la plus complète. Une longue expérience m'a conduit à conclure que le motif le plus commun de l'abandon de l'oraison est le suivant: dans la vie avec Dieu, tout paraît à plusieurs, souvent privé de sens et de logique, de proportions, qu'ils finissent par avoir l'impression que tout est irréel, irrationnel... et ils abandonnent.

Il y a plus: de même qu'il n'y a pas de logique dans la manière de procéder de Dieu avec les âmes, de même il n'y a pas de logique dans les réactions de la nature. Et la vie avec Dieu se consume sur la frontière entre la nature et la grâce.

Une personne a dormi très bien toute la nuit, à l'aube, elle s'est toutefois réveillée tendue et de mauvaise humeur. La nuit précédente, elle n'avait pas pu dormir à cause des bruits et des moustiques, mais elle s'était réveillée tranquille et reposée. Il n'y a pas de lignes droites dans les vicissitudes humaines. C'est pourquoi l'être humain est si imprévisible dans ses réactions.

En un seul jour, un même individu peut passer d'un état d'âme à un autre contradictoire; maintenant il se sent sûr, plus tard, il est craintif, puis heureux, et anxieux à la tombée du jour. Et nous ne sommes pas en train de parler de natures cliniquement instables ou perturbées. Un écrivain ou un compositeur se met à travailler et en douze heures de travail, il peut ne rien produire; immédiatement après, en soixante minutes, il peut réaliser une production plus féconde que d'habitude en douze heures. Qui peut expliquer cela? Nous sommes faits ainsi.

Tout phénomène a naturellement sa cause ou ses séries de causes. Le hasard n'existe pas. Mais normalement, les raisons des humeurs et des états psychiques ne sont pas analysables. Et lorsqu'il est impossible d'analyser les causes d'un fait, nous disons que nous sommes en face de l'*impondérable*.

La même chose se produit dans l'esprit: en un même soir, un chrétien retiré dans un ermitage tranquille pour prier, peut vivre des situations psychiques très variées et passer de moments d'aridité complète à des moments de grande consolation, à travers des moments d'apathie. De quoi s'agit-il? De situations biologiques, de réactions psychologiques, de différentes réponses à la grâce? Il est impossible de discerner. Il s'agit, sans doute, d'une grande complexité de causes à commencer par les processus biochimiques. De par sa nature, la vie est mouvement. Et le mouvement est versatile. C'est pourquoi les états d'âme sont si changeants.

Et sans nous en rendre compte, nous sommes arrivés à considérer une question qui en préoccupe plusieurs: un phénomène spirituel, par exemple, une forte consolation, jusqu'à quel point est-elle un produit biopsychique provenant des profondeurs de la vie? Dit en d'autres mots: jusqu'où est-elle nature et jusqu'où est-elle grâce?

Je pense que personne ne peut le savoir. Il est inutile de prétendre comprendre, parce qu'il n'existe pas d'instruments de mesure pour délimiter les frontières. Je pense aussi qu'en plus d'être inutile, cette préoccupation est nocive parce qu'elle centralise l'attention de la personne sur elle-même, avec le risque d'une compensation narcissique mal cachée.

En parlant en termes généraux, nous pourrions toutefois établir un critère approximatif, c'est le critère des fruits: ce qui pousse la personne à sortir d'elle-même et à se donner appartient à Dieu. Tout ce qui produit un état de paix en plus d'une sensation de calme est don de Dieu. Nous pourrions aller plus loin encore: supposer qu'une émotion déterminée soit, dans sa racine originale, un produit strictement biopsychique; si de fait, elle pousse la personne à sortir d'elle-même pour se donner, dans ce cas, nous pouvons également la considérer comme un don de Dieu. Nous parlerons de tout cela dans un autre chapitre.

La persévérance

La patience engendre la persévérance.

Dans la sphère générale de la vie, on ne saute pas d'étapes: ni en biologie, ni en psychologie, ni dans la vie spirituelle. Nous savons que le grain de blé a besoin de nuits et de jours pour mûrir. Après plusieurs semaines, une très petite miniature de plante paraît timidement. Puis, mois après mois, la petite plante escalade les espaces jusqu'à se transformer en bel épi.

Patience signifie savoir (et accepter) qu'on ne doit pas faire des sauts mais des pas. Et la patience produit la persévérance.

Nous nous adressons à ceux qui s'efforcent d'obtenir l'amitié avec Dieu ou de la récupérer. Les uns et les autres, les deuxièmes surtout, sont marqués par un dénominateur commun: l'atrophie des énergies spirituelles ainsi qu'un vif désir de sortir d'une telle situation.

Ces sujets entreprennent décidément la recherche du visage du Seigneur. En faisant les premiers pas, ils prennent conscience, en s'en plaignant profondément, qu'ils ont de la difficulté à marcher, il leur paraît que Dieu les a oubliés, leurs pieds n'obéissent pas aux désirs, ils ne parviennent pas à établir un courant de dialogue chaleureux avec le Dieu vivant, leurs ailes sont blessées. Dieu est-il « mort »?

Ils parlent avec le Seigneur et ils ont l'impression de ne pas avoir d'interlocuteur, que leurs paroles tombent dans le vide. Ceci arrive particulièrement à celui qui perd la familiarité avec le Seigneur et désire la récupérer. C'est une nuit spirituelle.

Ces personnes sont dominées par un découragement profond. L'impatience les envahit et elles prononcent des paroles désolées: à quoi bon, je n'obtiens rien!

Que signifie *ne pas obtenir*? Saint Augustin dit que celui qui cherche a déjà rencontré. Celui qui travaille a déjà obtenu. Ils ruminent toujours la même comparaison en disant: une nuit de pêche et les filets sont vides. Pour les yeux du corps et pour ceux du cœur, les filets sont certainement vides. Mais pour les yeux de la foi qui voient l'essentiel, les filets débordent de poissons. L'essentiel est toujours invisible. Mieux, seuls les yeux de la foi voient l'invisible.

Qu'arrive-t-il à ceux qui disent « ne rien obtenir »? C'est le drame de toujours: une spirale fatale. Je m'explique: ils ne mangent pas parce qu'ils n'ont pas envie de manger, et ils n'ont pas envie de manger parce qu'ils ne mangent pas; et la mort arrive comme conséquence de l'inanition. Comment rompre ce cercle mortel? En mangeant même à contrecœur pour que l'envie de manger réapparaisse.

Parmi les croyants, plusieurs n'ont plus envie de prier parce qu'ils n'ont pas prié depuis longtemps. Ils entrent ainsi dans le cercle: les facultés s'ankylosent, Dieu devient de plus en plus un être étranger et distant; le cercle mortel serre inexorablement sa proie. Comment en sortir? En priant avec persévérance et même sans envie pour que l'envie de prier et le sens de Dieu affleurent.

Le chrétien doit persévérer dans le contact personnel avec le Seigneur même s'il a l'impression de ne perdre que du temps. Aidé par l'oraison vocale et par la lecture méditée, qu'il rétablisse un courant de communication avec le Seigneur, dans la foi pure et nue; qu'il répète les paroles qui serviront de pont d'union entre son attention et la personne du Seigneur; qu'il persévère même s'il a l'impression que personne ne l'écoute de l'autre côté.

Si un chrétien a vécu en marge de l'expérience de Dieu durant des années, c'est une folie qu'il prétende pénétrer la grande profondeur du Mystère vivant et Insondable en une semaine. Il faut faire des pas, non pas des sauts.

La persévérance est l'autre prix à payer pour toutes les conquêtes de ce monde.

* * *

Toute croissance est un mystère. Une petite plante sortie timidement de la terre en tire les éléments organiques et elle les transforme en substance vivante. Elle donne de timides signaux de croissance mais elle croît. Au contraire, la croissance de la grâce ne se mesure pas, ni à simple vue ni avec d'autres instruments de mesure. Combien ont connu la nature et la puissance divine de Jésus, fils de Dieu? Les femmes de Nazareth respectaient-elles Marie comme une personne exceptionnelle? Comme le mystère de la grâce est déconcertant et inexplorable!

On pourra répliquer: on peut observer la croissance dans les effets, lorsque l'homme avance dans l'amour, la maturité, l'humilité, la paix. C'est vrai mais jusqu'à un certain point, pas plus. Nous savons tous par expérience combien d'énergie il importe d'utiliser parfois pour vaincre un petit défaut; toutefois, seul Dieu et nous sommes témoins de tels efforts, les autres ne les remarquent pas.

La grâce s'adapte d'ailleurs aux différentes natures, agissant selon la personnalité de celui qui la reçoit. La grâce ne force pas la nature de l'homme: un bavard ne devient pas un taciturne, une personne expansive n'est pas transformée en personne renfermée. Elle respecte toutes les qualités et les limites humaines.

1.

DE L'ABANDON À LA PAIX

En entrant, en désirant entrer en intimité transformante avec le Seigneur, le chrétien commence à percevoir certaines interférences dans la sphère intérieure, qui menacent le développement de sa tension affective vers Dieu. Il se rend alors compte qu'il est impossible pour lui de « rester » dans la foi et en paix avec le Seigneur. Pourquoi ne s'en rend-il compte que maintenant?

Dans son activité quotidienne, l'homme se meut normalement en aliéné, c'est-à-dire « en dehors » de lui-même. Consciemment ou non, il se fuit lui-même, s'évadant de la réalité de son propre mystère.

Mais pour pénétrer la profondeur de Dieu, il doit même entrer dans ses propres niveaux les plus profonds, et il touche nécessairement son mystère qui se résume dans les questions: qui suis-je? quel est le projet fondamental de ma vie? quels sont les engagements qui tiennent ce projet debout?

Alors, en se comparant au Dieu de la paix et en se laissant illuminer par le visage du Seigneur, le chrétien constate que son subconscient s'agite tout comme lorsqu'un tremblement de terre se déchaîne: il sent que là, en-dessous, beaucoup d'énergie agressive s'est accumulée; il se perçoit donc comme un accord discordant.

Il se rend compte que l'égoïsme a déchaîné en lui un état général de guerre. De hautes et vives flammes de ressentiment vacillent surtout contre lui-même et, indirectement (avec une transaction inconsciente), contre Dieu. Lorsque l'homme ouvre les yeux sur lui-même, il se découvre généralement dans un état

lamentable: tristesses dépressives, mélancolies, blocages émotionnels, frustrations, antipathies, insécurités, agressivités de toutes sortes... Il ressemble intérieurement à un château menacé et menaçant.

Le chrétien ressent qu'avec une pareille turbulence intérieure, il lui sera impossible d'établir un courant d'intimité pacifique et harmonieuse avec le Dieu de la paix. Il désire donc vivement se purifier, ayant l'intuition que telle purification ne peut lui arriver qu'à travers la voie de la réconciliation totale: avec lui-même, avec ses frères, avec le monde. Le fruit sera la paix.

Genèse des frustrations

Sans le prétendre et sans prendre l'initiative, l'homme se rencontre lui-même dans la vie, à la manière d'une conscience qui s'éveille promptement pour la première fois et se retrouve en un monde inconnu auparavant. L'homme n'a pas cherché l'existence. Il y a été poussé et il s'est trouvé avec lui-même, comme ça.

En s'éveillant à l'existence, l'homme prend conscience d'être *lui-même*. Il regarde autour de lui et il voit d'autres réalités qui ne sont pas *lui*. Et même sans sortir de la sphère de sa conscience, il rencontre des éléments constitutifs de son être tels que la morphologie, le caractère, l'hérédité...

À ce moment-là, l'homme commence à entrer *en relation* avec *les autres*, avec *l'autre*, et le premier aspect de la conduite humaine — le principe du plaisir — entre en jeu. L'homme rencontre des réalités (en lui et en dehors de lui) qui lui plaisent, lui causent une sensation agréable. Il en rencontre également d'autres qui ne lui plaisent pas, qui lui causent du désagrément.

Devant un tel panorama, l'homme établit trois classes de relations. En premier lieu, pour les réalités agréables, il éprouve naturellement le désir, l'adhésion ou le besoin d'une prise de possession suivant les cas. En d'autres termes, il considère un *bien* ce qui lui cause du plaisir, il se l'approprie émotionnellement et il établit une union possessive avec ce bien.

Lorsque le bien qu'il possède déjà ou qu'il a l'intention de s'approprier est menacé (le danger de le perdre existe), alors naît la crainte: le sujet se trouble c'est-à-dire qu'il libère une quantité déterminée d'énergie défensive pour retenir cette réalité agréable qui est en train de lui échapper.

En troisième lieu, devant ces réalités de tous les niveaux qui ne lui causent pas de plaisir mais de la contrariété, le sujet résiste: il libère et envoie une charge émotionnelle pour les attaquer et les détruire.

D'après cet exposé, nous avons trois classes de relations: adhérence possessive, résistance et crainte. Elles sont toutes trois intimement reliées.

Les « ennemis » de l'homme

Tout ce qu'il refuse, l'homme le transforme en « ennemi »; et tout ce qu'il craint aussi parce que la crainte est en quelque sorte une résistance.

L'homme craint et refuse une série d'ennemis tels que la maladie, l'échec, le discrédit... et il englobe dans ce refus les personnes qui contribuent et collaborent avec de tels ennemis. C'est pourquoi il vit totalement triste, craintif, soupçonneux, agressif...: il se sent entouré de nombreux ennemis parce qu'il considère « ennemis » toutes les choses qu'il refuse. Au fond, cette situation signifie que cette personne est pleine d'attachements et de désirs de possession. Mais pour pénétrer la profondeur de Dieu, l'homme doit être pauvre et pur.

De par sa nature, la résistance émotionnelle a pour but d'annuler l'« ennemi », une fois l'émotion concrétisée en faits. Il existe donc certainement des réalités qui stratégiquement refusées sont partiellement ou totalement neutralisées; par exemple, la maladie, l'ignorance...

Toutefois, une bonne partie des réalités qui causent à l'homme du dégoût et de la résistance n'ont pas de solution; de par leur nature, elles sont indestructibles. Dans le langage commun, nous parlons d'*impossibilité* ou de *fait accompli*; on ne peut rien faire contre ces derniers.

Si certains maux ont une solution et d'autres non, deux lignes de conduite s'entrouvent ici: la folie et la sagesse.

C'est une folie que de résister mentalement, ou d'une autre manière, aux réalités qui sont de par leur nature impossibles à éliminer ou inaltérables. En raisonnant froidement l'homme découvre qu'une grande partie des choses qui le dégoûtent, l'attristent ou lui font honte, n'ont absolument aucune solution, ou bien la solution ne lui revient pas. Pourquoi se lamenter, vu que personne n'y peut rien?

La sagesse consiste à discerner ce que l'on peut changer de ce que l'on ne peut pas changer; donc, à agir au maximum pour modifier ce qu'il est possible de modifier et à s'abandonner dans la foi et la paix entre les mains du Seigneur lorsque surgissent des frontières infranchissables.

Expérience de l'amour d'oblation

L'expérience de Dieu a différentes facettes dont une est l'expérience de l'amour du Père. Dans ce cas, la personne se sent soudainement inondée par une présence paternelle, douce et tendre. Il s'agit d'une impression profondément libératrice par laquelle le fils aimé éprouve l'impulsion irrésistible de sortir de lui-même pour communiquer avec tous comme le Père communique avec lui. Cette expérience est toujours un don, une gratuité infuse, surtout lorsqu'elle revêt certaines caractéristiques telles que la surprise, la disproportion, la vivacité et la force libératrice, c'est-à-dire lorsqu'elle n'est pas le résultat normal d'une acquisition lente et évolutive, mais bien une irruption surprenante, imprévue.

Il y a aussi l'expérience de l'intimité contemplative: elle a des caractéristiques spécifiques et elle se revêt habituellement d'émotivité. Nous en parlerons dans une autre partie.

Il y a également l'expérience de l'amour d'oblation dont nous parlerons maintenant. Je dis d'oblation et non pas d'émotion. Personne n'aime échouer ou perdre la considération dont il jouit. Personne n'accepte volontiers d'être destitué d'une charge ou donné en pâture à la médisance ou de devenir victime d'incompréhension.

Mais ces éventualités et d'autres encore, nous pouvons les accepter sans fortes émotions, avec calme et esprit d'oblation en nous abandonnant dans les mains du Père par une offrande dolente et odorante...

C'est un amour pur (d'oblation) parce qu'il ne renferme pas de compensation, de satisfaction sensible. De plus, c'est un amour pur parce qu'il se réalise dans la foi obscure: en s'élevant au-dessus des apparences visibles de l'injustice, le chrétien contemple la présence de la volonté du Père qui permet cette épreuve.

La purification libératrice que nous sommes en train de proposer ici n'est pas une thérapie psychique, mais bien une expérience religieuse du plus haut degré.

Dans toutes les couches les plus profondes de la personne, voici ce qui se passe: devant n'importe quelle injustice ou offense, les flammes les plus variées s'allument immédiatement: désir de vengeance, aversion, antipathie, non seulement contre le fait lui-même, mais surtout contre les personnes qui ont fait naître une telle situation.

Dans la vie, on retrouve également des situations plus douloureuses auxquelles les autres n'ont pas eu de participation coupable, par exemple, un accident, une déformation physique, un échec... et, en général, toutes les *impossibilités*. La réaction humaine normale devant ces impossibilités, répétons-nous, c'est la violence sur une gamme très variée: sensation d'impuissance en même temps que fureur, honte et colère contre soi-même, frustration, tristesse... en un mot, résistance.

Devant tant de choses négatives, si le chrétien se décide de prendre la voie de l'oblation, il peut adopter une attitude de paix au lieu de la violence. Au moment où la situation inévitable et douloureuse se présente, le chrétien se souvient de son Père, il se sent gratuitement aimé par Lui. Alors naît en lui un sentiment qui est à la fois reconnaissance et admiration envers ce Père aimant: la violence intérieure s'apaise, le fils prend la situation douloureuse dans ses mains, il l'offre et il s'offre à la volonté du Père, et la résistance se transforme en hommage d'amour pur, en offrande. Cette oblation ne produit pas de l'émotion mais de la paix. C'est l'expérience de l'amour d'oblation.

En esprit de foi

Or, qu'est-ce que les peines ont à voir avec le Père? Pourquoi mettre le Seigneur dans nos mesquineries ou nos injustices? L'attitude d'abandon dépend de ceci: si nous regardons plus ou moins dans la perspective de la foi, les choses constitutives ou historiques. La paix en dépend. Expliquons-nous.

Dieu le Père organisa le monde et la vie à l'intérieur d'un système de lois régulières. Ainsi basa-t-il la marche de l'univers sur les lois de l'espace, et conditionna-t-il la conduite humaine à la loi de la liberté. Normalement, le Père respecte les structures cosmiques et humaines comme il les a organisées, mais il les laisse poursuivre leur marche naturelle, par conséquent surviennent les désastres et les injustices.

Toutefois, en parlant en termes absolus, il n'y a pas d'impossibilités pour Dieu. Le Père pourrait intervenir à chaque moment dans les lois du monde en remuant ce qu'il avait établi auparavant; il peut faire irruption dans la liberté humaine, et éviter ainsi tel accident ou telle calomnie. Toutefois, répétons-nous, le Père respecte son œuvre qu'est la création et il *permet les malheurs de ses fils tout en ne les voulant pas.*

Eh bien, si Lui n'évite pas le mal tout en pouvant éviter tout mal, c'est signe qu'il le permet. Ainsi, nous ne pourrons jamais dire qu'une calomnie a été délibérément prétendue ou désirée par le Père, mais permise, oui. Lorsque nous parlons de la volonté de Dieu, cela signifie que le chrétien se place dans cette orbite de la foi où l'on voit les choses et les faits dans leur racine, au-delà des phénomènes.

Oui, le dernier maillon de la chaîne, c'est le doigt du Père qui le retient. Même la dernière chose qui m'est arrivée, la plus âpre. Que de nuits sans pouvoir dormir! Mais c'est Lui qui a tout permis, et je dépose tout avec tendresse entre ses mains bénies en disant: « Puisque tu l'as permis, je suis d'accord, mon Père. Que ta volonté soit faite. » Une paix ineffable comme la paix de l'aurore du monde imprègne mon être. Personne ne le croirait. Je me sens l'homme le plus heureux du monde.

La baguette magique de l'abandon est cachée dans le coffre doré. À son coup, les échecs cessent d'être les échecs, la mort cesse d'être la mort, les incompréhensions cessent d'être des incompréhensions. Tout ce qu'elle touche se transforme en paix.

Abandon

Ce processus de purification s'appelle *abandon.*

Cette parole comme son concept est pleine d'ambiguïté. Chaque fois qu'on la prononce, un rosaire d'équivoques s'élève des auditeurs: pour les uns, on est en train de parler de passivité, pour les autres, de recommander la résignation. Il faut savoir que la résignation n'a jamais été chrétienne mais bien stoïque, c'est pourquoi, l'attitude résignée se rapproche beaucoup de la fatalité païenne. L'abandon, au contraire, est une chose authentiquement et spécifiquement évangélique.

Il y a un *non* et un *oui* en tout acte d'abandon. *Non* à ce que je voudrais ou aurais voulu: vengeance contre ceux qui m'ont méprisé, honte d'être ce que je suis, ressentiment parce que tout va mal pour moi, parce que j'aurais voulu que ceci ou cela ne m'arrive jamais. *Oui* à ce que Toi, ô Père tu as voulu ou permis de fait.

Le chrétien qui arrête de résister contre ces choses dont il lui est impossible de se libérer et qui s'abandonne en paix dans les mains du Père, récupère imprévisiblement une dimension de profonde sérénité.

C'est aussi de la sagesse humaine: plus on veut résister à l'impossible, plus l'impossible harcèle inexorablement notre intelligence et produit en nous angoisse et cauchemar. Si l'horizon est fermé de tous côtés, à quoi sert-il de se désespérer? Comme disent les orientaux: s'il y a un remède, pourquoi se plaindre? s'il n'y a pas de remède, pourquoi se plaindre?

Les impossibilités

Des lois inexorables entourent notre existence comme des anneaux de feu: la loi de la précarité, la loi du transitoire, la loi de l'échec, la loi de la médiocrité, la loi de la solitude, la loi de la mort.

À qui la possibilité d'opter pour la vie a-t-elle été donnée? L'existence m'a-t-elle été proposée ou imposée? Quelqu'un a-t-il pu choisir ses propres parents? Les parents et le conditionnement socio-économique du foyer où ils sont nés plaisent-ils à tous les enfants? Quel est celui qui avant d'être embarqué dans l'existence, fit un choix médité de son sexe, de la structure de son tempérament, de sa configuration physique, de ses tendances morales, de son coefficient intellectuel? Qui a pu disposer parfois de ses propres codes génétiques, de sa propre constitution endocrine ou des coordonnés sur la combinaison des chromosomes?

Nous avons là la source de nombreuses frustrations, des ressentiments et de la violence généralisée. Que peut faire l'homme devant des frontières si absolues, devant tant de *situations-limites*?

Dans une très haute proportion, l'être humain est radicalement incapable d'annuler ou de transformer les réalités qui se présentent à ses yeux. Nous sommes essentiellement limités. Les rêves de toute-puissance sont des lueurs folles et des séquelles de l'enfance. La sagesse consiste à avoir un jugement objectif et proportionnel sur le monde qui est en nous et sur le monde qui est en dehors de nous: sur toute la réalité.

Après avoir mesuré le monde (qui est en nous et en dehors) dans sa dimension exacte, le chrétien doit l'accepter comme il est. Accepter en paix le fait que nous sommes si limités, le fait que nous sommes contraints de toutes parts par des frontières infranchissables.

Il doit se placer dans l'orbite de la foi et accepter en paix le mystère universel de la vie. Accepter en paix le fait qu'avec de grands efforts on n'arrive qu'à de petits résultats. Accepter avec abandon le fait que la montée vers Dieu soit si lente et si difficile. Accepter en paix la loi du péché: je fais ce que je ne voudrais pas faire et j'omets ce que j'aimerais faire. Accepter avec abandon la loi de l'inconsistance humaine. S'abandonner au fait que les idéaux soient si hauts et les réalités si insuffisantes. S'abandonner en paix au fait que nous sommes si petits et si impuissants. Mon Père, je m'abandonne à Toi.

Une autre source de frustration, c'est l'irréversibilité du temps. Nous sommes sûrement devant la limitation la plus absolue. Tout ce qui est arrivé avant l'instant présent est irréversiblement ancré aux racines du temps et transformé en réalité essentiellement inamovible. Il s'agit de *faits accomplis.*

Il y a des personnes qui ont honte, qui se sentent complexées, qui se mettent en colère pour mille souvenirs conservés dans leur mémoire et elles passent des jours et des nuits à se cogner la tête contre des obstacles insurmontables.

Il y a des personnes qui regardent toujours le passé pour se souvenir des événements ou des personnes qui leur ont causé plus de honte et de colère. Pourquoi se lamenter du lait versé? pourquoi brûler inutilement ses énergies pour des événements passés ou pour des choses qu'on ne peut changer d'un millimètre?

Il importe de s'élever au-dessus des premiers plans, des détails. Le Père a tout permis. Tout Lui aurait été possible: il aurait pu éviter ceci ou cela; si les faits sont arrivés, c'est le Père qui les a permis. Pourquoi les a-t-il permis? Pourquoi poser des questions qui n'auront pas de réponses? Mais, si par une hypothèse impossible, je pouvais recevoir des réponses satisfaisantes et consolatrices, je veux faire l'hommage de mon silence à mon Dieu et Père.

Je sais une seule chose: qu'il sait tout et que nous ne savons rien. Je sais aussi qu'Il m'aime beaucoup et que ce qu'Il permet est le mieux pour moi. Je ferme donc la bouche et j'accepte, en silence et en paix, tous et chacun des événements qui m'ont fait souffrir en n'importe quelle circonstance. Que sa volonté soit faite. Mon Père, je m'abandonne à Toi.

Nous avons besoin de guérir les blessures. Nous sommes les semeurs de la paix et de l'espérance dans le monde. Si nous ne guérissons pas immédiatement ces blessures, une à une, nous commencerons à respirer à travers elles, et à partir des blessures, on ne respire que du ressentiment.

Le sujet qui rappelle les événements douloureux ressemble à celui qui prend une braise ardente dans ses mains. La personne qui alimente la rancune contre son frère ressemble à celui qui attise la flamme de la fièvre. Qui se brûle? Qui souffre le plus: celui qui hait ou celui qui est détesté, celui qui envie ou celui qui est envié? Comme un *boomerang,* ce que j'éprouve contre mon frère me détruit moi-même. Que d'énergie gaspillée inutilement!

La vie nous a été donnée pour être heureux et pour rendre heureux. Nous rendrons heureux dans la mesure où nous sommes heureux. Le Père nous a placés dans un jardin. C'est nous qui transformons le jardin en vallée de larmes par notre manque de foi, d'amour et de sagesse.

Issue

Certains disent: ne mettez pas Dieu dans ces conflits. Le Père n'a rien à voir avec tout cela. Il s'agit de lois biologiques et de leur fonctionnement naturel, c'est un pont normal entre la frustration et la violence, ce sont des constantes socio-politiques, des lois bio-psychologiques irréversibles. Il n'y a pas d'issue. La prévarication a construit son règne incontesté, l'envie, la médisance, l'arrivisme ont étendu leurs tentacules comme un carcinome pestilentiel. Tu n'as pas d'issue.

Moi, au contraire, je continuerai à répéter: il y a une issue, l'unique possibilité libératrice et consolatrice que l'on puisse trouver en ce monde, et c'est la foi. L'unique source de vitalité à laquelle nous puissions puiser lorsque la fatalité inexorable s'abat sur notre existence. Cette foi par laquelle nous sentons, derrière les événements et les apparences, la main paternelle de Dieu qui organise et coordonne, qui permet et dispose.

Si nous contemplons la foi dans cette perspective, la fatalité aveugle ne dominera jamais nos destins. Je sais qu'au-delà des explications de premier plan, ce malheur fut voulu ou permis par le Père. Je ferme donc la bouche, je baise sa main, je reste en silence, j'assume tout avec amour, et une paix profonde sera mon héritage.

Qu'en savons-nous?

D'autres disent: comment est-ce possible? s'il est puissant et réellement Père, pourquoi permet-il que ses fils soient emportés par le vent impétueux des malheurs?

L'homme parle ainsi parce qu'il ignore. Il ignore parce qu'il est superficiel. Il est superficiel parce qu'il contemple, analyse et juge les faits et les réalités d'un seul angle. Nous, nous ne savons rien, c'est pourquoi nous ouvrons la bouche pour protester et prononcer des paroles insensées. Nous sommes des myopes qui voient et analysent tout, le nez appuyé sur le mur sans un pouce de perspective; et le mur s'appelle temps. Nous ne disposons pas d'éléments suffisants ni de perspective de temps pour peser la réalité de façon proportionnée et juste. Et parce que nous sommes ignorants, nous sommes présomptueux.

Que savons-nous de ce qui arrivera dans trois jours ou dans trois ans? Que connaissons-nous des abîmes profonds du monde de la foi: par exemple, du destin transhumant par lequel les âmes constituent et rendent le Corps de l'Église vital au-delà de leur existence biologique?

Il y a des personnes marquées par Dieu pour un destin messianique, destinées à participer au phénomène de la rédemption du Christ et à racheter avec Lui: elles sont nées pour souffrir pour les autres et pour mourir à la place des autres. N'est-ce pas la vie pleine d'énigmes qui ne se déchiffrent qu'à la lumière de la foi? Nous devons toujours nous rappeler que l'essentiel est invisible. Et parce que nous vivons en regardant l'apparence, nous ne savons rien de l'essentiel. Nous résistons et nous protestons parce que nous sommes ignorants.

Devant le monde inconnu des éventualités, il est beaucoup mieux de s'arrêter et de rester en silence, abandonnés dans les mains du Père, en assumant le conditionnement personnel et le mystère de la foi avec gratitude. J'ai connu des personnes pour lesquelles une maladie imprévue qui a duré jusqu'à la mort fut la plus grande bénédiction de leur vie. De même, pour toute autre mésaventure.

Je suis sûr que si nous avions la perspective d'éternité qu'a le Père, nous saurions considérer toutes les vicissitudes hostiles qui nous bouleversent chaque jour comme des marques spéciales de tendresse du Père pour nous ses fils, pour nous libérer, nous guérir, nous réveiller, nous purifier...

En face du futur

L'abandon se vit en deux temps: le passé et le futur.

Par rapport au *temps passé*, l'abandon prend le nom et la forme de la réconciliation. Le chrétien qui veut avancer vers les latitudes les plus lointaines dans l'intimité avec Dieu a besoin de s'exercer d'avance, avec fréquence et longtemps, à une purification générale en surmontant les angoisses, en se détendant, en acceptant tout ce qui ferme les frontières. Pour faciliter cette purification, nous présenterons quelques exercices pratiques plus loin.

Par rapport au *temps futur*, l'abandon pourrait prendre le nom de sagesse selon laquelle, répétons-le encore une fois, tout ce qui m'arrivera à partir de ce moment-ci jusqu'à la fin de mes jours peut être renfermé dans la simplicité des questions: puis-je faire quelque chose? est-ce que cela dépend de moi? si oui, au travail!

Tout est-il accompli? les frontières sont-elles fermées? Alors, je m'abandonne à Toi, mon Père.

* * *

Imaginons maintenant que les possibilités sont ouvertes. Les réflexions suivantes sont sur la base de cette supposition.

Pour tout le reste de ma vie, à partir de ce moment-ci jusqu'à la fin, la sagesse me conseille de discerner l'effort d'avec les résultats.

C'est le temps de *l'effort*: nous organisons le front de bataille; nous comptons que le Père n'entre pas dans ce jeu; ce n'est pas l'heure de l'abandon mais de l'action, comme si tout dépendait de nous; nous cherchons de la collaboration en armant des groupes compacts; nous m'omettons aucun détail et nous n'épargnons pas les efforts...

Mais qu'arrive-t-il? S'il est vrai que l'effort dépend de nous, le *résultat* ne dépend pas de nous, mais d'une combinaison complexe de causalité dont l'analyse nous échappe presque toujours: état d'âme, préparation déficiente, omission de détails et, surtout, les mille réactions psychologiques de personnes auxquelles notre action s'adresse.

Mais si nous nous plaçons dans l'optique de la foi, nous savons qu'en dernière instance, toutes les choses dépendent du Père, comme nous l'avons déjà expliqué. De là, jaillit une conclusion pratique: si l'effort dépend de nous et non le résultat, alors, nous sommes compromis avec l'effort et non avec le résultat. En d'autres mots, à l'heure de l'effort, combattons, et à l'heure des résultats, abandonnons-nous, en les laissant dans les mains du Père.

Dans la réalisation de nos projets, nous espérons, en général, le résultat maximum, disons le cent pour cent. C'est légitime et normal. Cependant, une fois la bataille terminée, nous constatons des résultats très différents et même inattendus. Nous avons parfois conquis soixante pour cent de ce que nous prétendions; parfois quarante pour cent ou même cinq. En bas de cent, c'est la loi de l'échec qui commence. Mieux, le résultat négatif à différents degrés, nous le transformons en échec et nous commençons à lui résister. Plus le résultat est bas, plus nous avons honte, ainsi le transformons-nous en plus grand fiasco. Le ridicule n'existe pas pour celui qui s'abandonne, pour celui qui sait accepter ce qui lui arrive.

Lorsque le possible est réalisé et la bataille accomplie, et qu'on ne peut revenir sur nos pas, la sagesse suggère qu'il est insensé de passer des nuits à ruminer les résultats négatifs. On ne veut malheureusement pas ouvrir les yeux et l'on refuse de s'accepter soi-même à notre juste valeur.

Les gens ont souvent une image exagérée d'eux-mêmes, ils désirent ardemment que les résultats de leurs actions soient à la hauteur de cette image. Et puisque généralement, on ne l'obtient pas dans cette mesure, les réactions se situent entre la frustration et l'irritation. Nous sommes en marge de la folie, dans la brume de l'hallucination.

C'est ainsi que beaucoup d'énergies sont brûlées inutilement. Les complexes deviennent urgents, on commence à fonctionner dans la vie avec une sensation d'insécurité. Si de nouveaux projets se présentent pour l'avenir, on ne les accepte pas par crainte d'échouer. Des personnes qui pourraient fournir dans la vie quatre-vingt-dix pour cent ne rendent que vingt par crainte de l'échec et se sentent mécontentes. La frustration traîne la violence avec elle comme un mécanisme de compensation. Et c'est ainsi que, comme un serpent aux mille nœuds, un ensemble de maux se glisse dans la vie.

En toute activité ou profession: éducation des fils, formation des jeunes, profession, apostolat... le chrétien doit se donner au maximum. Si malgré l'effort, les choses ne donnent pas les résultats espérés, il ne doit pas consumer d'énergies en s'humiliant; au contraire, il doit accepter la réalité avec sagesse et, dans la foi, se remettre dans les mains du Père.

Marche à grande vitesse

Résumons les concepts.

S'abandonner, c'est donc renoncer, se détacher de soi-même pour se confier sans mesure et sans réserve à Celui qui nous aime.

L'abandon est le chemin le plus sûr parce qu'il est extraordinairement simple. Il est aussi universel parce que toutes les urgences possibles de la vie y sont incluses. Il n'y a pas de risque d'illusion parce que dans cette optique on contemple la réalité pure et nue, avec objectivité et sagesse. Où il y a la sagesse, il n'y a pas d'illusions.

L'abandon fait vibrer la foi pure et l'amour pur à haut voltage. Foi pure parce que, en traversant la forêt des apparences, nous découvrons la réalité invisible, basilaire, de soutien. Amour pur parce que nous assumons en paix les coups qui blessent et affligent.

L'abandon fait vivre en esprit d'oraison, à tout moment de la vie, tous les petits ennuis, les désillusions, les frustrations, les découragements, le chaud, le froid, la souffrance, les désirs impossibles... Le fils aimé rapporte tout ceci au Père qui l'aime. Il n'y a pas d'analgésique plus efficace que l'abandon pour les peines de la vie.

Le long de ce chemin, nous mourons avec Jésus pour vivre avec le Père. À Gethsémani, Jésus a annulé le « Père, si tu veux, éloigne de moi ce calice! » pour assumer le « Toutefois, que ce ne soit pas ma volonté qui se fasse mais la tienne» (Lc 22, 42). L'abandonné étouffe sa propre volonté qui se manifeste à travers plusieurs résistances, il éteint les voix du ressentiment, il pose sa tête dans les mains du Père, reste en paix et vit là, libre et heureux. Il devient comme l'hostie, si pauvre, si libre, si obéissant que, devant des paroles sacrées, il s'abandonne pour être changé en corps du Christ. Il devient comme ces gouttes d'eau qui s'offrent sans résistance pour se perdre complètement dans le vin du calice.

L'abandon comble la vie parce que les complexes disparaissent, la sécurité surgit, on lutte sans angoisses, on ne se préoccupe pas des résultats qui ne dépendent que du Père, et toutes les potentialités humaines produisent au maximum. Enfin, l'abandon adoucira la mort.

«L'abandon engendre un esprit serein,
il dissipe les inquiétudes les plus vives,
adoucit les peines les plus amères.
La simplicité et la liberté règnent dans le cœur.
L'homme abandonné est disposé à tout.
Il s'est oublié lui-même.
Cet oubli constitue la mort et la naissance
dans son coeur qu'il étend et dilate» (Bossuet).

Le fils aimé ne veut s'oublier qu'en Dieu le Père, c'est là qu'il trouve le calme absolu. Les épreuves, les difficultés, les crises, les maladies peuvent arriver... le fils aimé se laisse transporter sans difficultés à travers chacune des volontés qui se manifestent en chaque détail.

Le fils «abandonné» n'est donc jamais un *abandonné*. Le Père lui tend la main et il la serre d'autant plus fort que les dangers sont plus âpres.

Il vit dans les bras du Père. Ces bras peuvent le conduire n'importe où, même au fond d'un abîme. L'abîme peut s'appeler la mort. N'importe! Le fils traverse même ce torrent soutenu par des bras puissants et aimants. Il se peut que la mort soit le coup le plus dur, mais il sera adouci comme pour celui qui plonge dans une mer aux eaux limpides.

L'abandon est le chemin le plus rapide et le plus sûr de toute libération.

Acceptation de nos parents

Les enfants sont généralement trop exigeants avec les parents comme si ces derniers devaient être parfaits. Ce concept (préconçu) remonte à l'époque de l'enfance durant laquelle l'enfant fait facilement un mythe de ses parents.

Il y a des histoires réelles dont le souvenir cause aux enfants un sentiment d'aversion envers les parents. Ces derniers manquent fréquemment de beauté, d'intelligence, de succès économique, de personnalité créatrice... Pour tout cela, les enfants éprouvent parfois une sorte de complexe, si fort qu'ils ont honte lorsqu'ils doivent présenter leurs parents à des amis.

Les parents ont parfois des défauts de personnalité ou une conduite incorrecte: chez plusieurs enfants, ceci est la cause d'indignation mal dissimulée et ils pardonnent difficilement.

Il y a également ceux qui éprouvent un sentiment de refus pour le foyer où ils sont nés et ont grandi; un foyer économiquement pauvre, socialement insignifiant...

Cet ensemble de refus fait en sorte que plusieurs personnes traînent toute la vie un courant souterrain latent mais palpitant de frustrations et de ressentiments généralisés. C'est pourquoi, parfois, rien ne les réjouit et ils ne savent pas pourquoi; tout les attriste et ils ne savent pas pourquoi; à tout moment, ils éprouvent du dépit devant la sphère totale de la vie et ils ne savent pas pourquoi. Voici l'explication: sans qu'ils ne s'en rendent compte, ce courant caché émerge sous forme d'insatisfaction ou de violence.

Pour rencontrer Dieu, plusieurs chrétiens ont besoin d'accomplir d'abord une profonde réconciliation avec les sources de la vie.

Mets-toi en présence de Dieu. Laisse-toi envahir par l'Esprit du Seigneur. Calme-toi lentement et mets-toi en paix. Souviens-toi de tes parents. Rappelle-toi surtout les faits, les gestes, les caractères qui sont cause d'aversion. Si tes parents sont morts, fais-les revivre dans ton esprit. Répète souvent les paroles de la prière suivante jusqu'à ce que tu retrouves la paix et que tu expérimentes une réconciliation complète.

« Mon Père, je m'abandonne à Toi!

« Maintenant, j'accepte, dans la paix et dans l'amour, mes parents avec leurs défauts et leurs limites. Si j'ai parfois éprouvé de l'aversion envers eux, je veux me réconcilier complètement en ce moment.

« Père saint, devant Toi, je veux les accepter comme ils sont. S'ils sont morts, que leur souvenir sacré et béni surgisse du tombeau. En ta présence et de tes mains, je les reçois aujourd'hui, je les embrasse et les aime avec gratitude et affection.

« Je les accueille avec reconnaissance dans le mystère de ta volonté, parce que Tu les as constitués source de mon existence. Merci pour le don de mes parents. Que ta volonté s'accomplisse. Je m'abandonne à Toi. Amen! »

Acceptation de notre personne physique

Le fait que nous sommes mal à l'aise par rapport à nous-mêmes commence de l'extérieur. Il y a des personnes qui font de leur vie un exercice de destruction inconsidérée. Elles possèdent une accumulation excessive d'énergie réactive venant du refus permanent d'elles-mêmes, à commencer par leur figure physique, et elles ont besoin de la déverser.

Elles alimentent une « inimitié » non déclarée contre leur propre corps, couleur, taille, yeux, cheveux, dents, poids et autres parties anatomiques. Elles ont honte d'être comme elles sont. Elles expérimentent une insécurité générale. Elles attribuent l'échec de leur vie à la carence de qualités physiques.

Cette antipathie pour elles-mêmes est ridicule et artificielle. Se constituer victime et bourreau de soi-même est l'attitude la plus insensée. Il faut sortir de cette folie et prendre conscience de la parole de Jésus: qui peut, en se préoccupant, ajouter un centimètre à sa propre taille? Cette observation doit être appliquée à toute la sphère de la morphologie où nous ne pouvons peu ou rien changer. Alors, pourquoi résister?

Dans la réconciliation générale avec elles-mêmes, plusieurs personnes ont besoin d'accomplir un acte profond et répété d'acceptation de leur configuration physique, avec un sentiment de gratitude.

Mets-toi en présence du Seigneur. Reste dans le calme absolu. Prends conscience de chaque partie de ton corps que tu refuses, sois-y attentif. Essaie *d'éprouver de l'affection* pour chaque membre refusé, un après l'autre, nominalement, soigneusement. *Sens-les* comme parties intégrantes de ton identité personnelle.

Répète souvent l'oraison suivante jusqu'à ce que tu éprouves de la gratitude et de la joie pour avoir le bonheur de vivre justement grâce à ton corps.

« Mon Père, je m'abandonne à Toi ! J'ai souvent eu honte de mon corps. J'alimente en moi des guerres inutiles, des résistances artificielles. Ce sont des folies. Après tout, je refuse un de tes dons. Pardonne mon manque de bons sens et mon ingratitude.

« En ce moment, je veux me réconcilier avec moi-même, avec l'image de mon corps. Dorénavant, je n'éprouverai plus de tristesse d'être comme je suis.

« Maintenant, j'assume avec gratitude et amour ce corps qui fait partie de ma personnalité; une par une, j'aime et j'accepte chacune de ses parties... Que ta volonté soit faite. Je m'abandonne à Toi. Amen ! »

Acceptation de la maladie, de la vieillesse et de la mort

Ce sont trois nœuds qui serrent la gorge de l'homme jusqu'à l'étouffer.

Comme le jour est à la porte de la nuit, de même tout ce qui commence est destiné à avoir une fin. Et tout ce qui naît, meurt en passant normalement par l'antichambre de la maladie et de la vieillesse.

En arrivant en ce monde, l'homme lève la tête, ouvre les yeux et rencontre le scénario de fond qui ne disparaîtra jamais de sa vue: la *mort.* Il se sent essentiellement limité et destiné à mourir. L'angoisse naît ici. L'unique façon de la vaincre, c'est d'abandonner toute résistance, d'accepter les limites insurmontables et de se remettre dans les mains du Père qui a ainsi préordonné notre existence.

On ne vit qu'une fois. Comme nous aimerions faire cette excursion unique avec une pleine sensation de bien-être et de santé. Toutefois, les *maladies* guettent l'homme de tous côtés comme des ombres obscures, chacune attendant son tour: l'une disparaît et l'autre apparaît, l'une s'évanouit et une troisième survient, en un cycle incessant de souffrances.

On pourrait l'appeler *parabole biologique*: on naît, on commence la montée de la vie, on s'enivre de jeunesse, on jouit des fruits de la maturité... jusqu'à ce que commence inexorablement le déclin. Alors, on descend, descend jusqu'à disparaître complètement.

La vieillesse est la salle d'attente de la mort. En elle-même, la mort est vide et sans substance. C'est dans la vieillesse que l'on « remplit » ce vide d'imaginations et de craintes.

Dans la vieillesse, l'homme *prend lentement congé* de tout. Mieux, tous les biens l'abandonnent peu à peu: la vigueur, la beauté, la santé, les potentialités, jusqu'à ce qu'il se transforme en être inutile et manquant de tout.

Devant telle limitation, le chrétien doit exercer fréquemment et profondément son attitude d'abandon, en acceptant le mystère douloureux de la vie et sa courbe biologique. Les limitations acceptées le jetteront dans les bras de l'infini; la temporalité acceptée, dans les bras de l'Éternel. L'angoisse se changera en paix.

Prends une position recueillie. Rassérène ton esprit en le pacifiant. Souviens-toi du Seigneur, dans la foi ! Fixe l'attention sur tes maladies actuelles, sur celles qui te préoccupent ou que tu crains. Retiens ton attention sur chacune; accepte-les dans le mystère de la volonté du Père, une par une, lentement... jusqu'à ce que les craintes disparaissent et que tu parviennes à expérimenter la paix complète.

Imagine-toi que tu en es aux dernières années de ta vie: diminué et inutile. Dispose-toi à la prière en t'ouvrant à l'amour d'oblation: puisque le Père dispose ainsi de la vie, dans son amour, accepte la chute inévitable, le mystère douloureux de la courbe biologique, l'incapacité en tout et l'attente de la mort. Fais de même avec la mort. Imagine que tu sois à la vigile du pas extrême. Comme Jésus, abandonne-toi, ne résiste pas, laisse-toi porter... accepte la volonté du Père qui, dans sa sagesse, dispose de ta vie de cette façon. Imagine la mort comme un torrent que tu traverses soutenu par les bras de ton Père.

« Mon Père, je m'abandonne à Toi ! Une telle limitation me cause de la tristesse et me donne l'envie de protester. Mais non. Puisque je t'aime, je ferme la bouche, je reste en silence, j'accepte en paix le mystère douloureux de la vie qui est le mystère de ta volonté. Mon Dieu, je prends tous les moyens pour être sain, mais si les résultats sont négatifs, je me rends ! Je m'abandonne à Toi. J'accepte tout. Je suis disposé à tout. Mon Dieu, j'accepte une par une, par amour, les souffrances qui m'affligent présentement. »

« J'accepte en paix les jours de ma vieillesse, la limitation complète et l'incapacité en tout. J'accepte que la vie soit ainsi parce que Tu la veux ainsi. Que ta volonté soit faite. »

« Mon Père ! qu'est-il écrit de moi? Quelle mort m'attend? Donne-moi la force de me rendre et de prononcer mon *fiat* ! Je ferme la bouche pour te dire par mon silence: peu importe ce qui m'arrivera, c'est bon ! Que ta volonté soit faite. J'accepte. Je suis disposé à tout. 'Je remets ma vie et ma mort entre tes mains. Amen !' »

Acceptation de notre personnalité

À peine prenons-nous conscience de notre vie, nous nous apercevons aussitôt que tout, presque tout, est déterminé. Il ne nous reste que bien peu à choisir. Nous sommes placés sur une route, nous devons la parcourir; nous sommes chargés d'un bagage, force nous est de prendre la décision de le porter.

Notre propre conditionnement personnel constitue la cause la plus fréquente de nos frustrations. Le malheur le plus grand est d'avoir honte de nous-mêmes, d'éprouver de la tristesse d'être comme nous sommes sans savoir trouver de remède. Trop de gens souffrent à cause d'eux-mêmes et ne le savent pas. Ils souffrent instinctivement et confusément. Même si un psychologue analyste les aidait à en découvrir les raisons, ils ne progresseraient en rien, leurs blessures continueraient à saigner jusqu'à ce qu'ils se décident d'accepter le secours d'une thérapie qui guérisse.

Il y a une personne qui aurait voulu jouir d'un coefficient intellectuel élevé; au contraire, elle se découvre aux limites de la suffisance et doit renoncer aux rêves de succès.

Une autre voudrait que sa conduite corresponde à certains

choix idéaux; mais elle doit constater que les forces secrètes, les impulsions profondes ne répondent pas à ses désirs.

Il y en a une autre qui possède un tempérament anxieux, mélancolique; elle aurait voulu pouvoir distribuer la gaieté et la sérénité à pleines mains autour d'elle.

Il y a le poids insupportable de l'envie, de la susceptibilité, d'un caractère peureux, et d'une crainte excessive.

Ne vivre qu'une fois et se sentir chargé d'une charpente si pesante est triste chose. Comme on enlève un vêtement pour en revêtir un autre, pourquoi ne pourrions-nous pas nous libérer de beaucoup d'angoisse?

Si le chrétien veut arriver à une intimité profonde avec le Seigneur, il a besoin de s'exercer à l'abandon jusqu'à la réconciliation totale avec toute la sphère de sa personnalité.

Prends une position confortable. Exerce-toi aux pratiques de relaxation. Laisse la présence du Seigneur t'envelopper.

Dans une introspection tranquille, essaie de prendre conscience de ces aspects de ta personnalité qui t'angoissent le plus en tant qu'ils sont contradictoires et négatifs. Un par un, essaie d'accepter tous les traits qui ne te plaisent pas, que tu voudrais changer mais que tu es impuissant à faire. Imagine-toi chargé de la croix de ta personnalité. Continue, en te figurant qu'au long de ce *chemin de croix* de ta vie, Jésus, comme le cyrénéen, s'approche de toi pour t'aider à porter le poids de ta personnalité.

Récite souvent l'oraison, en l'appliquant à chaque aspect de ton caractère. Pardonne-toi souvent à toi-même. Dépose l'un après l'autre les traits caractéristiques de ta personnalité comme une offrande d'amour dans les mains du Père jusqu'à ce que tu expérimentes la réconciliation la plus complète.

« Mon Père, je m'abandonne à Toi ! Je me remets en tes mains avec le peu que je suis. J'accepte et j'aime cette petite lumière de mon intelligence. Dans ta volonté, j'accueille et aime le mystère de mes limites. Je ne veux plus éprouver de tristesse pour mon inconsistance. Je Te rends grâce de m'avoir habilité à penser ce que je pense. Merci pour la mémoire. »

« Mon Père, en tes mains, je remets ce peu que je suis. Jusqu'à présent, j'ai emmagasiné de la rancune et de la frustration pour ma manière d'être. Je ressens beaucoup de mélancolie et de dépression, de crainte et d'orgueil: je n'ai rien choisi de cela. Je n'aime pas ma manière d'être. Mais je ne puis m'en séparer comme on enlève un vêtement. Mon Dieu, je ne veux plus de guerres intérieures, je veux la paix et la réconciliation. »

« Dans ton amour, j'accepte et j'aime ma personnalité étrange et contradictoire. Que ta volonté soit faite. Dans ton amour, j'accepte et j'aime bien des choses de moi-même qui ne me plaisent pas, une par une... »

« Jésus, sois pour moi le bon cyrénéen qui m'aide à porter ma croix. Merci pour la vie. Merci pour l'âme. Merci pour mon destin éternel. »

« Mon Père, je m'abandonne à Toi. Amen ! »

Acceptation des frères

Les mêmes murs qui séparent mes frères entre eux sont aussi des murs d'interférence entre l'âme et Dieu. C'est une folie que de désirer une haute intimité avec le Seigneur, si l'âme est sur le pied de guerre contre son frère.

Lorsque Dieu regarde l'homme, le premier territoire exploré est celui de la fraternité, avec une question surprenante: où est ton frère?

L'harmonie fraternelle est faite d'exigences, de respect, de communication, de dialogue, d'hospitalité, d'acceptation... Mais avant tout, d'une exigence dont il faut tenir compte — pardonner. Nous avons besoin de paix. La rencontre avec le Seigneur ne se consume que dans la paix. La paix naît du pardon.

Lorsque nous parlons *d'accepter nos frères,* nous voulons dire exclusivement *pardonner.* Pardonner, c'est laisser tomber le ressentiment envers notre frère. Par l'acte d'abandon, on dépose la résistance dans les mains du Père — résistance envers notre frère et envers nous-mêmes — dans un acte unique d'adoration dans lequel et pour lequel nous sommes tous *un.*

Il y a un pardon *intentionnel.* C'est l'acte de volonté de celui qui *veut* pardonner. Il voudrait aussi déraciner de son cœur tout reste d'hostilité et de médisance, mais il n'y parvient pas toujours. C'est un pardon sincère mais qui se trouve souvent à dire:

je pardonne mais je n'oublie pas. Ce pardon ne guérit pas totalement la blessure.

Il y a le pardon *émotionnel.* Il ne dépend pas de la volonté. La volonté n'a pas la maîtrise directe sur le monde des émotions et des sentiments. Le pardon émotionnel est celui qui guérit les blessures jusqu'au fond.

Nous pouvons repérer trois manières de parvenir au pardon émotionnel; je les expose ici de suite.

Nous trouvons la première, dans l'état *d'oraison avec Jésus.*

Mets-toi en attitude de prière. Peu à peu, calme-toi, concentre-toi, dans la foi, évoque la présence de Jésus. Lorsque tu te sens en pleine intimité avec le Christ, souviens-toi de ton frère contre lequel tu es en colère, ou qui « a quelque chose contre toi ». Récite lentement et plusieurs fois la prière suivante:

« Jésus, pénètre jusqu'aux racines les plus profondes de mon être. Jésus, prends possession de moi. Calme cette mer d'émotions adverses. Jésus, assume mon cœur avec toutes ses hostilités. Arrache-les et remplace mon cœur par le tien. »

« Jésus, je veux éprouver en ce moment ce que Tu ressens pour ce frère. Toi, sois pardon en moi. Toi, pardonne-lui en moi et pour moi. Oui, Jésus: je veux « éprouver » les mêmes sentiments que tu as pour ce frère. Jésus, je veux lui pardonner comme Tu pardonnes. En ce moment, je veux 'être' Toi. Je veux lui pardonner comme Tu lui pardonnes. Je veux lui pardonner... »

Imagine comment l'obscurité disparaît en présence de la lumière. De la même façon, les rancunes s'évanouiront en présence de Jésus. Comme l'air frais, tu sentiras la paix entrer et combler ton âme. Imagine qu'en ce moment, tu es proche de ton « ennemi » pour l'embrasser. Lorsque la blessure se cicatrise pour ne plus s'ouvrir, c'est signe que ce pardon émotionnel fut un don de l'Esprit, une gratuité extraordinaire et infuse. Mais n'oublie pas que toute blessure prend beaucoup de temps à guérir complètement.

* * *

La deuxième manière d'exercer le pardon émotionnel, c'est la *compréhension.*

Si tu comprends, tu ne devras faire aucun effort pour pardonner. Pense à ton « ennemi ». Lorsque ton attention est fixée sur lui, fais les réflexions suivantes.

En dehors des cas exceptionnels, en ce monde, personne n'agit avec de mauvaises intentions, personne n'est méchant. S'il m'a offensé, qui sait ce qu'on lui a raconté. Qui sait s'il était en train de passer une crise sérieuse. Ce qui paraît orgueil en lui est peut-être timidité. Son attitude envers moi semble de l'obstination mais c'est peut-être autre chose: une nécessité d'autoaffirmation. Sa conduite me paraît agressive, en réalité, il s'agit de tentatives pour se donner de la sécurité.

Si je souffre de sa manière d'être, il en souffre beaucoup plus lui-même. Il aimerait vivre en paix et il est toujours en conflit avec tous. Il ne doit pas avoir choisi lui-même cette manière d'être. Considérant tout cela, sera-t-il tellement coupable? Il ne mérite pas le refus mais la compréhension. En fin de compte, ne me suis-je pas mépris et montré injuste par mon attitude?

Est-ce que je ne demande pas moi-même chaque jour la miséricorde du Père? Si je savais comprendre, le soleil de la colère déclinerait et, comme une ombre bénie, la paix occuperait définitivement mon royaume intérieur.

* * *

La troisième manière de pardonner, c'est le *détachement*.

Il s'agit d'un acte de maîtrise mentale par lequel quelqu'un détourne et dévie son attention.

Le sentiment de malveillance est un courant émotionnel établi entre ton attention et ton « ennemi ». De ton côté, il y a une résistance émotionnelle acharnée contre lui.

Pardonner consiste donc, à interrompre ou à détourner ce lien d'attention agressive, à rester intentionnellement détaché de l'autre et en paix. Cette méthode de pardon peut s'exercer à n'importe quel moment. Il n'est pas nécessaire de prendre une attitude recueillie. Lorsque tu t'aperçois que tu es dominé par le souvenir de l'autre, exprime un acte de contrôle mental et détourne ton attention; coupe ce lien d'attention. Reste dans le vide intérieur en suspendant momentanément ton attitude mentale. Puis, commence à penser à autre chose, et tourne ton esprit vers d'autres directions. Profite de chaque occasion pour répéter cet exercice de pardon. Tu t'apercevras immédiatement que le souvenir de cette personne ne t'importune plus.

Acceptation de notre histoire

Les archives de la vie! Nous disons que l'histoire est un champ de bataille couvert de feuilles mortes.

Plusieurs personnes vivent toutefois tourmentées parce qu'elles ont toujours le regard sur le passé pour fixer leurs blessures saignantes. Le malheur de beaucoup de gens est qu'ils revivent et reverdissent les pages mortes, ils rouvrent de vieilles cicatrices qu'ils ne veulent pas laisser guérir complètement. Ils ont une vie triste parce qu'ils se souviennent toujours et seulement des faits tristes. Leurs archives sont des réserves pleines de ressentiments.

Comme nous l'avons déjà expliqué, le temps ne revient pas, même un instant.

Le passé est rempli de faits accomplis que nos rancunes et nos larmes ne pourront jamais changer.

Le chrétien a besoin de s'exercer fréquemment et profondément à se purifier en assumant dans la foi, une fois, cent fois, les histoires douloureuses que le Père a permises.

Prends une position recueillie. Mets-toi en présence du Seigneur, dans un état d'intimité avec le Père.

Fais lentement une introspection et une rétrospection, en te plongeant dans les pages de ton histoire. Un par un, accepte tous les souvenirs dolents, dans l'amour du Père, avec un sens d'abandon.

Commence à partir de ton enfance. Explore ta vie: adolescence, jeunesse, âge adulte... Les personnes qui t'ont si négativement influencé. La crise de l'adolescence. Ce fait insignifiant en lui-même mais qui t'a beaucoup marqué. Les premières inimitiés. Le premier échec. Le premier équivoque dont tu t'es si lamenté par la suite. Cette personne qui ne t'a jamais compris, ou au moins apprécié. Cette crise affective qui secoua le projet de ta vie; cet échec et cet autre encore; ce désastre en économie domestique; ces résolutions qui s'évanouirent par la faute d'on ne sait qui. Cette attitude arbitraire et injuste d'un groupe de personnes contre toi...

Cette situation de péché dont le souvenir ne donne pas la paix, même actuellement. Ces idéaux que tu n'as pu réaliser...

Accepte tout dans la foi et étends la paix de l'abandon sur le champ de bataille. Prie comme suit:

« Seigneur de l'histoire, Seigneur du futur et du passé, je m'abandonne à Toi. Rien n'est impossible pour Toi. Tu as permis que tout se passe comme cela. Que ta volonté soit faite. Parce que tu m'aimes et que je t'aime, étends mon hommage de silence sur toutes les pages de mon histoire. « En ce moment, j'assume dans le mystère de ta volonté tous les faits dont le souvenir me harcèle. Un par un, comme des roses rouges d'amour, je veux déposer dans tes mains tous les événements douloureux de ma lointaine enfance jusqu'à ce moment. »

« À tes pieds, je dépose aussi le poids lourd de mes péchés. Envoie ton ange pour qu'il transporte ce fardeau obscur et l'ensevelisse au fond de la mer. Et que je ne m'en souvienne jamais plus. »

« J'accepte en paix le fait de vouloir être humble et de ne pas y parvenir. J'accepte en paix le fait de ne pas être aussi pur que je voudrais. J'accepte en paix le fait de vouloir plaire à tous et de ne pas réussir. J'accepte en paix le fait que la marche vers la sainteté soit si lente et si difficile... »

« Ô Père, accepte l'holocauste de mon cœur. Amen! »

* * *

Mon Père,
je m'abandonne à Toi.
Fais de moi ce que tu veux.
Pour tout ce que tu feras
je te rends grâce dès maintenant.

Je suis disposé à tout, j'accepte tout
pourvu que ta volonté s'accomplisse en moi
et en toutes tes créatures.
Mon Dieu, je ne désire rien d'autre.

Je mets mon âme dans tes mains,
je te l'offre, mon Dieu,
avec toute l'ardeur de mon cœur
parce que je t'aime.

C'est pour moi une nécessité d'amour
que de me donner, de me remettre sans mesure
dans tes mains,
avec une confiance infinie
parce que tu es mon Père. Amen!

(Charles de Foucauld)

2.

SILENCE INTÉRIEUR

Pour peu que l'on ait connu des gens de prière et fait un plongeon d'exploration dans les eaux profondes de l'oraison, on aura compris que les vagues de surface, c'est-à-dire la nervosité, l'agitation et la dispersion générale constituent le premier obstacle à l'immersion dans la mer de Dieu.

Pour être de véritables adorateurs en esprit et vérité, nous avons besoin, comme première condition, de contrôle, de calme, de silence intérieur.

Du haut de la montagne, Jésus avait dit que, pour adorer et contempler le Dieu vivant, point n'était besoin de grands discours, ni de paroles abondantes et vagues. On doit créer le silence intérieur. On doit entrer dans l'enceinte la plus secrète, s'isoler de tous les bruits, établir le contact avec le Père et puis, simplement, « rester » avec Lui (cf. Mt 6, 6ss).

Si l'oraison est une rencontre, et si la rencontre est la convergence de deux intériorités, pour que cette convergence existe réellement, il est indispensable que les deux personnes sortent d'abord d'elles-mêmes et se projettent sur un point donné, sur un moment déterminé.

Toutefois, la sortie de l'homme de lui-même pour sa rencontre avec Dieu n'est paradoxalement pas une sortie mais une entrée; comment dire, une marche en cercles concentriques vers la profondeur de soi-même, jusqu'aux dernières profondeurs pour atteindre Celui qui est « interior intimo meo »: plus intérieur que ma profondeur même (saint Augustin). Alors, c'est là que la rencontre se produira.

Il faut commencer par apaiser les vagues, faire taire les bruits, se sentir maître et non esclave, être « seigneur » de la vitalité intérieure, contrôler et laisser tous les mouvements en repos, sans permettre que les souvenirs et les distractions conduisent d'un côté et de l'autre. C'est ce que signifient les paroles évangéliques: « entre dans ta chambre » (Mt 6, 6), où il importe *d'entrer* pour que la véritable rencontre avec le Seigneur se produise.

Jésus ajoute: « ferme la porte » (Mt 6, 6). Il est facile de fermer les portes et les fenêtres de bois, mais il s'agit ici de fenêtres beaucoup plus imprécises et subtiles sur lesquelles nous n'avons pas de maîtrise directe.

Le chrétien n'a pas de difficulté à s'isoler du monde extérieur. Il lui suffit de gravir une colline, de pénétrer dans le bois ou d'entrer dans une chapelle solitaire. Mais il y a une autre chose dont il faut tenir compte, chose difficile et urgente: se libérer (en la dominant) de cette horde compacte et turbulente que sont les souvenirs, les distractions, les préoccupations, les inquiétudes qui assaillent et détruisent l'unité, qui tuent le silence intérieur.

Les maîtres spirituels nous parlent des difficultés presque insurmontables qu'ils durent supporter pendant de longues années pour obtenir la « solitude sonore » c'est-à-dire l'atmosphère indispensable au « repas qui recrée et enchante ».

Dispersion et distraction

La dispersion intérieure, voilà le problème des problèmes de qui veut entrer en intimité avec Dieu. Si nous parvenons à traverser ce « Rubicon » de l'esprit sans nous noyer, nous arriverons facilement à l'enceinte sacrée de l'oraison.

En quoi consiste la *dispersion intérieure*?

Nous revenons de la scène de l'existence en portant une énorme charge d'espérances et de découragements. Nous nous sentons profondément écrasés par un tel poids. Les préoccupations nous dominent. Les anxiétés nous inquiètent. Les frustrations nous attristent. Nous formulons des projets ambitieux qui troublent notre tranquillité. Des sentiments, des ressentiments sont vivement *fixés* dans l'âme. Eh bien, cette charge vitale énorme finit lentement par détruire et désintégrer l'unité intérieure de l'homme.

Nous allons à l'oraison et notre tête est enveloppée de confusion. Dieu reste suffoqué par le vacarme infernal des préoccupations, des anxiétés, des souvenirs et des projets. L'homme doit être *unité,* comme Dieu est *unité,* puisque la rencontre est la convergence de deux *unités.* Mais dans la dispersion, l'homme « se perçoit » comme un fatras incohérent de « morceaux » de lui-même qui le poussent dans l'une ou l'autre direction: ici, souvenirs; là, craintes; d'un côté, désirs ardents; de l'autre, projets. Résultat: il est un être entièrement divisé, donc, dominé et vaincu, incapable d'être *seigneur* de lui-même.

De plus, l'homme est un filet assez complexe de motivations, d'impulsions, d'instincts dont les racines s'enfoncent dans le subconscient irrationnel. Le « conscient » est une petite lumière au milieu d'une grande obscurité, une petite île au milieu de l'océan.

Dans la complexité de son monde, (l'homme comme conscience libre) se sent battu, passé au crible, menacé par une multitude de motifs et d'impulsions affectives qui proviennent de ses régions les plus lointaines sans qu'il ne sache jamais pourquoi, comment et où il sont nés. La descriptions pathétique que fait saint Paul dans sa Lettre aux Romains (7, 14-25) ne m'étonne pas. C'est une bouchée exquise pour les théologiens et les psychologues.

> « La prière suppose une pensée pure, une discipline de l'activité mentale que l'orant cherche à soustraire aussi bien aux impressions extérieures qu'aux vagues du subconscient, pour la fixer, la concentrer sur un point, un espace où établir le contact avec le Seigneur dans la paix et le silence. Travail ingrat et très difficile. »
>
> « L'activité mentale est par définition quelque chose qui se meut, qui s'agite à travers les champs du souvenir et de la connaissance pour réaliser les associations d'idées d'où jaillira la pensée, pour déduire ou induire. C'est une pèlerine, mais toujours en danger de se transformer en vagabonde, de dévier, d'oublier la fin, de se perdre parmi les ronces épaisses des images confuses et désordonnées. Même au terme de ses recherches, lorsqu'elle a obtenu son bien, l'activité mentale reste agitée. Elle reprend sa course vagabonde à la moindre sollicitation » (J.-M. Déchanet, *Yoga pour les chrétiens*).

La *distraction* a les mêmes caractéristiques que la dispersion; les deux paroles renferment une signification presque identique.

De par sa nature dynamique, l'intelligence humaine est en mouvement perpétuel, lorsque nous sommes éveillés et lorsque nous dormons. Enjambant une bande d'images, l'intelligence saute d'un souvenir à l'autre comme un papillon inquiet. La logique nous conduit parfois sur les anneaux d'une chaîne raisonnée. D'autres fois, il n'y a aucune logique, ni évidente ni latente, et l'intelligence fait des sauts acrobatiques sans jugement ni sens. Immédiatement, nous nous surprenons nous-mêmes à formuler les propos les plus fous.

D'autres fois encore, bien que l'intelligence se lance dans des directions apparemment incontrôlées, elle est soumise à une logique latente ou inconsciente. Dans chaque cas, elle danse en un mouvement perpétuel, en explorant toutes les latitudes.

Prier signifie retenir l'attention, la centraliser et la fixer sur un Tu.

Plus le chrétien s'exercera au contrôle mental, plus la concentration de son intelligence en Dieu lui paraîtra facile et directe. Éternel cauchemar de l'orant, les distractions disparaîtront dans la mesure où il se sera exercé aux pratiques que nous indiquerons plus loin, avec patience et persévérance.

« Dieu n'est pas dans la confusion », dit la Bible. Nous pouvons commenter: On ne rencontre pas Dieu dans la confusion. On ne veut pas du tout parler de confusion purement extérieure. N'importe qui peut expérimenter une rencontre avec Dieu dans le trafic congestionné d'un aéroport ou dans le ferment d'une rue. Mais c'est la confusion intérieure qui met en pièces folles le silence dont nous parlons.

Lorsque nous disons silence intérieur, nous voulons indiquer la capacité d'obtenir le vide intérieur, avec la maîtrise intérieure conséquente, de manière à ce que la personne soit sujet et non objet, capable d'orienter de toutes ses forces l'attention sur Dieu, dans le calme complet. La confusion intérieure empêche le silence.

Cette difficulté, parfois impossibilité, d'obtenir l'unité et le silence, comporte des conséquences tragiques pour plusieurs qui ont été appelés à une haute union. On ne leur a pas enseigné à s'exercer aux pratiques de contrôle mental, ou ils n'ont pas eu la patience de les apprendre.

Ils n'obtiennent donc pas cette « solitude sonore » qui est l'espace du Mystère. Ils ne parviendront jamais à la convergence, au point d'intégration des deux mystères: celui de Dieu à celui de l'homme. Ils n'expérimenteront jamais comme est bon le Seigneur (cf. Ps 33; 85; 99; 144). Et ils éprouvent profondément une frustration étrange qu'ils ne parviennent pas à expliquer. L'explication est toutefois la suivante: une lente dispersion intérieure enveloppe et annule toutes les bonnes intentions et tous les efforts, et ils demeurent en marge d'une forte expérience de Dieu.

Ils prennent alors d'autres directions: les uns abandonnent complètement la vie d'union à Dieu avec de sérieuses répercussions sur la stabilité psychique et sur le problème élémentaire du *sens de leur vie.* D'autres ne tranquillisent pas leur conscience, mais leur *forte aspiration* en faisant un peu d'oraison liturgique ou communautaire (comme si l'on donnait des miettes de pain à un affamé). D'autres se lancent dans quelque activité effrénée en criant à tout vent que l'apostolat est oraison en soi.

J'ai rencontré des personnes que la seule parole *oraison* met mal à l'aise: elles éprouvent une vive antipathie invincible pour elle et elles l'expriment. Et elles sont prêtes à lancer contre elle des flèches empoisonnées: aliénation, évasion, sentimentalisme, temps perdu, infantilisme... Je les comprends. Elles ont mille fois tenté cette rencontre et elles ont toujours fait naufrage dans les eaux impétueuses de la dispersion intérieure. Pour elles, la parole *oraison* s'associe à une longue et triste frustration

* * *

EXERCICES POUR OBTENIR LE CALME

Considérons l'individu qui, pris dans les filets de son imagination, ne parvient pas à se contrôler, à se concentrer, donc, à prier. Que faire?

Les mystiques chrétiens eurent de hautes expériences spirituelles qu'ils nous transmirent sous forme de réflexions théologiques. Mais ils ne nous révèlent pas (et nous ignorons s'ils les utilisent) les moyens pratiques employés pour vaincre la dispersion et pour obtenir le silence intérieur, condition indispensable pour vivre l'union transformante avec Dieu.

Ils vécurent dans une société tranquille de foi et, peut-être, dans des ermitages ou des monastères solitaires, loin de la tourmente du monde. Nous, au contraire, nous vivons dans une société poursuivie par les vertiges, par le bruit, par la vitesse. Si nous ne prenons pas de précautions, notre *appel* à l'union avec le Seigneur sera non seulement frustré, mais notre destin primaire et fondamental d'homme — être unité, intériorité, personne, — aboutira à un échec.

Je ne me lasserai pas de répéter: ceux qui sentent que Dieu vaut la peine (et, en fin de compte, *Lui seul* vaut la peine et, sans Lui, rien n'a de sens), ceux qui désirent prendre au sérieux la route qui conduit à l'expérience transformante avec le Père feront bien de s'exercer fréquemment aux différentes pratiques adaptées à ce but. De plus, sans ces pratiques ou d'autres semblables, il n'y aura normalement pas de véritable progrès dans l'oraison.

Les exercices dont je parlerai sont extraits de mon livre *Sube conmigo (Monte avec moi)* avec de petites variantes et des applications à l'oraison.

Je désire rappeler que tous les exercices que je décrirai, je les ai souvent expérimentés moi-même avec des milliers de personnes dans les *Rencontres d'Expérience de Dieu,* dans le but de préparer les groupes au moment de l'intimité avec Dieu.

Au cours des dernières années, je les ai perfectionnés, j'ai changé plusieurs détails selon les résultats que j'observais, en tendant toujours à la pratique maximum. De propos délibéré, j'omettrai les exercices plus compliqués. Je donnerai des suggestions simples et faciles, que tout débutant pourra pratiquer seul et sans aide, sûr d'obtenir des résultats positifs.

Instructions

1) Tous les exercices doivent être accomplis lentement, dans une grande tranquillité. Je ne me fatiguerai pas de le répéter: lorsqu'on n'obtient pas de bon résultat, c'est généralement parce que la sérénité a manqué.

2) Les exercices peuvent se faire les yeux fermés ou ouverts. Si on les fait les yeux ouverts, on les fixe (pas rigidement) sur un point donné, loin ou proche. Peu importe où l'on regarde, il faut «regarder vers l'intérieur».

3) L'immobilité physique facilite l'immobilité mentale et la concentration. Durant l'exercice, il est très important de réduire l'activité mentale au minimum.

4) Si tu commences à t'agiter durant l'exercice, chose qui arrive souvent au débutant, arrête pour le moment. Calme-toi un instant et recommence. Si l'agitation est très forte, lève-toi et abandonne tout pour ce jour-là. Évite à tout prix la violence intérieure.

5) Rappelle-toi que les résultats sont exigus au début. Ne te décourage pas. Souviens-toi que, dans toutes les activités humaines, tous les premiers pas sont difficiles. Il faut avoir de la patience, beaucoup de constance et accepter que le progrès soit lent.

Les résultats sont habituellement très différents dans le temps. Il y aura des jours où tu obtiendras facilement le résultat espéré. D'autres fois, tout sera difficile. Accepte cette disparité en paix et persévère.

6) Presque tous les exercices favorisent le sommeil lorsqu'on obtient la relaxation. Il convient de les pratiquer aux heures de plus grande vivacité.

Pour ceux qui souffrent d'insomnie, on conseille de pratiquer un des trois premiers exercices, le premier surtout. Dix minutes d'exercice et ils sombrent dans un sommeil paisible.

7) Après avoir expérimenté tous les exercices, tu pourras t'arrêter, selon le fruit que tu en tireras, sur tel ou tel autre que tu auras mieux réussi. Tu pourras aussi les modifier si tu remarques que c'est mieux comme cela.

8) Après une grosse peine, un moment d'agitation forte ou une fatigue dépressive, retire-toi dans ta chambre; quinze minutes d'exercices te laisseront partiellement ou totalement soulagé.

Pour pardonner, pour te libérer des obsessions ou des états dépressifs, ces exercices seront très utiles. Au début, tu n'obtiendras pas de résultat; plus tard, oui, surtout, si tu te laisses envelopper par la présence du Père.

9) Quelques-unes des pratiques présentes placent le chrétien directement dans l'orbite de l'union tranquille avec Dieu. D'autres sont des thérapies de préparation à la prière.

Quant à la manière de combiner l'exercice thérapeutique avec l'oraison même, c'est-à-dire comment, quand, à partir de tel exercice, doit-on passer de la thérapie à l'oraison proprement dite, je ne peux donner aucune orientation. Tous les exercices sont des expériences de vie, et l'oraison l'est encore plus. Eh bien, l'expérience se vit sous une forme unique et inédite. Je conseille: expérimente les différents exercices; vois lesquels obtiennent le meilleur effet. Vois si une combinaison différente donne un meilleur résultat. Expérimente différents passages: de la thérapie à l'oraison, de l'oraison à la thérapie. Expérimente tout et continue avec ce qui te semble le mieux.

Préparation

Une préparation doit précéder tout exercice. Assieds-toi sur une chaise ou sur un fauteuil. Mets-toi à l'aise. Si possible, n'appuie pas les épaules. Fais en sorte que le poids du corps tombe avec équilibre sur la colonne vertébrale bien droite. Place les mains sur les genoux, les paumes en haut et les doigts souples.

Reste tranquille. Sois en paix. Sens-toi calme. Sans trop hésiter, prends « conscience » des épaules, du cou, des bras, des mains, de l'estomac, des pieds... « sens » qu'ils sont souples.

« Observe » tes mouvements pulmonaires. Accompagne mentalement le rythme respiratoire. Distingue l'inspiration de l'expiration. Respire profondément, mais sans t'agiter.

Sois calme. Peu à peu, libère-toi des souvenirs, des impressions intérieures, des bruits, des voix extérieures. Prends possession de toi-même. Reste en paix.

Cette préparation devra durer cinq minutes et elle ne devra jamais manquer au début de tout exercice.

Si tu préfères, tu peux accomplir ces exercices, assis par terre, sur un coussin, en croisant les jambes (ou si cela t'incommode, les jambes étendues), en appuyant légèrement au mur tout le buste (la tête comprise) de manière à te sentir complètement reposé.

On peut même le faire étendu par terre, sur un tapis (c'est bon pour la colonne vertébrale) ou sur un lit, possiblement sans oreiller, le visage en haut, les bras allongés le long du corps.

Si, dans une de ces positions, un muscle ou un membre te gêne, change de position jusqu'à ce que tu trouves celle qui est reposante.

Tu pourras faire quelque chose même à la chapelle: par exemple, lorsque tu désires prier et que tu ne parviens pas à le faire parce que tu te sens agité et distrait.

Premier exercice: vide intérieur

Quel est le but de cet exercice? Il arrive que les tensions soient des accumulations nerveuses, localisées en différentes zones de l'organisme, même si c'est l'intelligence (le cerveau) qui les produit. Si nous arrêtons le moteur (l'intelligence), ces charges énergétiques disparaissent et la personne se sent reposée, en paix.

Cet exercice vise donc deux buts: la relaxation et le contrôle mental.

Il peut se faire de chacune des quatre manières suivantes:

a) Fais d'abord la préparation.

Ensuite, avec grande tranquillité, suspends l'activité mentale: « Sens-toi » comme si tu avais la tête vide, « expérimente » comme s'il n'y avait rien en tout ton être (pensées, images, émotions...), suspends tout. Tu seras aidé à obtenir tout cela si tu répètes paisiblement: *rien, rien, rien...*

Fais-le durant trente secondes, repose-toi un peu et répète-le. Fais-le cinq fois.

À la fin, tu sentiras que, et ta tête et tout ton corps, te paraîtront vides, sans courants nerveux, sans tensions. Tu éprouveras du soulagement et du calme.

b) Fais d'abord la préparation.

Dans un premier moment, ferme les yeux, imagine que tu es devant un immense écran blanc. Fais que ton intelligence (esprit) soit libre, sans images ni pensées, pendant trente secondes ou plus. Ouvre les yeux. Repose-toi un peu.

Dans un deuxième temps, referme les yeux, imagine que tu es devant un écran foncé. Reste en paix. Ton esprit restera à la noirceur sans rien penser ou imaginer pendant trente secondes et plus. Ouvre les yeux. Repose-toi un peu.

Dans un troisième temps, imagine que tu es devant une grande pierre. Cette pierre « se sent » pesante, insensible, morte. Mentalement, fais comme si tu étais cette pierre; « sens » que tu es pierre et reste immobile une demi-minute ou plus. Ouvre les yeux. Repose-toi.

Au quatrième moment, imagine que tu es un grand arbre: environ une minute, « sens-toi » comme un arbre: vivant sans ne rien sentir. Ouvre les yeux. Tu devrais te retrouver soulagé et reposé.

c) Fais d'abord la préparation.

Prends ta montre dans tes mains, reste immobile en la regardant. Avec grande tranquillité, fixe le regard sur la pointe de l'aiguille des secondes. Suis son mouvement une minute sans rien penser ou imaginer. Ton esprit est vide.

Fais-le cinq fois.

Si des distractions interviennent, ne t'impatiente pas. Élimine-les et continue tranquillement.

d) Prie avec grande tranquillité: *Seigneur, Seigneur!* garde ton attention paralysée et fixée sur le Seigneur quinze secondes. Fais-le plusieurs fois.

Avec grande sérénité, dis d'une voix paisible le mot *paix*. Reste quinze secondes dans l'immobilité intérieure complète en te sentant inondé par la paix.

* * *

Le contrôle direct t'échappera plusieurs fois et les facultés tenteront de récupérer leur indépendance et, par association, les images essaieront de troubler ta tranquillité. N'aie pas peur, ne t'impatiente pas.

Dans ce travail, dans la thérapie préparatoire comme dans l'oraison même, les résultats seront très variés et intermittents. Sans effort et en quelques minutes, l'âme se trouvera parfois dans une paix tranquille. En d'autres cas, elle passera des demi-heures dans une lutte stérile, sans recueillir de fruits. Il faut accepter ces différentes possibilités en paix.

Ce premier exercice, en chacune de ses quatre modalités, prétend que celui qui le fait arrive à « se sentir » comme une pierre ou comme un morceau de bois. Cet état passager d'absence absolue d'activité mentale a comme conséquence la relaxation nerveuse, l'élimination des anxiétés et la perception de l'unité intérieure. Tout ceci, je le répète, à condition que le sujet s'exerce à arrêter momentanément et progressivement les mouvements de l'intelligence et se détache de toute la masse de pensées, d'images et de perceptions.

La personne parvient alors à expérimenter la sensation d'« insistance »: c'est-à-dire elle parvient à sentir la réalité individuelle *toute-en-elle.* C'est ce que nous appelons perception de l'unité intérieure dans laquelle la conscience se rend présente à elle-même.

Même s'il ne parvient pas à cette perfection, celui qui s'exerce progressivement à cette *suspension mentale,* sentira le calme autour de lui, et le contact avec le Seigneur sera beaucoup plus facile et agréable qu'on le croit. Sans s'en rendre compte, il se trouvera ainsi lui-même déjà entré dans une interrelation profonde, de conscience à Conscience, dans la tranquillité et le recueillement.

Deuxième exercice: relaxation

Cet exercice vise directement à détendre et à pacifier tout l'être. Indirectement, à acquérir la maîtrise de soi et la concentration mentale.

S'il est bien fait, il arrive aussi à éliminer les ennuis d'ordre nerveux et à alléger les douleurs organiques.

Comment se pratique-t-il? On fait d'abord la préparation.

Ferme les yeux, *sens tout toi-même* (toute ton attention) dans le cerveau; identifie-toi avec la masse cérébrale. Avec attention et sensibilité, remarque le point précis qui te moleste ou qui es tendu. Avec grande tranquillité et tendresse, une fois que tu as identifié ce point, commence à dire, en pensant et en parlant paisiblement: *Calme-toi, calme-toi, reste en paix...* Fais-le plusieurs fois jusqu'à ce que l'ennui disparaisse.

Ensuite, tourne ton attention sur la gorge et fais de même jusqu'à ce que tu sois tout relaxé.

Puis, passe au cœur. Identifie-toi totalement à ce noble muscle, comme s'il était une « personne » différente de toi. Il est nécessaire de le traiter avec grand respect, car nous le maltraitons souvent (toute euphorie, toute peine est une agression). Reste immobile et en paix et demande-lui avec affection: *Calme-toi, fonctionne avec calme, plus lentement...* Répète plusieurs fois ces paroles jusqu'à ce que le rythme cardiaque soit normal, mieux, se réduise un peu.

Il y a deux grands trésors dans la vie: le contrôle mental et le contrôle cardiaque. Que de peines on éviterait! Bien des consultations médicales seraient inutiles, la vie se prolongerait et on vivrait en paix. On peut les conquérir avec un peu de patience et de constance.

Tourne maintenant l'attention vers la grande zone de l'estomac et des poumons. Repère le point où tu éprouves de la crainte, de l'anxiété et de l'angoisse: la bouche de l'estomac. Reste immobile et, avec attention et sensibilité, découvre les tensions et les accumulations nerveuses; tranquillise tout en disant les mêmes paroles qu'auparavant.

En ce moment, si tu sens quelque douleur organique, centre l'attention sur ce point et soulage la douleur par les mêmes paroles.

En restant calme, fais un tour rapide par la périphérie de l'organisme. « Sens » les parties extérieures de la tête et du cou, si elles sont relaxées. « Sens » si les bras, les mains, les épaules, l'abdomen, les jambes, les pieds... sont souples et relaxés...

Pour terminer, expérimente, d'un trait et intensément, cette réalité: *un calme complet règne en tout mon être.*

Troisième exercice: concentration

Il vise deux choses: la facilité de contrôler et de diriger l'attention et, en second lieu, unifier l'intériorité.

Fais la préparation.

Calme, tranquille, avec l'activité mentale réduite au minimum possible, perçois ton rythme respiratoire. Ne pense pas, n'imagine pas, ne force pas le rythme; perçois simplement le mouvement pulmonaire environ deux minutes. Sois spectateur de toi-même.

Puis, encore immobile et tranquille, reste attentif et sensible à tout ton organisme, en n'importe quelle partie de ton corps, capte les battements cardiaques. Je répète: en n'importe quelle partie de ton corps. Lorsque tu les auras localisés (supposons, par exemple, aux extrémités des doigts, ou ailleurs), reste « là », concentré, attentif, immobile deux minutes, « en écoutant ».

Nous arrivons finalement au moment culminant de la concentration: *la perception de l'identité personnelle.* Comment se fait-elle? C'est quelque chose de simple et de possessif. Il ne s'agit pas de penser, d'analyser mais de se percevoir: tu perçois et tu es en même temps perçu. Tu restes ainsi concentré et identifié à toi-même.

Pour obtenir cette perception, qui est le sommet de la concentration, le fait de dire suavement plusieurs fois: *XY* (prononce mentalement ton nom): *je suis moi-même... Je suis ma conscience,* t'aidera.

Quatrième exercice: auditif

Il vise à obtenir le contrôle et la concentration.

Comment se pratique-t-il? Fais la préparation.

Reste immobile en regardant un point fixe. Pense un mot et répète-le lentement cinq minutes jusqu'à ce que tout le reste soit disparu de ton intérieur. Il ne reste plus que cette parole et son contenu.

Les paroles peuvent être: *paix, calme, rien...* ou d'autres semblables.

Pour stimuler l'oraison, on peut dire: *Mon Dieu et mon Tout.*

Cinquième exercice: visuel

Il tend à obtenir la concentratin et l'unification.

Comment se pratique-t-il? Fais la préparation.

Prends une image (par exemple, une figure du Christ, de Marie, ou un paysage), une représentation qui te dise quelque chose.

Garde-la dans tes mains, regarde-la. Avec grande tranquillité et paix, étends le regard sur l'image une minute.

En un second temps, pendant trois minutes, essaie de « découvrir » les sentiments que l'image évoque en toi: intimité, tendresse, force, calme...

En un troisième temps, essaie de t'identifier à cette image et surtout aux « sentiments » que tu as découverts. Termine l'exercice « imprégné » de ces mêmes sentiments.

* * *

« TEMPS FORTS »

Pour trouver une solution au mal du siècle qu'est l'anxiété profonde, la névrose (*stress*) et pour s'assurer une vie d'union avec Dieu, il ne suffit pas de s'exercer méthodiquement aux différentes pratiques de pacification. Nous avons besoin d'autres remèdes de plus grande envergure.

C'est mon opinion, qu'aujourd'hui plus que jamais, il est

indispensable d'alterner l'activité professionnelle ou apostolique aux périodes de « retraite » totale à des temps déterminés. Il est nécessaire que le chrétien organise sa vie de manière à pouvoir disposer de « temps forts » pour sa rencontre exclusive avec Dieu.

Après de nombreux essais avec différents groupes de personnes consacrées, je suis arrivé à la conviction que la *solution* pour assurer en permanence une vie élevée avec Dieu doit être recherchée dans les « temps forts ».

Je dis un jour: vivifions l'Office Divin, qu'il soit l'aliment fort de la vie de foi. Avec la meilleure volonté, la communauté essaya de le vivifier par tous les moyens: tout était soigneusement préparé; chaque jour, on introduisait des nouveautés. Après plusieurs mois, la monotonie et l'habitude prirent de nouveau la place.

Le problème, c'est de vitaliser. Et la vitalité ne passe pas de l'extérieur à l'intérieur, mais elle procède de l'intérieur vers l'extérieur. Lorsque le cœur est vide, les paroles des psaumes et la messe restent vides. Lorsque le cœur déborde de Dieu, les paroles se peuplent de Dieu. Dans ce cas, un même psaume peut être répété cent fois et la dernière fois, il peut contenir plus de nouveauté que la première.

Supposons qu'en un soir de « désert », une personne vive l'intimité avec Dieu en se servant des paroles du psaume 30. Lorsque ce même psaume sera récité dans l'Office Divin commun, pour elle, ces paroles seront plus vivantes et sa prière sera un authentique banquet spirituel. Les « temps forts » sont, à mon avis, les occasions les plus propices pour se renouveler, pour réaffirmer la foi et demeurer dans la fidélité.

D'ailleurs, nos « temps forts » ne sont pas des nouveautés. Avec eux, reviennent les temps de Jésus et des prophètes, lorsque les hommes de Dieu se retiraient dans la solitude complète — au moins dans les déserts et sur les montagnes — pour se dédier intensément à la familiarité avec Dieu; ... guérissaient des blessures reçues dans les combats de l'esprit et revenaient au combat fortifiés et sains.

Les « temps forts » ne servent pas seulement à croître dans l'amitié avec Dieu, mais aussi à récupérer l'équilibre émotionnel, étant donné que la stabilité intérieure est aujourd'hui compromise et entravée comme jamais auparavant.

> « Notre civilisation conduit à un mode de vie absolument privé de concentration. On fait plusieurs choses à la fois: on lit, on écoute la radio, on bavarde, on fume, on mange, on boit. Nous sommes les consommateurs à bouche ouverte, prêts et disposés à avaler n'importe quoi: tableaux, boissons, expériences. Ce manque de concentration laisse clairement deviner notre difficulté de rester seuls avec nous-mêmes. S'asseoir en silence, sans boire, lire ou fumer est impossible à la plupart des personnes. Elles deviennent nerveuses et inquiètes, et elles doivent absolument faire quelque chose avec la bouche ou avec les mains (Fumer est un des symptômes de ce manque de concentration: il occupe main, bouche et nez » (E. Fromm, *L'art d'aimer*).

Il est nécessaire de se retirer de temps à autre dans la solitude la plus complète pour récupérer l'unité intérieure. S'il n'organise pas de repliements fréquents, l'homme de Dieu sera investi par le courant de la dispersion et il fera naufrage comme « appelé et élu » et comme projet fondamental de vie.

Au cours de ma vie, j'ai rencontré plusieurs personnes qui ne semblaient pas des *personnes*. Personne signifie: « être *maître* » de soi-même, et elles ne l'étaient pas. Lancées dans le tourbillon frénétique de l'activité (que l'on appelle toujours apostolique et souvent ne l'est pas), elles étaient désintégrées intérieurement au point d'avoir perdu la maîtrise, et souvent, le sens de la vie. Individus excités, nerveux, vides.

Gens incapables de s'arrêter une minute pour se demander: qui suis-je? quel est le projet fondamental de ma vie, et quelles sont les exigences pour garder ce projet debout? Comme s'ils ne voulaient pas affronter ces demandes, ils fuyaient toujours leur mystère: ils se fuyaient eux-mêmes, et l'activité « apostolique » était leur refuge aliénant. Ils avaient besoin de sautiller toute la journée d'une activité à l'autre, d'un groupe à l'autre groupe, sans jamais s'arrêter. Car, s'ils s'étaient arrêtés, les questions sur le mystère de la vie se seraient présentées aussitôt. Mieux vaut fermer les yeux, ne pas écouter pour ne pas tomber sur l'énigme provocatrice du mystère. Naturellement, ces personnes ne possédaient aucune richesse à communiquer au monde, seulement des paroles vides.

Il est indispensable de demeurer et de s'entretenir périodiquement avec soi-même pour récupérer l'intégrité et le contrôle.

De plus, il faut des « temps forts », répétons-le, pour être transformés en *homme de Dieu,* c'est-à-dire ceux sur le front duquel le peuple découvre et distingue de loin une splendeur spéciale: ce sont ceux qui parlent sans parler.

Les prophètes de Dieu se sont forgés dans le creuset de la solitude: là, dans les steppes ardentes, ils supportèrent sans broncher le regard de Dieu et, lorsqu'ils descendirent dans la plaine, ils transmirent de la splendeur, de l'esprit et de la vie. Dans le silence du désert, « ils virent et entendirent » quelque chose et lorsqu'ils parlèrent au sein du peuple innombrable, personne ne put les faire taire. Ils avaient « vu » et personne au monde ne put détruire leur témoignage: ils étaient les hérauts incorruptibles de l'Invisible. Le peuple savait distinguer l'envoyé de l'intrus.

Il faut se retirer pour devenir hommes de Dieu.

Peut-être n'avons-nous pas le temps pour ces retraites périodiques? Il y a du temps pour tout ce que l'on veut.

Le temps n'est pas un empêchement. Il y a un autre inconvénient. Nous ressemblons à ces malades qui ont peur d'aller voir le médecin et de se soumettre aux rayons X. La dispersion, la distraction, le divertissement peuvent satisfaire en un premier moment, mais à la fin, ils n'apportent que de l'inquiétude et de la frustration parce qu'ils dissocient, brisent l'esprit. De plus, la vie avec Dieu est très difficile. Dieu est un adversaire terrible. On vit beaucoup plus tranquille loin de son feu.

« DÉSERT »

Nous appelons *moments forts* les fractions de temps, plus ou moins prolongées, réservées exclusivement à la rencontre avec Dieu. Par exemple, dans l'organisation de notre vie personnelle, il est possible de garder trente ou quarante minutes par jour pour le Seigneur.

Lorsque, une fois par mois, nous dédions une journée entière à notre Dieu, nous appelons ce moment fort « désert ».

Cette expérience psychologique ou célébration du « désert » a des traits caractéristiques particuliers. Il est très convenable, presque nécessaire, pour vivre un jour de « désert », que le chrétien sorte du contexte habituel où il vit et travaille pour se rendre en un lieu solitaire: campagne, montagne, « oasis » ou maison de retraite.

Pour se stimuler réciproquement, il est utile que cette sortie dans le « désert » s'effectue en groupe de trois ou de quatre; mais, une fois arrivés au lieu où l'on a l'intention de passer la journée, il faut tenir compte que le groupe se disperse et que chacun reste tout le temps dans la solitude complète. Il est opportun que le « désert » ait aussi un caractère pénitentiel par rapport à la nourriture.

Pour que le « désert » ne se transforme pas en journée redoutable (dans ce cas, on ne le ferait pas une deuxième fois), il importe que le chrétien se trace et apporte avec lui un schéma ou projet pour occuper productivement toutes les heures de cette journée. Qu'il décide d'avance quels instruments il utilisera: psaumes déterminés, textes bibliques, exercices de concentration, un cahier pour noter ses impressions, prières vocales, lectures méditées, etc.

C'est pourquoi, nous donnons quelques suggestions pratiques. Une fois arrivé à destination, il convient de commencer par la récitation de quelques psaumes pour affiner la sensibilité de la foi et créer l'atmosphère intérieure adéquate. Dans le cas où l'on se trouve dans un état de dispersion, il est bon de s'exercer aux différentes pratiques pour se calmer, se concentrer, se contrôler. La chose la plus importante durant le « désert » est le dialogue personnel avec le Seigneur, dialogue qui n'est jamais un échange de paroles mais intériorité. La plus grande partie du temps doit être dédiée à établir le courant de dialogue *moi-Tu* et à rester « face à face » avec le Seigneur. Durant le jour, on peut faire des lectures méditées, des réflexions sur notre vie personnelle, sur les problèmes concrets de fraternité ou autre. Ce jour-là, on doit accepter tout ce qu'on repousse normalement; guérir, par des exercices de pardon et d'abandon, les blessures de la vie, de sorte que l'homme de Dieu puisse descendre de la montagne complètement guéri et fortifié.

Il est bon de savoir que, dans une journée ou une soirée, l'âme peut passer par des états d'âme différents et même contradictoires. Qu'on ne soit pas troublé; qu'on ne devienne pas euphorique par les consolations ou déprimé par les aridités. L'impatience est la fille la plus sournoise du moi. Où il y a la paix, Dieu est présent. Qu'on se le rappelle: si le chrétien a la paix, même en pleine aridité, Dieu est avec lui.

Qu'on ne se laisse jamais porter par l'illusion. Elle ressemble à l'espérance mais elle est contraire à l'espérance. Qu'on sache discerner l'effort de la violence et l'illusion de l'espérance. Ne cherchons jamais d'émotions fortes, parce que nous nous impatienterons si nous n'en avons pas; l'impatience engendre la fatigue et la fatigue dégénère en frustration. Ce serait dommage que le chrétien, au lieu de revenir du « désert » à la vie normale, fortifié et animé, en revienne frustré.

Une fois de plus, les anges gardiens du « désert » sont la patience, la constance et l'espérance. N'oublions pas que Jésus faisait de fréquents « déserts ». Organisons la vie de manière à réserver à Dieu quelques journées de l'année pour montrer que Dieu est important dans notre existence.

* * *

Ce que nous venons de dire vaut pour les premiers pas. Plus tard, les moyens indiqués s'avéreront d'inutiles béquilles. Lorsqu'on est déjà habitué à la prière et qu'on vit dans son esprit, se mettre en condition de prier et « rester » avec Dieu est la même chose, sauf pour les temps de sécheresse.

À mesure que l'âme avance, c'est Dieu qui prend l'initiative. L'action de Dieu se fera toujours plus pressante et elle envahira tout l'être. L'Un unifie et le Centre polarise toute chose.

Nous n'avons plus besoin de gymnastiques mentales ni de stratégies psychologiques. Le « château intérieur » est définitivement conquis, les troupes se rendent au nouveau Seigneur. Mais tout cela ne se produit qu'àprès un long processus de purification.

3.

POSITIONS ET CIRCONSTANCES

Une fois de plus, nous devons rappeler que chaque personne expérimente les choses sous une forme unique, exclusive. Il n'y a pas de maladies mais bien des personnes malades et une même ordonnance appliquée à des malades différents produit des effets différents.

Nous donnons ici des suggestions concrètes mais à chacun de nous d'expérimenter les différentes recettes, de former avec elles des combinaisons éventuelles et, à la fin, de s'arrêter sur la plus efficace.

Nous ne sommes pas des anges. Souvent, nous pensons en opérant des divisions, en employant des concepts dualistes. Par exemple, nous parlons de la grâce et de l'âme. Il ne s'agit pas de l'âme mais de la nature, c'est comme si nous disions le corps et l'âme. Les deux sont intégrés dans une unité tellement indissoluble qu'il est impossible de marquer les confins entre l'un et l'autre.

Pour prier, il faut tenir compte du corps. Une position corporelle adéquate peut résoudre un état d'aridité. Une respiration lente et profonde peut faire disparaître l'anxiété. Une position correcte peut chasser les distractions. Lorsque, pour différentes raisons, il lui est absolument impossible de prier, le chrétien peut adopter des positions corporelles signifiant l'adoration: il peut se prosterner au sol et rester ainsi, adorant, sans rien exprimer ni mentalement ni vocalement. Oraison excellente pour des moments déterminés.

Lorsque le chrétien se trouve très affligé et malade, au lit, qu'il ne prétende pas prier et sentir quelque chose, qu'il ne dise rien. Qu'il étende simplement les bras comme Jésus sur la croix, qu'il se dispose à l'offrande. Ce sera là l'adoration de son corps souffrant.

Toute position qui, comme signal extérieur, indique la réceptivité, le refuge et l'abandon, aide l'âme à assumer la même attitude.

Naturellement, les positions extérieures sont extrinsèques à l'oraison même, elles ont donc une importance secondaire. Malgré cela, dans des moments déterminés, elles peuvent constituer une aide substantielle pour la rencontre avec Dieu.

Plusieurs se plaignent des difficultés et des distractions, presque invincibles, qui les empêchent de se recueillir en présence du Seigneur. N'est-ce pas parfois parce qu'ils négligent certains facteurs extérieurs? Par exemple, avec une respiration agitée ou superficielle, on pourra difficilement parvenir à une rencontre profonde et pacifiante.

Positions pour prier

Quelques-unes des présentes suggestions ont été inspirées par le précieux opuscule intitulé *Le corps et la prière* (Feu Nouveau, Paris).

DEBOUT. — N'oublions pas que les juifs, donc, Jésus aussi, priaient généralement debout.

On se tient droit. Les pointes des pieds peuvent rester plus ou moins ouvertes, sans être nécessairement unies. Les talons doivent être unis et se toucher de manière à ce que le corps tombe avec équilibre le long de la colonne vertébrale, en procurant la détente musculaire et la sérénité des nerfs. Que la tête soit droite et pas rigide. Cette position régularise la respiration, active la circulation et neutralise la fatigue musculaire.

Les *bras* peuvent rester dans des positions différentes: *ouverts et étendus* en avant, en attitude de réception. *Ouverts et levés,* pour exprimer une supplication intense ou toute impression forte, de gratitude ou de joie. *Ouverts,* les avant-bras en croix, les bras et les mains levés, les paumes en avant, pour exprimer la disposition et la promptitude. Bras et mains *recueillis et croisés* sur la poitrine, pour exprimer le recueillement et l'intimité. *Mains jointes* et doigts croisés, appuyés (ou non) sur la poitrine, pour manifester l'intériorisation, la gratitude, la supplication. Bras complètement *ouverts* en forme de croix, pour l'oraison d'intercession, de caractère universel.

N'oublions pas combien de fois les psaumes parlent de bras tendus: « Tout le jour, je t'appelle, Seigneur, je tends les mains vers toi » (Ps 87; cf. Ps 62; 118).

Les *yeux* peuvent être complètement fermés. Cela signifie l'intimité et aide, de fait, le recueillement pour plusieurs. Au contraire, d'autres, les yeux fermés, sont assaillis par toutes sortes d'imaginations. Les yeux peuvent même rester *entrouverts* et recueillis, fixés sur les pointes des pieds, sur la bouche de l'estomac ou sur un autre point, de manière à toujours regarder « à l'intérieur ». Ils peuvent rester complètement *ouverts*, dirigés vers le haut, en avant, orientés vers un point déterminé ou vers l'infini. L'immobilité oculaire (et corporelle) en général, facilite la tranquillité intérieure.

Selon l'endroit où il se trouve, celui qui prie peut regarder une image, le tabernacle, le crucifix...

ASSIS. — Si l'on reste assis sur un banc ou sur une chaise, il est bon de s'appuyer au dossier, de manière à ce que le poids tombe en équilibre, en nous rappelant les normes générales sur les bras, les mains, les yeux.

On peut également s'asseoir à la manière dite « carmélite »: à genoux, assis sur les talons, les pointes des pieds légèrement unies et les talons légèrement écartés. Les bras doivent tomber librement et suavement, avec les mains (paumes vers le haut ou vers le bas) appuyées sur les cuisses.

Pour celui qui n'est pas habitué, cette position peut être un peu inconfortable au début. Lorsque le corps s'habitue, c'est une position reposante et expressive: elle indique l'humilité, la disponibilité, l'accueil. Pour éviter l'ennui, plusieurs utilisent des tabourets de la façon suivante: ils s'agenouillent, puis ils placent le tabouret sous les jambes repliées, unissent les pointes des pieds, détachent les talons et les genoux, s'assoient lentement et complètement sur le tabouret. C'est une position très confortable.

Il y a aussi d'autres manières de s'asseoir.

PROSTERNÉ. — Se prosterner par terre est la position d'humilité par excellence; elle indique donc et stimule l'adoration la plus profonde. Les compagnons de saint François le surprirent souvent dans cette position sur le Mont Alverne.

Première manière. Par des mouvements lents, on s'agenouille et reste ainsi quelques minutes. Puis, on s'incline (toujours lentement) en courbant tout le corps jusqu'à toucher par terre avec le front. Les bras et les mains posés à terre proche de la tête. Le poids du corps tombe donc sur quatre appuis: pieds, genoux, front, bras-mains. On reste dans cette position, en respirant profondément et régulièrement jusqu'à se sentir complètement confortable. Au terme de l'oraison, on retourne lentement s'asseoir ou se mettre debout.

Deuxième manière. On s'agenouille d'abord puis, par des mouvements lents, on s'étend complètement à plat ventre par terre, les bras étendus en croix ou recueillis le long du corps, ou en se servant des mains pour appuyer le front.

Au début, on doit s'y exercer graduellement. Durant les premières séances, on ne doit pas rester longtemps dans la même position. Qu'on évite les positions qui paraissent forcées ou inconfortables. Si on se sent à l'aise, c'est signe que la position est correcte et qu'on a obtenu une bonne détente musculaire et nerveuse.

C'est la personne elle-même qui doit s'exercer aux différentes combinaisons jusqu'à ce qu'elle découvre les positions les plus appropriées à sa nature. À chaque attitude corporelle doit correspondre une attitude intérieure déterminée.

Où?

Il y a des personnes qui entrent mieux en communication avec Dieu dans une église recueillie ou dans une chapelle solitaire entourée de pénombre.

Il y en a qui le font mieux en sortant sur la terrasse, dans le jardin ou dans les champs par une nuit profonde, sous un ciel étoilé, lorsque les voix du monde sont désormais éteintes.

D'autres se sentent plus unies à Dieu en regardant attentivement une fleur, en laissant errer leur regard sur un beau panorama, dans la solitude d'une colline.

Il y en a d'autres qui ne ressentent jamais si fortement la présence de Dieu que lorsqu'elles visitent un malade atteint d'un mal répugnant ou en entrant dans les faubourgs misérables pour porter un sourire ou une parole aux pauvres.

Il y a également ceux qui ne peuvent se recueillir s'ils sont au milieu d'un groupe priant: au contraire, d'autres ont besoin du soutien d'autrui.

Quand?

Certains se lèvent le matin, reposés, inondés de paix. C'est leur heure la meilleure pour se concentrer et prier.

À ceux qui vivent une vie psychique intense, il arrive qu'en rêve, en l'absence de conscience vigilante, l'inconscient fasse irruption dans les latitudes inconnues et pour une bonne partie de la nuit, attaque et envahisse furtivement toute la sphère de la personne, en réalisant chacun de ses caprices. Comme conséquence de pareille invasion nocturne, les personnes se réveillent fatiguées et de mauvaise humeur, plus fatiguées que lorsqu'elles se sont mises au lit, comme si elles avaient lutté toute la nuit contre je ne sais quels ennemis.

Suite à ce phénomène, j'ai connu des personnes qui éprouvent une aversion profonde pour toute oraison, à commencer par le nom. Elles ne savent pas pourquoi. Mais on découvre immédiatement qu'il existe une association inconsciente entre la mauvaise humeur et le rêve d'une part, et l'oraison de l'autre, puisque les deux choses furent unies plusieurs années chaque matin.

En général, le crépuscule est la meilleure heure pour prier. On calme l'agitation. La lumière claire du jour décline. Toutes les choses semblent s'apaiser et reposer. Le combat a cessé. C'est l'heure de la paix et de l'intimité.

Certaines personnes préfèrent prier la nuit. Et il y en a d'autres qui ne valent plus rien lorsque vient la nuit, elles ne peuvent que dormir. Ces cas exceptés, la nuit peut paraître le meilleur temps pour prier: les compromis cessent, le monde dort, le silence le remplit totalement, tout invite à l'intimité avec le Seigneur. Dans la tradition biblique, les hommes de Dieu cherchent et prennent la nuit comme moment idéal de leurs communications avec le Seigneur. Jésus agit de même.

Spontanéité totale

Nous vivons l'ère de la spontanéité. Aujourd'hui, on ne tolère plus d'imposition. Il y a dans l'air une répugnance instinctive pour tout ce qui signifie autorité, paternité... Désormais un mythe domine les milieux et il est accepté comme vérité absolue: la maturité de l'humanité, donc la maturité de l'individu. Deux mythes, mieux, un seul, qui ne résistent pas à l'analyse.

Il y a certains axiomes évidents et communs: qui se sent adulte ne le proclame pas. Qui étale aux quatre vents qu'il appartient à la catégorie adulte fait voir qu'il n'est pas adulte. Un homme mûr ne se sent jamais traité en enfant. Qui se sent traité comme un enfant laisse voir qu'il est effectivement puéril.

Prier? On répond en chœur: toujours et quand j'en ai envie. Ce raisonnement qui semble mûr, renferme beaucoup d'infantilisme. En continuant, nous pouvons tirer toutes les conclusions. Étudier? Lorsque j'en ai envie. Travailler? Lorsque j'en ai envie. Qu'arrivera-t-il dans le monde avec toute cette spontanéité? Une anarchie enfantine au nom de la maturité adulte.

Dans les dialogues et dans les communications spontanées, il y en a plusieurs, presque la majorité, qui affirment que s'ils ne prient pas en communauté, ils ne le font jamais privément; et que, s'ils ne prient pas à l'horaire établi, ils ne prient plus.

L'idée que l'homme soit arrivé à la maturité est un mythe sans consistance aucune. Il suffit de regarder un peu en nous et un peu en dehors de nous et nous aurons de tous côtés, la preuve de l'incohérence et de l'incapacité de soutenir debout, les compromis assumés; nous aurons aussi la preuve que les paroles sont souvent écrites sur l'eau.

J'ai connu des personnes consacrées qui, sur le plan professionnel, étaient des prodiges d'efficacité et d'organisation, capables de soutenir avec une grande compétence des tâches et des structures très compliquées. Elles étaient réellement adultes en cela: elles avaient de l'ordre, de la ponctualité et de la responsabilité.

Toutefois, selon leurs affirmations, ces mêmes personnes étaient complètement irresponsables dans leurs devoirs religieux. Qui comprend cette dichotomie?

Je pense que si l'on ne dédie pas certains temps forts à l'oraison commune organisée pour la communauté, on peut facilement arriver à l'abandon total de l'oraison. Il est nécessaire d'établir une hiérarchie de valeurs, d'organiser la vie suivant cette hiérarchie, de donner à Dieu ce qui est Dieu; et que la communauté soutienne la fragilité individuelle, en établissant des horaires communs de prière. Ceci n'empêche pas que chacun organise spontanément ses propres *temps forts.*

Comme nous l'avons déjà dit, nous devons tenir compte que prier n'est pas facile et exige de l'application, tandis que l'instinct de l'homme s'accroche à la loi du moindre effort par lequel il préfère toute activité extérieure (parce que plus facile) à l'activité intériorisante de l'oraison. Puisque l'instinct fuit l'oraison, il doit s'imposer la conviction.

Dans la fraternité, plusieurs cherchent, même volontairement, une pression psychologique; c'est-à-dire d'autres personnes en vue d'une incitation mutuelle dans la vie avec Dieu. En partageant leurs expériences spirituelles, ils se stimulent à la recherche fidèle du Seigneur. Je connais des personnes qui se sont gardées plusieurs années dans une orbite élevée, grâce à cette aide.

Rencontrer Jésus ou le Père?

Certains ont de la difficulté à entrer en communication avec le Père transcendant.

Toutefois, ces mêmes personnes entrent rapidement et facilement en dialogue avec Jésus ressuscité et présent. Cette facilité est plus remarquable encore lorsqu'elles s'entretiennent avec Jésus dans l'Eucharistie.

Elles se mettent en oraison et elles sentent immédiatement Jésus comme un être réel et proche, comme un bon ami. Elles l'adorent, le louent, lui demandent pardon, force, réconfort; avec Lui et en Lui, elles acceptent leurs responsabilités et leurs difficultés; elles se pardonnent à elles-mêmes et pardonnent aux autres, ainsi soignent-elles les blessures infligées par la vie. Il est difficile de situer cette oraison et de la définir: représentation imaginaire? simple regard de foi? Bien qu'on doive promouvoir la plus grande liberté de chaque personne, toutefois, pour les premiers pas, ce contact familier avec Jésus dans la simplicité de la foi est à conseiller.

Par contre, il y a d'autres personnes qui sentent dès les premiers moments un attrait mystérieux et irrésistible pour l'Invisible, l'Éternel et le Tout-Puissant. On ignore s'il s'agit d'une prédisposition naturelle ou d'une grâce particulière.

Eh bien, lorsque l'âme entre dans les zones contemplatives les plus profondes, les maîtres spirituels signalent qu'elle tend à surmonter les formes imaginaires et corporelles (de Jésus ami) pour rencontrer directement le Dieu simple et total qui nous pénètre, nous enveloppe, nous soutient et maintient; les paroles sont ici remplacées par le silence, par la foi pure.

Sainte Thérèse d'Avila se dresse avec une énergie absolue contre cette doctrine généralement admise par tous les maîtres spirituels, en affirmant qu'il importe de fixer le regard contemplatif sur l'humanité de Jésus ressuscité, à tous les stades de la vie spirituelle.

Quoi qu'il en soit, dans ce cas ou dans d'autres cas, nous conseillons au chrétien de se laisser porter par la grâce avec docilité et abandon parce qu'elle peut indiquer à chaque personne un chemin différent, et à une même personne, des chemins différents à des moments différents.

4.

PREMIERS PAS

Puisque chaque grâce suscite un mouvement filial vers le Père, il est important et nécessaire de laisser de l'espace et de cultiver cette aspiration, en faisant des pas tangibles.

Je m'adresse toujours à deux groupes de personnes. Le premier est composé de ceux qui sont débutants dans les choses de Dieu et qui veulent arriver pour la première fois à l'intimité avec le Seigneur. Le deuxième, de personnes qui vécurent l'amitié divine pendant des années mais qui l'oublièrent plus tard: elles jetèrent de la terre et du sable sur la flamme divine jusqu'à l'éteindre. Elles sentent aujourd'hui le poids de la tristesse et du vide, et elles veulent récupérer à tout prix le trésor perdu.

Les unes et les autres, les premières, pour obtenir, et les secondes, pour récupérer, ont besoin de faire les premiers pas. Dans la vie, les premiers pas sont toujours vacillants et gauches. Peu importe, on doit passer par là et payer les conséquences d'un double prix: la patience et la constance.

Oraison vocale

Les premiers pas se font toujours avec des appuis. Dans notre cas, l'appui est l'oraison vocale.

Comme je l'ai expliqué, de par sa nature, l'intelligence humaine est un papillon inquiet, errant dans le vent. Elle a besoin de se mouvoir, de voler perpétuellement en sautant du passé au futur, du souvenir aux images, des images aux projets. Au contraire, la véritable adoration consiste à assujettir l'attention en la centrant sur le Seigneur. Comment y arriver avec une si folle intelligence?

Nous avons besoin de béquilles pour marcher. L'appui est l'oraison vocale ou mieux encore, *l'oraison écrite.* On suppose que la parole soit écrite sous forme de dialogue. Comment le faire?

Le chrétien pose le regard sur l'oraison écrite. La parole retient l'attention et établit une union entre l'homme et Dieu. Par exemple, si je lis « Tu es mon Dieu » et si je cherche à *m'approprier* ces paroles en identifiant mon attention au contenu de la phrase, mon intelligence est déjà « avec » Dieu. L'écrit a été le pont d'union.

Mais l'intelligence se détache très facilement du centre et se disperse en mille directions: alors, de nouveau, les yeux sur l'oraison écrite et la parole écrite ressaisit et retient l'attention. Si le contenu de l'oraison écrite polarise l'attention, lorsque ce contenu « est Dieu même », l'intelligence « reste avec » Dieu. Une autre fois, peut-être l'intelligence s'envolera-t-elle. De nouveau, avec patience, les yeux reviendront à la parole écrite et la parole reconduira l'intelligence à la prière. Exprimons d'une autre manière la même idée: la parole évoque et réveille Dieu « pour » l'homme; la parole accroche l'intelligence humaine et la conduit, comme un véhicule, au but qui est Dieu.

C'est de l'oraison écrite, mais également et surtout, de *l'oraison vocale.* Pourquoi? Parce que le chrétien commence par lire l'oraison écrite, en la lisant, il vocalise, en vocalisant, il concentre sa pensée sur elle; ainsi, l'homme « reste » en oraison. En réalité, il ne s'agit pas d'une oraison prolongée; l'attention est portée sur Dieu pour quelques instants, par intermittence, mais ce va-et-vient peut se prolonger même une demi-heure. Dans ce cas, nous pouvons dire que le chrétien a eu une demi-heure d'oraison *réelle.*

De nos jours, il existe de précieux opuscules contenant des sélections des meilleures oraisons. De plus, il y a de petits livres avec des psaumes particuliers. Il y a aussi les psautiers pour tous. Qu'on les garde à portée de main, où l'on prie normalement. Qu'on les apporte dans le « désert ».

Comment prier?

Prends une oraison que tu aimes. Mets-toi en attitude d'orant. Demande l'assistance de l'Esprit Saint. Commence à lire. En lisant les phrases, fais-les « tiennes »; cherche à identifier ton attention à leur contenu. Il y aura des expressions qui te donneront un sens de plénitude dès le premier moment: répète-les plusieurs fois jusqu'à ce que leur son et leur « contenu » aient complètement inondé ton être.

Continue en lisant (priant) lentement, très lentement. Arrête-toi. Répète encore les mêmes phrases, à voix haute (si possible), plus haute ou plus calme selon les circonstances. Tu peux prendre des attitudes extérieures qui t'aident, comme étendre les bras... Laisse imprégner ta sphère intérieure, tes sentiments et tes décisions par la Présence qui émane de ces paroles.

À un moment donné, si tu sens pouvoir marcher sans « béquilles », abandonne les oraisons écrites et permets que l'Esprit crie en toi et jaillisse de ta bouche par des expressions spontanées et inspirées. Termine par une résolution de vie.

Il y a un autre mode d'oraison vocale, excellent et efficace. Prends une position d'orant. Sélectionne une ou différentes expressions fortes, par exemple: « Tu me scrutes et tu me connais »; « Depuis toujours et pour toujours, tu es mon Dieu »; « Mon Dieu et mon Tout »; « Tu es mon Seigneur ». Prends une de ces phrases, ou une autre, et commence à la répéter à voix haute et calme. Prononce-la très lentement en cherchant à entrer le plus profondément possible dans la « substance » des paroles, avec grande sérénité, sans violence. Répète les phrases en les espaçant de plus en plus chaque fois.

Tu peux arriver à un moment où le silence remplace les paroles et il ne reste que la Présence et le silence. Dans ce cas, tu resteras en silence *dans* la Présence. Termine par une décision de vie.

À ceux qui veulent prendre Dieu au sérieux, je donne toujours le conseil suivant: apprends quelques psaumes, des versets de psaumes, différentes oraisons brèves par cœur. Lorsque tu es en voyage, que tu marches dans la rue, en faisant quelque travail domestique, si tu désires dire quelque chose au Seigneur et que rien ne te vienne, ces oraisons vocales mémorisées constituent une aide spirituelle excellente pour t'unir au Seigneur.

Psaumes

À mon avis, il n'existe pas de moyen plus rapide d'arriver au cœur de Dieu que la récitation des psaumes.

Ils véhiculent une intense charge expérimentale de Dieu. Ils ont été enrichis par la ferveur de millions d'hommes et de femmes, au cours de trois mille ans. Jésus — enfant, jeune, adulte, évangélisateur, crucifié, communiquait avec son Père avec ces mêmes oraisons. Ce sont donc des expressions imprégnées d'une grande vitalité spirituelle.

Parmi les psaumes, il y en a qui sont des messages de qualité insurpassable; d'autres ne nous disent rien; d'autres nous scandalisent peut-être. Dans un psaume, nous nous trouvons tout à coup devant des versets d'une très belle intériorité et devant d'autres qui lancent des anathèmes et demandent vengeance. On peut passer sur un et s'arrêter sur un autre.

Comment les réciter? Il faut préciser que nous ne sommes pas en train de parler de l'oraison de l'Office Divin ou Liturgie des Heures mais bien de la façon d'utiliser les psaumes comme *instruments d'entraînement* pour acquérir l'expérience de Dieu, pour faire les premiers pas dans l'oraison vocale.

Choisis les psaumes ou les versets que tu préfères le plus; répète les expressions qui te « disent » quelque chose. Tandis que tu répètes lentement ces phrases, laisse-toi contaminer par la conscience profonde de vivre que les psalmistes, les prophètes, Jésus ressentaient; c'est-à-dire essaie d'expérimenter ce qu'ils expérimentèrent: laisse-toi emporter par la présence vive de Dieu, envelopper par les sentiments de stupeur, d'exaltation, de louange, de repentir, d'intimité, de douceur et d'autres qui imprègnent ces paroles.

Si, à un moment donné, tu arrives à sentir la « visite » de Dieu dans une strophe, hésite, répète l'expression... et si pour une heure, tu ne fais rien d'autre que pénétrer, sentir, expérimenter, t'étonner de la richesse contenue dans ce verset, reste là et ne te préoccupe pas de continuer. Termine toujours par une décision de vie.

C'est vrai qu'il y a des psaumes pleins d'anathèmes et de malédictions. Dans ces cas, si tu te laisses porter librement et spontanément, tu sentiras que l'Esprit enseigne à appliquer ces anathèmes contre l'« ennemi » (unique et multiple) qu'est ton égoïsme avec ses nombreux fils: l'orgueil, la vanité, la colère, la rancune, la sensualité, l'injustice, l'exploitation, l'ambition, l'irritabilité...

Je suis d'avis que chaque chrétien doive faire une *« étude » personnelle* des psaumes.

L'homme étant un mystère unique, son mode d'expérimenter et de s'expérimenter est individuel et unique. Ce qui me « dit » beaucoup à moi, peut ne rien dire à un autre. Ce qui « dit » beaucoup à ceux-là, peut ne me dire que peu à moi. Il faut donc une « étude » personnelle. Comment la faire?

Commence par les premiers psaumes. Un jour fixé, « unis-toi » au Seigneur par le premier psaume, dans un moment fort d'oraison; parle avec Dieu à travers ces paroles-là. S'il y a dans le psaume un verset, une strophe complète peut-être ou une série enchaînée de phrases qui te « disent » beaucoup; souligne-les au crayon, après les avoir répétés plusieurs fois.

Si une expression te semble renfermer une richesse particulièrement féconde, tu peux la souligner plusieurs fois, selon le degré de richesse que tu y perçois. Indique en marge ce que cette strophe t'inspire, par exemple: *confiance, intimité, louange, adoration...*

Il peut arriver qu'un même psaume, ou une même strophe te dise peu un jour et beaucoup un autre jour. Une même personne peut percevoir une chose de différentes façons selon les différents moments.

Si le psaume ne te dit rien, laisse la marge blanche.

Un autre jour, « étudie » le deuxième psaume de la même manière. Et ainsi de suite pour les 150 psaumes. Dans un an ou deux, tu auras fait la « connaissance personnelle » de tout le psautier, et lorsque tu voudras louer le Seigneur, tu sauras déjà à quels psaumes te référer. Lorsque tu veux méditer sur la précarité de la vie, que tu as besoin de consolation ou que tu désires adorer, lorsque tu cherches la confiance ou que tu sens le besoin d'entrer en intimité avec Dieu, tu sauras à quels psaumes ou à quelles strophes t'adresser.

De cette façon, apprendras-tu par cœur des strophes pleines

de richesse qui te serviront d'aliment dans toutes les circonstances. Termine toujours par une résolution de vie.

Voici maintenant une liste d'orientation des psaumes et des sentiments correspondants:

Psaumes qui expriment *la confiance, l'abandon, l'intimité, la nostalgie et le désir de Dieu:* 3, 4, **15,** 16, 17, **22,** 24, **26, 30,** 35, 38, **41, 50,** 55, 61, **62,** 68, **70, 83,** 89, **90,** 102, **117,** 122, 125, 129, 130, **138,** 142.

Psaumes qui expriment la stupeur devant la contemplation de la création avec un sens de *joie* personnelle et de *gloire* à Dieu: 8, **18,** 28, **64,** 88, 91, **103.**

Psaumes qui expriment *la louange, l'exaltation, l'action de grâces*: **3, 66,** 91, 112, **134, 135, 144, 146, 148, 149, 150.**

Psaumes qui expriment la *fugacité* de la vie devant *l'éternité* de Dieu: 38, **89, 92, 101,** 102, 134, 138.

Les chiffres en caractères gras indiquent que le thème signalé s'y trouve à un degré plus intense. On a suivi la numérotation de la version liturgique courante.

Lecture méditée

La méditation est une activité mentale dans laquelle on utilise des concepts et des images, en sautant des prémisses aux conclusions, en distinguant, en déduisant, en expliquant, en appliquant et en combinant différentes idées sur un thème précédemment reconnu, dans le but d'éclairer une vérité, de mieux connaître Dieu, d'approfondir la vie de Jésus et de pouvoir ainsi l'imiter; enfin, il s'agit de chercher une solution capable de transformer une vie.

La méditation enrichit l'âme des connaissances de la vie divine. Mais je suis persuadé que la méditation est une voie trop compliquée pour initier les débutants au contact avec Dieu. Elle devient une lourde navigation de bras et de rames, et l'homme d'aujourd'hui arrive difficilement au port qu'est Dieu par cette voie, parce que nous vivons des temps d'intuition et pas de discours, nous sommes plus portés aux états émotionnels qu'aux états rationnels.

Thérèse d'Avila elle-même éprouvait peu de sympathie pour la méditation discursive:

> « Revenant donc à ceux qui se servent du discours, je leur recommande de ne pas l'employer tout le temps de l'oraison. Comme cet exercice est très méritoire (...) je regarde cette perte de temps comme un gain très précieux. Qu'ils se tiennent donc, ainsi que je l'ai dit, en présence de Notre Seigneur, sans fatiguer leur entendement; qu'ils lui parlent et mettent leur joie à se trouver avec lui; qu'ils ne se préoccupent point de composer des discours, mais lui exposent simplement les nécessités de leur âme et les motifs qu'il aurait de ne pas les souffrir devant lui. »

La méditation est toutefois une activité spirituelle absolument nécessaire pour approfondir les mystères de Dieu et pour grandir dans la vie divine.

Eh bien, si la méditation est aussi nécessaire que difficile, où trouverons-nous la solution? En premier lieu, dans la lecture méditée. Et, à un degré inférieur, dans la méditation communautaire.

Nous répétons encore une fois: nous avons besoin d'appuis pour faire les premiers pas dans l'acquisition ou la récupération du sens de Dieu.

Plusieurs chrétiens ont un vif désir de s'envoler vers les sommets de Dieu, mais ils n'ont pas encore de consistance et de force suffisantes pour surmonter des abîmes si profonds et si mal connus. Ils se sentent incapables de rester seuls aux pieds du Maître pendant un temps plus ou moins long. Ils ont besoin de béquilles pour marcher. Ils voudraient parler mais, comme les enfants, ils n'y parviennent pas. Ils ne rencontrent pas de courants affectifs qui les entraînent, en cercles concentriques, vers le « centre ». Dans ce but, aucun instrument n'est plus valable que la lecture méditée.

Tous ce que nous avons dit de l'oraison vocale, nous devons l'appliquer ici: la parole écrite assujettira l'intelligence et la conduira par les sentiers d'une réflexion ordonnée et féconde.

La déclaration de sainte Thérèse est émouvante:

> « Je passai plus de quatorze ans sans pouvoir méditer si ce n'est avec l'aide d'un livre, et je crois que les personnes qui me ressemblent sont nombreuses. »

C'est avec une grande spontanéité et sans aucune opposition que la Sainte poursuit en disant que, ne réussissant pas à communiquer seule, elle n'osa jamais entrer dans le vestibule de l'oraison sans livre. Et si elle prétendait prier sans avoir un livre entre les mains, elle se sentait en danger comme si elle devait affronter en bataille un régiment nombreux. Le livre était un bouclier qui la défendait des assauts des distractions, et elle se sentait tranquille et réconfortée. Elle affirme que la sécheresse ne l'a jamais assaillie: toutefois, sans livre, elle tombait dans l'impuissance aride. Il lui suffisait de l'ouvrir pour que ses pensées se dirigent docilement et avec ordre vers le Seigneur. Parfois elle lisait peu, d'autres fois, beaucoup, selon les exigences de son esprit.

Comment pratiquer la lecture méditée?

En premier lieu, aie recours à un livre choisi attentivement qui facilite en même temps la réflexion et l'affection, un livre qui place et retienne l'âme en présence du Seigneur. Toutefois, le premier livre pour la lecture méditée sera naturellement la Bible.

Je conseille toujours de faire une «étude» personnelle sur différents thèmes des divers livres bibliques. Après avoir fait nos propres «investigations», il est utile de disposer d'un cahier où noter nos considérations personnelles pour savoir immédiatement à quel livre de la Bible se référer si l'on veut, par exemple, méditer sur l'amour de Dieu ou sur l'espérance, la vie éternelle, la consolation, la foi, la fidélité, etc.

En second lieu, pour faire vraiment la lecture méditée, je conseille ce qui suit:

Mets-toi en position de repos. Demande la lumière du Seigneur. Sache exactement sur quel argument tu veux méditer ou, au moins, sur quel aspect ou thème biblique tu veux centrer ton attention. Supposons qu'il s'agisse d'un chapitre des lettres de saint Paul: commence à lire; lis lentement, très lentement; médite sur ce que tu lis; lis ce que tu médites.

Supposons qu'une idée te paraisse intéressante: arrête-toi, détache les yeux du livre, approfondis l'idée. Continue en lisant lentement. Continue à méditer sur ce que tu lis. Supposons que tu ne comprennes pas un paragraphe; dans ce cas, reviens au début. Fais une ample relecture et vois quel est le contexte de cette idée pour bien saisir le sens du paragraphe. Continue en lisant lentement.

Supposons que te vienne soudainement une pensée qui t'impressionne fortement. Lève les yeux et exprime toute la substance de cette pensée en l'appliquant à la vie.

Si tu as envie de converser avec le Seigneur, de diriger ton affection vers lui, adorer, t'émerveiller, remercier, demander le pardon, la force... fais-le avec calme. S'il ne se passe rien de particulier, continue ta lecture calme, concentrée, tranquille. Tiens compte toutefois que l'idéal est que la lecture te prenne et te jette affectivement dans les bras du Seigneur pour te transformer finalement en image vivante de Jésus, son témoin au sein du monde.

Au cours de la lecture méditée, si une « visite » du Seigneur a lieu, il ne faut pas continuer. Abandonne tout et laisse-toi porter par le vent de Dieu, satisfait de rester avec le Seigneur.

Il convient que chaque lecture méditée finisse par une résolution concrète de vie selon la direction des idées qui ont été méditées.

Cette méthode de lecture méditée n'est pas seulement utile aux débutants mais également à qui est plus avancé dans les mystères de Dieu, surtout durant les périodes de sécheresse, d'aridité, d'épreuves, de nuits obscures.

Méditation communautaire

La deuxième méthode, relativement facile et avantageuse pour méditer, c'est la méditation communautaire.

Elle consiste en ceci: un petit groupe de personnes se réunit pour réfléchir sur différents aspects de la vie chrétienne.

On commence par la lecture d'un fragment biblique ou d'un chapitre d'un livre qui circonscrive et mette au point la matière qu'on a l'intention de méditer. De cette façon, le thème est plus situé et illuminé. Il convient aussi de réciter une oraison commune, comme un psaume ou une invocation à l'Esprit Saint.

Ensuite, chaque personne fait sa réflexion spontanée devant les autres, en communiquant ce que le thème même lui suggère ou son application à la vie, en embrassant même d'autres champs parallèles, apparentés au thème central. Tous participent successivement et spontanément.

Pour que la méditation communautaire donne son fruit, il faut que la tranquillité, la sincérité, la confiance mutuelle règnent dans le groupe. Autrement, la spontanéité et l'action de l'Esprit resteront « bloquées ». Il est nécessaire également d'éviter l'exhibitionnisme, c'est-à-dire vouloir émerger, dire des choses originales ou brillantes.

Il convient qu'en plus de s'enrichir mentalement, les participants affinent les critères pratiques, prennent en commun des décisions concrètes pour la vie fraternelle ou pastorale. La lecture méditée deviendra ainsi une école de vie et d'amour.

J'ai connu des chrétiens à qui l'Évangile tombait des mains parce qu'il ne leur disait rien. Mais une fois entrés dans un groupe de réflexion, ils découvrirent des richesses inattendues, et, chose étrange, entraînés par l'esprit communautaire, ils ont « tiré » du plus profond d'eux-mêmes et communiqué aux autres, de grandes *nouveautés* sur Jésus, des découvertes qui les ont émerveillés eux-mêmes plus que les autres. À un moment donné, si l'on établit un courant affectueux avec le Seigneur au niveau personnel ou communautaire, il peut y avoir alors une magnifique oraison de groupe.

Oraison communautaire

Par oraison communautaire, j'entends le rassemblement de quelques personnes pour prier spontanément à voix haute, l'une après l'autre.

Pour que l'oraison communautaire soit convaincante, il est nécessaire que les participants aient vivifié antérieurement leur foi et se soient « entraînés » au contact personnel avec le Seigneur. Autrement, on aura l'impression que là, des paroles « sonnent » parfois très belles, mais, comme dit Ionesco, elles sont incapables de rester debout parce que sans contenu.

Il est également nécessaire qu'il n'y ait pas de court-circuits émotionnels entre les orants communautaires. Même s'ils sont pleins de ferveur, un phénomène curieux se produit: les états de conflit entre les frères congèlent la ferveur personnelle et bloquent l'individu dans sa relation avec Dieu; la distance entre les personnes se convertit en distance entre l'âme et Dieu.

Toutefois, une grande intimité entre les participants n'est pas nécessaire comme condition. Plus d'une fois, j'ai remarqué de bons résultats entre personnes qui ne se connaissaient pas avant. L'important, c'est qu'il n'existe pas de situations de conflit entre les participants.

De par leur tempérament réservé, quelques-uns se sentent arrêtés devant ce type de communication. Il est bon de les inviter à communiquer, mais sans violenter leur nature réservée.

Il existe aussi une loi de psychologie générale par laquelle toute intimité exige de la discrétion, et plus l'intimité est grande, plus la discrétion doit être grande. Comme les amants de ce monde fuient toute présence et tout regard indiscret pour leurs rencontres, de même les grands contemplatifs — comme Moïse, Élie, Jésus — cherchèrent toujours la solitude complète pour leurs rencontres avec Dieu. François d'Assise s'en allait non seulement sur les montagnes pour ses communications avec le Seigneur, mais, même là, il se cachait dans des grottes sombres et obscures.

Malgré cela, si le contact vivant avec Dieu se produit dans un groupe priant, ce groupe se transforme en nouveau cénacle et cette prière renferme l'impétuosité et la fécondité de la Pentecôte. Oui, il est nécessaire que les orants proviennent du « désert », chargés de foi et d'amour.

Oraison liturgique

La prière liturgique en tant que moyen pédagogique pour acquérir ou récupérer le sens de Dieu, se situe sur la même ligne que l'oraison vocale. Elle a certainement une dignité et une efficacité particulières puisqu'elle est la prière officielle de l'Église. D'ailleurs, elle enveloppe ses rites d'une beauté exceptionnelle, elle offre les textes les plus choisis de la parole de Dieu et elle suscite à chaque moment un sens communautaire élevé. Tout ceci fait de l'oraison liturgique la grande prière du peuple de l'Alliance.

Toutefois, l'oraison liturgique qui est l'aliment des multitudes et un hommage solennel du peuple à son Dieu, a besoin d'intériorité et de dévotion personnelle pour arriver à être la véritable adoration « en esprit et vérité » (Jn 4, 24). Ici, nous répétons ce que disait le dramaturge Ionesco: les paroles sont comme les pierres, d'elles-mêmes, elles tombent; ce qui les garde debout, c'est leur contenu.

C'est comme si nous disions ceci: si l'âme a été « éduquée » au contact avec Dieu, si elle est « chargée » de Dieu, alors l'oraison liturgique sera semblable à un plat exquis, un banquet extraordinaire qui, non seulement, fortifiera cette âme mais aussi, par contagion, s'étendra à la communauté et stimulera la multitude en la transformant en un peuple d'adorateurs.

Mais si l'âme se présente vide ou qu'elle ne donne pas un sens plénier à la cérémonie, il se peut que la prière liturgique n'arrive pas à être une *rencontre* avec Dieu ni avec les hommes, et l'on pourra dire: « ... ce peuple ne s'approche de moi qu'en paroles, ses lèvres seules me rendent gloire, mais son cœur est loin de moi... » (Is 29, 13).

Oraison charismatique

Ces dernières années, un nouveau mouvement d'oraison s'est levé dans le monde entier. Il prend différents noms: *oraison charismatique* (dû à la manifestation des charismes de l'Esprit Saint), *oraison pentecostaire...* Ses effets peuvent être ceux d'un matin de Pentecôte: ébriété spirituelle, conversions fulgurantes, envahissement irrésistible de l'Esprit. Plusieurs livres ont été publiés sur « le renouveau dans l'esprit ».

Je pense que c'est un des moyens les plus efficaces pour vivifier la foi, pour expérimenter la proximité fascinante de Dieu et pour que les âmes restent marquées, le plus souvent pour toujours, du feu très vif de Dieu! De plus, il y a l'avantage que tout cela se développe au niveau communautaire.

On arrive à ces rencontres d'oraison avec une spontanéité admirable et avec audace, sans aucune préparation; personne ne se préoccupe de ce qui s'y dira ou s'y fera et qui parlera. Il n'y a pas d'ordre du jour ou de liste de matières, aucune planification. Toutes ces préoccupations sont laissées de côté, dans la lumière de l'Esprit Saint.

Les orants arrivent avec l'esprit joyeux, fraternel et communicateur. On commence par un chant, par une lecture ou par un cri de louange, selon ce que «dicte» l'Esprit. Tous prient ensemble et à voix haute; et la clameur monte et descend en vagues successives.

La spontanéité la plus complète règne. On crie, on prie, on pleure, dans une gaieté indescriptible, dans une grande disponibilité à Dieu et au prochain, surtout à l'heure des témoignages. Les cris sont louange, supplication, joie, exaltation spirituelle. Pareille oraison s'adresse généralement à Jésus.

Les priants ne font parfois que répéter une seule exclamation. Certains ne vont pas au-delà de deux ou trois phrases. D'autres, au contraire, sont comme entraînés par une vague d'inspiration et ils s'abandonnent à des expressions humainement inexplicables.

À certains moments, un vrai tumulte, une énorme confusion éclate. Mais paradoxalement, tout ressemble à un concert où la clameur des priants se compose en une symphonie inexprimable et superbe. Les heures passent et personne ne se sent fatigué.

Tout à coup, quelqu'un se lève, parle spontanément sous l'impulsion de l'Esprit, ses paroles sont accompagnées par les acclamations des personnes présentes et par des explosions de louange. Il arrive que des personnes incultes en matière religieuse disent des choses sublimes en dehors de la portée des théologiens professionnels.

Une sincérité totale règne, les fenêtres de l'âme s'ouvrent, absolument toutes; on fait des confessions publiques suivies par d'humbles repentirs, sans que personne ne se sente humilié. On formule des promesses, on prend des décisions catégoriques de conversion.

Tout ceci laisse chez les participants une grande envie de prier plus, de sortir sur la rue et de faire immédiatement du bien à tous, de traiter tous les hommes comme des frères, de pardonner, servir, aimer.

Je sais que tout n'est pas de l'or pur. Il y a là une bonne dose (qui pourrait dire combien?) de contagion collective (psychose). Il y a en certains groupes une préoccupation exagérée pour le don des langues, la guérison des malades, l'effusion sensible de l'Esprit Saint...

Malgré tout, malgré les réserves, je considère l'oraison charismatique comme la méthode idéale pour arriver, en brûlant plusieurs étapes, à l'expérience de Dieu. Je considère le « Renouveau » providentiel pour l'Église catholique si ritualiste en d'autres temps et de nos jours, si frappée par la baisse de la foi même parmi les ecclésiastiques et les consacrés. J'ai l'impression qu'une grande ère de l'Esprit est en train de se réaliser pour l'Église de Dieu.

5.

DÉVOTION ET CONSOLATION

Dévotion

Nous confondons facilement la *dévotion* avec l'émotion ou avec quelque facteur sensible. La dévotion contient, certes, quelques éléments affectifs mais dans son essence, elle est autre chose.

C'est un don spécial de l'Esprit qui habite l'âme et la dispose à bien agir. C'est parfois le résultat d'une « visite » de Dieu qui survient dans l'oraison et la soutient.

La dévotion nous fait nous sentir forts, prêts à surmonter les difficultés, elle vainc la tiédeur, remplit l'âme de générosité et d'audace, éclaire l'intelligence, augmente l'enthousiasme pour Dieu, éteint les passions mondaines, fait surmonter les tentations avec facilité, enfin, elle met au cœur la promptitude, la décision et la joie.

L'essence de la dévotion n'est donc pas sentiment mais promptitude. Jésus éprouva du dégoût à Gethsémani, toutefois, la dévotion filiale le soutint pour accomplir les projets du Père.

La dévotion contient toutefois une certaine dose d'émotivité qui est parfois attribuable au tempérament; mais l'émotion n'est pas nécessairement proportionnée à l'amour vrai dont le thermomètre précis est la disposition à adhérer à la volonté du Père.

> « La dévotion, c'est quelque chose de surnaturel et que nous ne pouvons nous procurer par nos efforts, quels qu'ils soient. Ici, en effet, l'âme se plonge dans la paix, ou pour mieux dire, le Seigneur

l'y plonge par sa présence, ainsi qu'il en usa envers le juste Siméon. Alors toutes les puissances s'apaisent, et l'âme comprend, par un mode de compréhension très différent de celui qui nous vient par le moyen des sens extérieurs, qu'elle est tout près de son Dieu, et que, pour un peu, elle en viendrait à être par l'union une même chose avec lui. » (...)

« On éprouve tout à la fois un grand bien-être corporel et une grande jouissance spirituelle. L'âme est si contente de se voir seulement auprès de la fontaine, que même avant d'avoir bu, elle se sent désaltérée et croit n'avoir plus rien à désirer. Les puissances sont en repos et voudraient ne plus bouger, tout lui semble un obstacle à son amour. (...) L'entendement et la mémoire restent libres, la volonté seule est ici prisonnière... » (Sainte Thérèse de l'Enfant-Jésus).

De par sa nature, l'amour est toujours une force ardente qui devient de plus en plus sensible à mesure qu'il croît en profondeur. Cet amour est inévitablement « senti » dans la jouissance de l'union comme dans le vide douloureux de l'absence. En certains courants de spiritualité, comme dans la spiritualité franciscaine, les gestes sensibles excellent par leur intensité. Toute dévotion joyeuse qui pousse au dépassement de soi-même à travers la négation est bonne; d'autre part, elle comporte de subtils dangers de narcissisme, de convoitise spirituelle, d'égoïsme aliénant. On peut chercher Dieu pour la paix et le réconfort venant de sa présence et non pour lui-même. On peut chercher la douceur de Dieu au lieu de chercher le Dieu de la douceur, en retardant ou en abandonnant définitivement l'union transformante.

Toutefois, la « visite » (présence sentie de Dieu) produit toujours « bonté » et « délices » (cf. Ps 33; 85; 99; 144). Comme manger et boire donnent satisfaction et plaisir, de même toute faculté structurée pour un objectif déterminé, éprouvera une sensation de plénitude et de satisfaction si elle l'obtient. Puisque l'homme a été créé à l'image et à la ressemblance de Dieu, il est inévitable que lorsqu'il a atteint (flèche lancée envers la cible divine) son objectif à quelque degré, il éprouve une joie (dévotion) sensible.

Toutefois, pour nous éviter de chercher subtilement en nous-mêmes la dévotion sensible, parfois Dieu suspend justement cette loi naturelle: même si l'âme a atteint Dieu à un degré suffisamment élevé, Dieu la laisse anxieuse, vide... voilà la raison des aridités et des nuits purificatrices.

Nous comprenons que le frémissement de Dieu est un soulagement pour les âmes qui viennent de la dure bataille de la vie; elles ont besoin de la dévotion sensible comme de la respiration. Sans joie sensible, elles ressemblent au navigateur sans aviron.

Consolation

Dans la tristesse, la maladie, le deuil, la persécution, l'homme a besoin de consolation. Membres de la famille et amis accourent le réconforter lorsque les autres l'abandonnent mais leurs paroles aussi n'apportent qu'un léger soulagement. Chacun reste toujours seul avec sa souffrance. Dans les moments décisifs, nous sommes seuls.

Dans la Bible, le cas typique, symbole de toutes les désolations, c'est l'abandon total de Jérusalem, détruite, saccagée, brûlée, déportée et oubliée par Dieu: « Le Seigneur m'a abandonnée, mon Seigneur m'a oubliée! » (Is 49, 14). Mais le prophète Jérémie comme le prophète Isaïe écrivent le « livre des consolations ». Dieu se présente comme un père affectueux en annonçant: « Un bref instant, je t'avais abandonné, mais sans relâche, avec tendresse, je vais te rassembler » (Is 54, 7).

Il y a des moments où personne et rien ne parviennent à nous consoler. La désolation atteint des niveaux trop profonds: ni les amis, ni la famille, ni les amants ne peuvent atteindre cette profondeur. Il y a parfois des situations indescriptibles, indéchiffrables, même pour nous-mêmes: on ne sait pas s'il s'agit de solitude, de frustration, de nostalgie, de vide ou de toutes ces choses ensemble. Dieu seul peut arriver jusqu'au fond de cet abîme.

Il n'est point d'âme qui ayant eu telle expérience et se trouvant dans de pareils cas n'ait soudainement senti une consolation profonde; et sans savoir comment, comme si une huile très suave avait été versée sur ses blessures. Dieu lui-même était proche de cette âme blessée avec sa douceur rafraîchissante.

On arrive parfois à se sentir comme un enfant sans défense: déceptions, maladies graves, échec définitif, proximité de la mort... La désolation est trop grave, elle dépasse toute mesure. Qui pourra nous consoler? L'ami? L'épouse? « Il en ira comme d'un homme que sa mère réconforte: c'est moi qui, ainsi, vous réconforterai... » (Is 66, 13). Le réconfort de Dieu est comme une huile versée sur les blessures brûlantes de la désolation.

Et si la désolation découle de l'absence de Dieu, alors une « visite » de Dieu peut changer l'obscurité en lumière, des sources jaillir, les montagnes s'aplanir, les déserts devenir des jardins (cf. Is 41, 18-19).

Toute absence produit de la tristesse. Jésus s'éloigne, ses amis se sentent comme des orphelins. La même chose se produit dans l'oraison: sensation d'obscurité, impression d'éloignement, absence ou silence de Dieu laissent un sens de vide, d'abandon, de tristesse, de désolation dans l'âme. Dans les deux cas — à ses disciples et à nous — Jésus dit de ne pas nous préoccuper parce qu'il enverra Quelqu'un qui est « Consolateur » par nature. En ces jours-là, l'Église « s'édifiait et marchait dans la crainte du Seigneur et, grâce à l'appui du Saint-Esprit, elle s'accroissait » (Ac 9, 31).

Saint Paul découvrit que la consolation jaillit de la désolation. Il avait survécu à une tribulation lacérante au point de sentir les griffes de la mort dans sa chair; mais il put vérifier que le Dieu de toute consolation réconforte outre mesure. Sa deuxième Lettre aux Corinthiens est la « grande charte » de la consolation biblique. L'introduction au premier chapitre est une suite de consolation et de désolation; on a l'impression qu'il éprouve très vivement l'une et l'autre.

> « Béni soit Dieu, le Père de notre Seigneur Jésus Christ, le Père des miséricordes et le Dieu de toute consolation; il nous console dans toutes nos détresses, pour nous rendre capables de consoler tous ceux qui sont en détresse, par la consolation que nous-mêmes recevons de Dieu. De même en effet que les souffrances du Christ abondent pour nous, de même, par le Christ abonde aussi notre consolation. Sommes-nous en difficulté? C'est pour votre consolation et votre salut. Sommes-nous consolés? C'est pour votre consolation qui vous fait supporter les mêmes souffrances que nous endurons nous aussi. Et notre espérance à votre égard est ferme: nous savons que, partageant nos souffrances, vous partagez aussi notre consolation » (2 Co 1, 3-7).

Au chapitre sept, Paul paraît tourmenté intérieurement et extérieurement, tiraillé par les luttes et les craintes. Mais, une fois de plus, nous voyons comment la flamme de la consolation s'allume aux blessures de la tribulation.

> « En fait, à notre arrivée en Macédoine, nous n'avons pas connu de détente, mais toutes sortes de détresse. Combats au-dehors, craintes au-dedans. Mais Dieu, qui console les humbles, nous a consolés par l'arrivée de Tite, non seulement par son arrivée, mais par le réconfort qu'il a reçu de vous; il nous a fait part de votre vif désir, de vos larmes, de votre zèle pour moi, au point que j'en ai eu une joie plus vive encore » (2 Co 7, 5-7).

6.

DISPOSITIONS

Si l'oraison est la concentration de toutes les facultés en Dieu, la distraction est la dispersion de l'intelligence en mille directions, en fuite momentanée du contrôle de la volonté et de la conscience. En parlant du *silence intérieur,* nous avons expliqué la nature de la distraction et signalé le moyen de la surmonter.

Sécheresse

Lorsque la distraction n'est pas un acte passager mais une impossibilité totale de se concentrer dans le Seigneur et si cette impossibilité dure pour un certain temps, alors elle s'appelle *sécheresse.* La sécheresse est normalement accompagnée d'une sensation d'incapacité dépressive et d'un certain énervement des facultés. Le pessimiste est porté à penser qu'il n'est pas né pour prier ou que tout est perdu.

Chez certaines personnes, la siccité peut arriver à produire la tristesse et même la désolation généralement dues à l'impuissance complète, bien que passagère, d'entrer en contact avec le Seigneur. Dans certains cas, la sécheresse peut ressembler dangereusement aux sommets de l'aridité.

Quoique la signification des mots soit, comme nous l'avons dit, différente, il y a toutefois une telle corrélation qu'il est difficile de distinguer où commencent et finissent les frontières de la distraction ou celles de la sécheresse ou de l'aridité.

Les maîtres spirituels, en parlant de leurs expériences, abondent en descriptions extraordinairement vivantes de la sécheresse qu'ils durent supporter. En les lisant, on reste en suspens entre la crainte et l'admiration. Sainte Thérèse nous assure qu'elle a plusieurs fois jeté le seau dans le puits et l'a, autant de fois, retiré sans eau.

Il arrivera souvent à l'âme, continue la Sainte, de n'avoir pas la force de lever les bras pour soulever le seau: en ces moments-là, nous sommes même incapables d'exprimer une seule pensée; la sécheresse exige un prix élevé. Elle le sait par expérience, elle qui passa des années dans cette situation. La Sainte rappelle qu'il y avait des fois où elle se sentait heureuse lorsqu'elle parvenait à tirer une goutte d'eau de ces fameux puits; elle considérait que c'était un privilège spécial du Seigneur.

Pour surmonter les époques de sécheresse, il faut plus de courage que pour d'autres travaux prestigieux de ce monde. Il y eut des années où sainte Thérèse fut plus préoccupée de l'horloge (dans le chœur) que de l'oraison même. Elle calculait combien il restait de temps et désirait que tout finisse vite. Elle se serait souvent soumise à n'importe quelle lourde pénitence plutôt que de commencer à se recueillir pour l'oraison. Elle ne réussissait pas à comprendre si c'était la faute du démon ou de sa pauvre nature, mais c'était un fait que la seule pensée de devoir se rendre à l'oratoire la rendait lourde. En entrant dans l'oratoire, son âme lui échappait et une grande tristesse l'envahissait; elle devait en appeler à toutes ses forces. Mais tout finissait, par grâce de Dieu.

Voilà pourquoi des milliers d'âmes abandonnent presque totalement l'oraison. Elles font des efforts surhumains et prolongés et ne parviennent pas à puiser une seule goutte à ce fameux puits. Elles se sentent alors énervées par la disproportion entre les efforts et les résultats et elles finissent par penser que la chose n'en vaut pas la peine.

Toutefois, elles sont toujours disposées à reprendre le chemin parce qu'elles pressentent que l'oraison est question de vie ou de mort pour le projet de leur vie.

Les *causes* de la sécheresse sont variées:

1) un activisme incontrôlé qui décompose l'unité intérieure;

2) la nature même de l'oraison où elles entrent: le silence de Dieu, l'obscurité de la foi, la tendance de l'intelligence humaine

à la multiplicité et à la diversification, l'influence des sens sur les facultés intérieures;

3) les tendances pathologiques de tout ordre qui échappent au diagnostic, les indispositions corporelles, les positions pénibles et inconfortables. Sans souffrir d'une maladie concrète, quelqu'un peut se sentir mal, être de mauvaise humeur, avoir des moments de dépression, une forte instabilité, des mélancolies ou un « je ne sais quoi » indéfinissable. Certains défauts héréditaires qui peuvent passer inaperçus dans le cours normal de la vie font leur apparition dans l'oraison avec une virulence particulière, surtout dans la ligne de la siccité et de la versatilité;

4) l'oraison bien conduite est une activité très complexe qui comporte un travail intellectuel et surtout un contrôle sensible qui dirige les énergies émotionnelles; un équilibre émotionnel élémentaire est nécessaire;

5) l'aridité peut être une épreuve imposée par le Seigneur; dans la Bible, l'épreuve de celui qui s'est donné est une loi constante. « Je suis convaincue que le Seigneur, avant d'enrichir les âmes de ses grands trésors, leur envoie ces tourments et toutes les autres tentations qu'elles subissent, pour voir si elles l'aiment vraiment, si elles pourront boire à son calice et l'aider à porter sa croix » (Sainte Thérèse de l'Enfant-Jésus).

Que faire?

Lorsqu'arrivent les temps de la sécheresse, les débutants cherchent à déployer de puissantes énergies pour la vaincre. Entreprise vaine. La sécheresse ne peut être vaincue par l'énergie de la volonté. Sainte Thérèse dit: « Si l'on insiste à la forcer, dans ces circonstances, c'est pire, et le mal dure plus longtemps. »

J'ai connu des personnes que le grand déploiement d'énergies a laissées fatiguées, en proie à l'anxiété et à l'impuissance. Au lieu de résoudre le problème, tout cela l'aggrave. C'est pourquoi, brisés par l'échec, plusieurs décident d'abandonner l'oraison, se considérant irrémédiablement exclus.

Une fois de plus, les trois anges qui nous accompagneront sur la terre déserte pour que nous ne soyons pas enveloppés et vaincus par la nuit du découragement sont: la patience, la persévérance, l'espérance.

La patience, pour accepter avec sérénité une condition qui nous limite tant et nous enlève l'envie de poursuivre la route. Nous le répétons, on n'obtient rien en déployant une grande quantité d'énergies pour vaincre la sécheresse; on ne vainc pas cet ennemi en combattant, mais paradoxalement, en nous assujettissant, en nous abandonnant. En d'autres mots, en l'acceptant.

> « Qu'elles ne se désolent point, car ce serait pire encore; et qu'elles ne cherchent pas à vouloir rendre le bons sens à celui qui pour le moment en est privé. (...) Qu'elles prient comme elles pourront; (...) qu'elles traitent leur âme comme malade et lui accordent un peu de soulagement; enfin, qu'elles s'appliquent à quelque autre bonne œuvre » (Sainte Thérèse de l'Enfant-Jésus).

> « Pour celui qui aime Dieu, il est vraiment difficile de se trouver dans une telle situation et ne pas pouvoir faire ce qu'il veut, afin d'être soumis à un hôte si méchant, comme le corps dans lequel on vit... » (Sainte Thérèse de l'Enfant-Jésus)

L'espérance nous dit que tout passera, que rien n'est éternel, que les premières lois de l'univers sont celles de la contingence et du caractère transitoire. Tout est en mouvement perpétuel, rien n'est statique. Si tout est éphémère et que rien ne dure, cela ira mieux demain, la sécheresse passera, des temps meilleurs viendront. Le chrétien doit prendre conscience de cela pour abandonner la résistance, accepter la siccité et, en l'acceptant, la vaincre.

Dans la traversée de cette lande, la vertu qui nous accompagnera avec une assistance très spéciale, c'est la *persévérance,* fille de l'espérance.

Il faut prendre conscience que les grandes conquêtes de l'humanité ont été obtenues grâce à une persévérance tenace. Elle est justement mise à l'épreuve dans les moments difficiles. Persévérer lorsque les résultats sont évidents ne donne aucun mérite; rester debout quand les tempêtes font rage et que les ténèbres nous enveloppent, avancer lorsque le brouillard empêche de voir à deux mètres, voilà l'essence de la persévérance.

Notre époque a une difficulté particulière à persévérer parce quelle est habituée à la rapidité, à la productivité et à l'efficacité, caractéristiques de la société technologique. Elle veut des résultats palpables, elle les exige presque automatiquement. La vie d'oraison, au contraire, présente des traits caractéristiques totalement opposés: les résultats sont toujours imprévisibles; la croissance n'est pas harmonieusement évolutive; pour être gratuite, l'action de Dieu est déconcertante et la réponse de l'homme est versatile comme sa nature. C'est ainsi que le découragement apparaît immédiatement.

Résultat? La persévérance devient beaucoup plus difficile sur ce terrain. L'important est de ne pas renoncer à l'entreprise et de continuer.

La foi et l'espérance allument la flamme de la persévérance, et la persévérance est la garantie du résultat progressif et final. Pour tirer de la force de la faiblesse et de la persévérance de l'espérance, le chrétien a besoin de s'appuyer fermement sur la foi qui ne consiste pas à *sentir* mais à *savoir*: savoir que, même si l'on ne voit pas le mouvement, la grâce agit; elle agit parce que la grâce est vie et que la vie est mouvement. Je ne sens pas le mouvement de mon foie, de mes reins, de mes intestins... je sais toutefois avec certitude que tout est en mouvement perpétuel. C'est la certitude de la foi.

La foi prend le chrétien et le pousse à l'abandon: abandon dans l'épreuve de la sécheresse, de l'obscurité, de l'impuissance; ne résister à rien, inondé de paix, se laisser porter par le courant de l'insensibilité et de l'apathie. Des jours meilleurs viendront.

Atrophie spirituelle

Les maîtres spirituels nous parlent de trois états d'épreuve: la distraction, la sécheresse, l'aridité. L'observation m'a toutefois amené à « découvrir » une autre situation, presque pire que les premières, très fréquente de nos jours, *l'atrophie spirituelle.*

Si les muscles restent longtemps sans s'exercer, ils perdent leur consistance et leur élasticité. Ils ne meurent pas mais ils perdent de la vitalité. Ils ne servent plus à déployer des énergies, à soulever des poids, à courir. Ils s'atrophient. Ce n'est pas la mort mais l'antichambre de la mort.

L'immobilité est signe de mort et elle produit la mort. Si la vie cesse d'être mouvement, elle cesse d'être vie: les tissus se durcissent et se raidissent. Si l'on cesse d'arroser et d'engraisser une plante, elle fane, elle perd sa vigueur et meurt.

La même chose arrive à plusieurs. Pendant des années, ces personnes ne firent aucun effort ordonné, méthodique, patient et persévérant pour entrer en communion profonde et fréquente avec le Seigneur. Elles firent longtemps une oraison sporadique et superficielle. Elles inventèrent mille prétextes pour justifier cette situation en disant que celui qui travaille, prie déjà, qu'il faut chercher Dieu dans l'homme... Ainsi tranquillisèrent-elles leur conscience, au moins jusqu'à un certain point. Elles remplacèrent l'oraison par la réflexion et le bavardage s'installa en contrepartie de la méditation. Elles perdirent peu à peu le sens de Dieu et le goût de l'oraison. Voici ce qui se passe dans leur être profond: les énergies que les mystiques appellent puissances ou facultés n'étant plus activées, elles perdirent lentement leur élasticité. En perdant de la vigueur, on les utilisa de moins en moins. N'étant pas utilisées, elles finirent par s'éteindre tout doucement.

Ces énergies constituent le nœud d'union de l'âme avec Dieu: revêtu d'intimité, le courant affectif va et vient entre l'âme et Dieu à travers ce pont. Les énergies de profondeur s'éteignant, la communication avec le Seigneur reste interrompue. Ainsi perd-on la familiarité avec Lui. Dieu s'en va de plus en plus loin, vague et inexistant. Dans pareil état, naturellement, personne n'aime prier.

C'est dans ces conditions que plusieurs personnes arrivent à nos *Rencontres d'Expérience de Dieu*. J'ai connu des cas pitoyables.

Elles arrivent avec un vif désir de récupérer le sens de Dieu et l'habitude de l'oraison. Suivant la pédagogie de ces *Rencontres*, elles commencent à tenter les premiers pas, soutenues par l'oraison vocale; et en un premier moment, elles se sentent mal, dépaysées.

Aussi longtemps qu'elles lisent, feuillettent la Bible, écoutent des conférences et pensent un peu à leur vie, tout va plus ou moins bien. Mais lorsqu'elles essaient d'entrer dans une plus grande intimité divine, quelque chose d'étrange leur arrive, difficile à décrire. Elles se sentent comme perdues dans un monde étranger: comme si tout était mensonge, comme si rien n'avait de consistance, comme si elles ne marchaient pas sur de la terre ferme.

Elles sont toutes embrouillées. Durant leur vie, elles ont lu nombre de livres et de revues, écouté beaucoup de théories, assumé des idées très contradictoires... Il y a eu aussi des périodes de fragilité: les compromis vitaux et les idéologies mentales les ont conditionnées et marquées en profondeur. Toute cette confusion souterraine émerge devant leur intelligence précisément au moment où elles prétendent se recueillir pour la rencontre avec le Seigneur; leur intelligence étant habituée à mille choses désordonnées et disparates, elles trouvent la foi et son contenu, vagues et inconsistants.

Il leur est facile de réfléchir en faisant des acrobaties théologiques sur certains passages problématiques de l'Évangile; elles n'ont pas de difficultés à traiter les matières de foi pour des applications pastorales. La difficulté (impuissance) commence lorsqu'elles veulent vivre personnellement cette même foi.

À ce moment-là, elles « découvrent » que leur foi est vulnérable. Prier dans un tel état d'âme (esprit), c'est comme prétendre voler avec les ailes blessées. Au cours des dernières années, elles écoutèrent et lurent mille sottises sans broncher. Tous se sentaient en droit de faire des « hypothèses ». Ils appelaient progressisme, l'aventure outre frontière du dogme et de l'orthodoxie. À coup de dialectique, ils abattirent les concepts d'autorité et de tradition. Ils perdirent tranquillement leur temps à d'énormes quantités d'erreurs. Leur foi reçut coup sur coup. Ils ne s'en rendaient pas compte parce qu'ils vivaient superficiellement. Mais au moment de pénétrer au plus profond de leur être pour la rencontre vivante avec le Seigneur; ils prirent conscience pour la première fois de leur incapacité de voler.

C'est une situation qui les surprend eux-mêmes, une découverte amère à laquelle ils ne s'attendaient pas: il leur est impossible de prier. Ils sont invalides. Ils sentent d'ailleurs que la vie avec Dieu est une question de vie ou de mort et que le sens de la vie se joue là. Et ils commencent à flotter entre le désir et l'impuissance.

J'ai écouté les confidences les plus tristes de plusieurs d'entre eux: j'ai été léger; j'ai dilapidé de précieuses richesses; j'ai souvent senti que la foi est un trésor fragile qu'il importe de manipuler avec attention, au contraire, je l'ai négligée comme un objet de peu de valeur.

Au moins, ces personnes sont inquiètes, elles ont le désir d'un retour et cherchent les moyens. Mais il y en a d'autres qui se sont établies dans la médiocrité spirituelle et qui n'éprouvent pas le désir d'en sortir. Elles n'en souffrent pas. Elles sont satisfaites de leurs résultats. L'apostolat et les autres activités de type professionnel leur donnent une ample compensation. Elles se sentent réalisées et ne regrettent rien. La vie avec Dieu ne les préoccupa pas. Un tempérament bien structuré leur suffit pour se débrouiller dans les événements de la vie. Elles ne demandent pas plus. Elles se sont réglées pour vivre « comme si Dieu n'existait pas ».

On n'entrevoit aucune solution pour elles. L'obstacle, c'est leur propre satisfaction. Au contraire, le « salut » existe pour les autres, pour les inquiets. Que faut-il donc faire?

Qu'elles tiennent en considération les orientations que nous avons données sur la patience, la constance et l'espérance; de même que sur la nature de la vie de grâce et sa croissance. Elles ont besoin de faire les premiers pas comme celui qui apprend de nouveau à marcher. Elles devront s'appuyer sur l'oraison vocale, les psaumes, la lecture méditée, etc. Et poursuivre en montant et montant, avec une patience infinie et une fidélité obstinée. Les orientations pratiques que nous donnerons maintenant sur l'aridité leur serviront également.

Aridité

L'aridité est une épreuve d'impuissance; elle empêche le contact avec Dieu, ce contact qui procurait beaucoup de joie et de dévotion en d'autres moments. Elle s'abat généralement sur les âmes qui ont entrepris sérieusement l'ascension vers Dieu.

Je suis persuadé que l'aridité telle que je la décris, correspond presque totalement aux « nuits de l'esprit » de saint Jean de la Croix.

Il s'agit d'un état de désolation. Les âmes dans cet état disent: je ne sens rien. Tout m'ennuie, me répugne même. Comme le

Christ à Gethsémani, j'éprouve « tristesse et angoisse » (Mt 26, 37). C'est un tourment que de se mettre à prier. J'ai pourtant eu beaucoup de bonheur en d'autres temps passés avec Dieu... ! Je me sens comme une pierre. Dieu est loin, absent, je ne sais même plus s'il existe. Si j'étais certain que le visage de Dieu se montrerait après un an d'aridité, mais qui sait si le Seigneur ne « reviendra » jamais ?

Il n'est pas de nuit qui puisse se comparer à cette obscurité. L'âme peut même être tentée de dire; si je n'avais jamais « connu » Dieu ! À certains moments, elle arrive à répéter les paroles de Jésus: « Mon âme est triste à en mourir » (Mt 26, 38).

> « La première purification ou nuit est amère et terrible pour le sens... La seconde n'a pas de pareille, parce qu'elle est horrible et épouvantable pour l'esprit » (Saint Jean de la Croix).

Ce sont les âmes avancées qui subissent ces épreuves. Si elles n'avaient pas le souvenir des rencontres heureuses avec Dieu dans le passé, elles tourneraient pour toujours le dos à la vie avec Dieu. Si l'âme a expérimenté très intensément le bonheur du contact avec Dieu dans les temps passés, l'épreuve de l'aridité peut ressembler à l'enfer.

> « Parce que ceux qui arrivent sur les bords de l'enfer, ici, expient comme là... » (Saint Jean de la Croix).

À mon avis, tandis que la distraction et la siccité sont des phénomènes inhérents aux premiers pas et qu'elles sont généralement explicables par des principes psychosomatiques, l'aridité est au contraire une épreuve envoyée exprès par Dieu; elle est profondément purificatrice et touche les âmes habituées à une grande familiarité avec le Seigneur. Elles sont nombreuses les personnes, un peu superficielles dans l'oraison, qui abandonnent définitivement l'oraison lorsque vient la siccité; en ce moment de fragilité, si elles sont secouées par une forte crise, elles abandonnent même l'état religieux ou sacerdotal. Au contraire, les âmes frappées par l'aridité n'abandonnent pas l'oraison même si elles souffrent épouvantablement et longtemps.

L'aridité est fondamentalement une sensation d'absence. Si une personne ne reconnaît ou est indifférente à une autre et que cette dernière s'absente, la première reste insensible. Mais si elles s'aiment intensément et qu'une d'elles s'absente, l'autre devient triste et désolée. À plus grand amour correspond plus grande désolation.

« Éteignez mes ennuis,
Puisque personne n'est capable de les dissiper.
Mais que mes yeux vous voient,
Puisque vous en êtes la lumière,
Ce n'est que pour vous que je veux m'en servir. »

« Montrez-moi votre présence,
Que votre vue et votre beauté me donnent la mort.
Considérez que la souffrance
De l'amour ne peut se guérir
Que par la présence et la vue de l'objet aimé. »

(Saint Jean de la Croix)

L'aspect tragique de l'aridité, c'est que l'âme éprouve un tel réconfort spirituel qu'elle ne comprend pas que l'absence de Dieu soit la cause de tout. Elle a au contraire l'impression que tout est mensonge, ou que tout arrive par une fatalité irrationnelle, ou que Dieu n'est rien. Psychologiquement parlant, la sensation d'aridité est peut-être assimilable à ce que les anciens appelaient « l'ennui de la vie », même si c'est avec une signification beaucoup plus profonde.

Ces tourments purificateurs sont généralement accompagnés par les incompréhensions, les calomnies, les accusations injustes, la désertion des amis; le tout enveloppé d'un voile de mystère ou d'obscurité. Dieu fait converger différentes causalités pour déraciner l'âme des mille liens qui la retiennent accrochée à elle-même. Il n'est pas d'âme choisie qui soit exempte de ces épreuves purificatrices.

« Aussi, mes Sœurs, ne vous imaginez pas, si vous vous trouvez parfois en cet état, que les riches ou ceux qui jouissent de leur liberté pourraient alors se procurer quelque remède particulier. Non, non; voyez les damnés: trouveraient-ils un allègement à leurs maux, si vous leur présentiez tous les plaisirs du monde? Non certes; ils n'y puiseraient au contraire qu'un accroissement de torture. Le tourment que l'âme endure vient d'en haut, et toutes les délices de la terre sont impuissantes à la soulager. »

Il est certain que, sur le terrain psychologique, des phénomènes ressemblant à l'aridité peuvent se produire, comme l'ennui et l'envie de mourir. Dans les âmes très avancées dans le mystère de Dieu, cette tendance pourrait augmenter l'aridité spirituelle jusqu'à l'exaspération. Il sera impossible de préciser jusqu'où va l'influence de Dieu et jusqu'où va l'influence du tempérament. Mais n'oublions pas que des tempéraments rayonnants comme saint François d'Assise et sainte Thérèse de Jésus ont souffert avec acuité du choc de l'aridité et de l'obscurité.

Par conséquent, sans méconnaître l'influence possible du tempérament, l'aridité est une épreuve de Dieu pour purifier, libérer, guérir, enflammer, transformer et unir. Le mystère agit beaucoup sous les apparences et les mécanismes psychoanalytiques ne peuvent même pas atteindre le seuil du mystère.

Pour réconforter les âmes qui ont souffert ou peuvent souffrir des situations semblables, je transcrirai le beau témoignage de sainte Thérèse d'Avila:

> « Que fera donc cette pauvre âme, lorsqu'elle se trouvera de longs jours en cet état. Si en effet elle récite une prière, c'est comme si elle ne la récitait pas; je dis qu'elle n'y trouve aucune consolation intérieure, car alors elle n'en a pas; elle ne comprend même pas les prières vocales qu'elle récite. Quant à la prière mentale, ce n'est nullement l'heure de s'y livrer; ses puissances en sont incapables. La solitude lui est plutôt nuisible. »
>
> « Un autre tourment pour elle, c'est qu'elle ne peut souffrir ni compagnie ni conversation. Aussi malgré tous ses efforts, elle manifeste très facilement à l'extérieur du dégoût et de la tristesse. Pourrait-elle vraiment dire ce qu'elle éprouve. Non, cela ne saurait s'exprimer, parce qu'il s'agit d'angoisses et de peines spirituelles auxquelles il est impossible de donner le nom qui convient. »

L'aridité est le prolongement du drame de Gethsémani. Au mont des Oliviers, par une nuit claire du mois de Nisan, la nuit obscure s'empara de Jésus. Son âme toucha le fond de l'aridité. Les âmes qui l'ont expérimentée à « haut voltage » ont l'habitude de s'exprimer par des mots ressemblant beaucoup à ceux de Jésus (cf. Mt 26, 30-46; Lc 22, 39-46; Mc 14, 26-42). Tous ceux qui se débattent dans l'épreuve de l'aridité participent à cette dépression critique de Jésus.

Que faire?

Continuer debout, prendre garde, veiller auprès de Jésus et avec Jésus, même si l'âme est déchirée et anéantie. La foi et l'espérance doivent illuminer la nuit du mont des Oliviers comme de faibles lampes; cette foi et cette espérance qui nous assurent que l'aurore surgit après la nuit. Oui, le soleil paraîtra demain.

Que faire? Ne pas se laisser abattre par le découragement. Espérer contre toute espérance. Résister à l'obscurité, en l'acceptant. Vaincre l'effroi par l'abandon humble. Ne pas céder si la nuit se prolonge. Veiller, sans dormir, toute la nuit auprès de Jésus, en l'accompagnant avec amour, avec espérance, avec tendresse.

Une « reine » des nuits

Les descriptions efficaces qu'en fait saint Jean de la Croix rappellent l'attention sur les nuits purificatrices; nous avons également vu la tangibilité féminine avec laquelle sainte Thérèse d'Avila en parle.

Mais il n'y a pas de doute que, sur le terrain des nuits arides, la petite sainte de Lisieux, Thérèse de l'Enfant-Jésus soit modèle et reine. Non seulement par la clarté avec laquelle elle s'exprime ou par la force simple et dramatique de ses paroles, mais surtout par la force d'âme avec laquelle elle les a vécues dans une perpétuelle attitude d'abandon. Puisque tant d'âmes se trouvent dans ce purgatoire de l'aridité (elles imaginent peut-être qu'elles sont en « enfer » à cause de l'absence de l'Aimé), pour les réconforter, voici quelques témoignages émouvants de la petite Thérèse:

Avant de prendre l'habit, retirée du monde depuis peu de temps, elle écrit à une moniale, en janvier 1889:

> « À côté de Jésus, rien. Aridité...! Sommeil... »

En s'appelant elle-même « agnelet », dans une autre lettre de la même année, elle évoque le silence tragique de Dieu en langage enfantin:

> « Le pauvre agnelet ne peut rien dire à Jésus; et surtout Jésus ne lui dit absolument rien. »

La même année, entre fines ironies et symbolismes, en unissant la simplicité de l'expression à la grandeur pathétique, elle dit:

> « L'agneau se trompe en croyant que le jouet de Jésus n'est pas dans les ténèbres; en elles, il est abattu... Ces ténèbres sont parfois lumineuses, et l'agnelet est d'accord, mais malgré tout, ce sont des ténèbres... »

Dix-huit mois ont passé. Elle se prépare à la profession des vœux avec la ferveur que plusieurs ont expérimentée à la même occasion, mais elle se sent comme une fontaine desséchée au milieu du désert. Elle écrit à une sœur:

> « Ne croyez pas que je ne pense à rien. En un mot, je suis dans un souterrain très sombre. »

Aucun de ses directeurs spirituels n'est capable d'éloigner l'aridité d'elle. Dieu est pour elle « Celui qui se tait toujours », mais elle continue dans la paix, dans l'abandon total; bien qu'elle ne voie rien, qu'elle ne sente rien, sous toutes les apparences, elle entrevoit la présence de l'Aimé qui inspire et édifie:

> « Mon Aimé instruit mon âme, lui parle au milieu du silence, dans les ténèbres. »

Elle en est encore à sa première jeunesse, elle a dix-neuf ans à peine et nous entrevoyons en elle une maturité excessive pour son âge. C'est une femme fragile, mais elle possède une grande sagesse. Dans sa vie, il y a un mystère qui déconcerte: elle a une intelligence privilégiée et elle ne comprend toutefois pas ce qu'elle lit:

> « Ne croyez pas — écrit-elle à une sœur, que je nage au milieu des consolations. Oh, non! Ma consolation est de ne pas en avoir sur la terre. Sans se montrer, sans me faire entendre intérieurement sa voix, Jésus m'instruit en secret; pas par des livres, je ne comprends pas ce que le lis. »

C'est une femme d'une force unique. Il n'y a pas de faits extraordinaires dans sa vie. L'unique chose extraordinaire est la densité et la persistance du silence de Dieu dans sa vie. Mais elle vit tranquille. Elle se sent pauvre et confiante comme un enfant. Elle se laisse porter. Elle ne se plaint ni de l'obscurité ni de l'aridité. Elle les accepte même avec joie. Elle dévore les distances de la sainteté avec une rapidité vertigineuse. Par le simple abandon, elle brûle étape après étape. S'imaginant qu'elle est comme une «Fiancée», ainsi décrit-elle son itinéraire:

> «Avant de partir, son Fiancé a semblé lui demander dans quel pays elle voulait voyager, quelle route elle désirait suivre... La petite fiancée a répondu qu'elle n'avait qu'un désir, celui de se rendre au sommet de la *montagne de l'Amour.* Pour y parvenir, bien des routes s'offraient à elle...»
>
> Alors Jésus m'a prise par la main et il m'a fait entrer dans un souterrain où il ne fait ni froid ni chaud, où le soleil ne luit pas, et que la pluie ni le vent ne visitent: un souterrain où je ne vois rien qu'une clarté à demi voilée, la clarté que répandent autour d'eux les yeux baissés de la Face de mon Fiancé...» (Sainte Thérèse de l'Enfant-Jésus).

Voilà le modèle et la conduite à suivre dans l'aridité. Ne pas se laisser dominer par le découragement. Croire et espérer contre toutes les apparences. Nous marchons le long d'un tunnel, toutefois, nous sommes en train d'escalader la cime. Comment? Je ne le sais pas, mais Lui le sait. Dieu se tait. Mais moi, je sais que, sans que personne ne s'en aperçoive, le Seigneur instruit mon âme en silence. Les réconforts? Peut-être ne les aurons-nous qu'au jour de l'éternité. Le réconfort est l'espérance. S'abandonner, espérer et veiller avec Jésus par la longue nuit de l'aridité: voilà l'attitude juste.

Chapitre IV

ADORER ET CONTEMPLER

«*La nuit calme,*
la musique silencieuse,
la solitude sonore,
le repas qui recrée et enchante»
(Saint Jean de la Croix).

«*Voici, je me tiens à la porte et je frappe.*
Si quelqu'un entend ma voix
et ouvre la porte,
j'entrerai chez lui et je prendrai la cène
avec lui et lui avec moi» (Ap 3, 20).

Par un midi ardent, Jésus, couvert de poussière, traversait la province de Samarie le long de la gorge qui s'ouvre entre les monts Ebal et Garizim. Sur la cime de ce dernier, les schismatiques d'Israël, les Samaritains, avaient érigé un temple de Jérusalem. C'est là que se déroulait leur vie religieuse. La rivalité entre les Juifs et les Samaritains remontait aux jours lointains de la captivité à Babylone.

En remontant la gorge, Jésus entra dans la vallée qui s'étend de Sichem à Naplusa. À l'entrée s'élevait Sychar, ville ornée de légendes remontant aux temps de Jacob. Proche de la ville, il y avait un puits de source d'environ trente mètres de profondeur. Fatigué, Jésus s'assit près du puits.

Une scène étrange s'y déroula. Une femme qui portait une

cruche sur la tête arriva de la ville. Elle avait à son actif beaucoup de vie et des histoires étranges. Jésus lui demanda un peu d'eau pour se désaltérer. Elle trouva la question étrange. Toutefois, les deux entrèrent rapidement en conversation. À un certain point, une parole au grand poids d'éternité — *adorer* — retentit dans ce dialogue singulier.

> « Seigneur, lui dit la femme, je vois que tu es un prophète. Nos pères ont adoré sur cette montagne et vous, vous affirmez qu'à Jérusalem se trouve le lieu où il faut adorer. » Jésus lui dit: « Crois-moi, femme, l'heure vient où ce n'est ni sur cette montagne ni à Jérusalem que vous adorerez le Père. Vous adorez ce que vous ne connaissez pas; nous adorons ce que nous connaissons, car le salut vient des Juifs. Mais l'heure vient, — et maintenant elle est là — où les vrais adorateurs adoreront le Père en esprit et en vérité; tels sont, en effet, les adorateurs que cherche le Père. Dieu est esprit et c'est pourquoi ceux qui l'adorent doivent adorer en esprit et en vérité » (Jn 4, 19-24).

Vers l'intériorité

Une poésie orientale raconte:

> « Il dit à l'amandier:
> — Frère, parle-moi de Dieu.
> Et l'amandier fleurit. »

Le visage de Dieu ne fleurira pas si facilement. Ce Visage bienheureux est couvert de brouillard épais, il est loin, au-delà de la mer du temps. Nous devons nous mettre à la barre du gouvernail et naviguer parmi les vagues hostiles de la dispersion, des distractions et des siccités; avancer dans la haute mer du silence avec l'aide des moyens psychologiques pour atteindre le « Centre » qui polarisera et apaisera toutes les aspirations du cœur.

Les vestiges de la création, les réflexions communautaires et les oraisons vocales peuvent nous rendre le Seigneur présent, mais toujours par reflet et d'une manière voilée. La source vive et profonde est lointaine. Il est possible d'étancher notre soif aux eaux fraîches du torrent, mais ces eaux viennent de là-haut, d'un glacier de neiges éternelles.

Plus elle expérimente Dieu, plus l'âme désire la source elle-même, le glacier:

> « Ne m'envoyez plus
> désormais des messagers
> qui ne savent pas répondre à ce que je veux. »
> « ... comme elle constate que rien ne peut guérir sa douleur hors la vue et la présence du Bien-Aimé, elle ne veut aucun autre remède. Voilà pourquoi elle demande dans cette strophe la faveur de le voir et de le posséder » (Saint Jean de la Croix).

Plus loin que les vestiges, les dons et les grâces, l'âme cherche et exige non seulement l'eau mais la source même. Elle cherche la relation je-Tu tranquille, assimilatrice et ineffable. Elle cherche — comment dire? — la communication profonde de présence à Présence, l'interaction et interrelation de conscience à Conscience.

Alors, à travers les ombres, Dieu commence à se manifester à l'âme; mais il le fait comme la lumière du soleil qui pénètre à travers les arbres d'un fourré épais. Il fait soleil mais ce n'est pas le soleil; ce sont des parcelles de soleil qui parviennent avec peine à vaincre l'épaisseur du feuillage.

> « Ô fontaine cristalline,
> Si sur vos surfaces argentées
> Vous faisiez apparaître tout à coup
> Les yeux tant désirés
> Que je porte dessinés dans mon cœur! »
>
> (Saint Jean de la Croix)

C'est en d'autres mots le désir ardent que les hommes de Dieu dans la Bible ont exprimé d'innombrables fois et qui donne le titre à ce livre MONTRE-MOI TON VISAGE! *Le visage de Dieu* est une expression biblique qui signifie la présence vivante de Dieu; la présence qui grandit, se condense lorsque la foi et l'amour rendent les relations de l'âme avec Dieu plus profondes et intimes.

L'âme doit bien comprendre que cette présence est toujours obscure, mais qu'elle devient de plus en plus vive. Je veux dire que lorsque nous intensifions la foi et l'amour, les traits de Dieu sont alors perçus pas plus clairs mais plus vifs; la clarté ne se rapporte pas aux formes, que Dieu n'assume pas, mais à la densité et à la certitude de sa présence. Je peux rester, dans une nuit obscure, « avec » une personne; nous ne nous voyons pas, nous ne nous touchons pas, nous demeurons dans le silence absolu regardant les étoiles, mais je « sens » *vivement* sa présence, je « sais » qu'elle est là.

Lorsque l'âme tente d'entrer en communication avec le Seigneur, la première chose à faire est de vivifier la présence du Seigneur; ensuite, de dominer et de recueillir ses facultés.

L'âme doit se rendre compte que Dieu est objectivement présent en tout son être auquel il communique l'existence et la consistance.

Elle doit se rappeler que Dieu nous soutient, non seulement comme une mère qui porte sa créature dans son sein, mais Il nous pénètre, nous enveloppe et nous soutient en étant raison de notre vie.

Il est en deçà et au-delà du temps et de l'espace. Il est autour de moi et en moi; par sa présence active, il atteint les régions les plus lointaines et les plus profondes de mon être. Dieu est l'âme de ma vie, la réalité totale et totalisante dans laquelle je suis plongé; par sa force vivifiante, il pénètre tout ce que j'ai et tout ce que je suis.

Malgré un lien si étroit, il n'y a ni symbiose ni identité, mais une présence active, créatrice et vivifiante. Le psalmiste exprime cette réalité dernière de l'homme par une expression poétique incomparable: « Toutes mes sources sont en toi » (Ps 86). La récitation lente de quelques psaumes au début de l'oraison peut servir à nous mettre en « présence » du Seigneur.

* * *

Il est nécessaire de progresser en intériorité parce que seul l'homme intérieur perçoit Dieu. « La sagesse de cette contemplation est le langage de Dieu à l'âme, ou de pur esprit à esprit pur. Tout ce qui est inférieur à l'esprit, comme le sont les sens, ne peut le percevoir...; ils n'en ont aucun désir parce qu'ils ne le voient pas. » Les personnes qui se meuvent dans le monde des sens et qui sont dominées par eux sont incapables d'expérience religieuse, au moins, aussi longtemps qu'elles demeurent sous cette emprise.

Le Docteur mystique, Saint Jean de la Croix, parle d'une périphérie de l'âme qu'il imagine comme un ensemble de faubourgs turbulents; ce seraient les sens et l'imagination, un monde désordonné qui empêche de voir les demeures plus intérieures. Et en pénétrant davantage, le Saint distingue la région de l'esprit qui est une « solitude très profonde et très vaste... un désert immense qui ne finit pas ».

C'est ce que nous appelons *âme,* une région de frontière entre l'homme et Dieu, c'est-à-dire, en même temps, réalité humaine et théâtre de l'action divine, un univers très réel comme le mur que nous touchons, mais dont la perception échappe totalement à la grande majorité des hommes parce qu'ils vivent en périphérie; seuls les hommes intérieurs le distinguent et le perçoivent clairement bien qu'ils aient eux aussi de la difficulté à l'exprimer en paroles.

> « Or le centre de l'âme, c'est Dieu; quand elle y arrive selon la capacité de son être, la force de son activité et de ses inclinations, elle est parvenue à son centre le plus profond et le dernier qu'elle puisse atteindre en Dieu. Il en sera ainsi lorsqu'elle aura employé toutes ses forces à le connaître, à l'aimer et à en jouir » (Saint Jean de la Croix).

Que l'âme soit la région frontière entre Dieu et l'homme, le Saint l'explique de la façon suivante: la profondeur de l'âme est proportionnée à la profondeur de l'Amour. L'amour est le poids qui fait incliner la balance vers Dieu parce que l'âme s'unit à Dieu par l'amour, et plus elle aura d'amour, plus elle se concentrera profondément en Dieu. Pour que l'âme soit dans son centre (qui est Dieu) il suffit qu'elle possède un degré d'amour; plus elle en aura, plus elle centrera et concentrera sa vie sur Lui. Si elle parvient ainsi au degré ultime d'amour divin, le centre de l'âme ultime et le plus profond se sera ouvert.

Il peut donc arriver qu'on creuse des profondeurs successives dans la substance de l'âme. Et en chaque profondeur, le visage de Dieu brille plus, sa présence est plus manifeste, la marque transformante plus profonde et la joie plus intense. Comprenons bien: je dois nécessairement parler au sens figuré, lorsque je parle de creuser des profondeurs nouvelles, je veux dire *percevoir, distinguer.* L'âme (comme Dieu) est inaltérable. Dans la mesure où l'on vit la foi, l'amour et l'intériorité, on distingue de plus en plus de nouvelles zones de profondeur.

Sainte Thérèse symbolise cette réalité grandiose avec les diverses *mansions* (moradas) d'un château, comme demeures chaque fois de plus en plus intérieures.

> C'est pourquoi Jésus dit: « Si quelqu'un m'aime, il observera ma parole, et mon Père l'aimera; nous viendrons à lui et nous établirons chez lui notre demeure » (Jn 14, 23).

À un plus grand amour correspondra une demeure plus intérieure et plus intime. Dans ses régions profondes, l'âme expérimentera la présence active et transformante de Dieu.

1.

LA RENCONTRE

L'oraison d'intercession, comme l'oraison de louange, sont des oraisons « remplies de monde »: en effet, nous prions pour les malades, les missionnaires, pour le Saint Père... Dans *l'adoration,* tout le monde disparaît et nous restons seuls: Lui et moi. Si nous ne parvenons pas à rester seuls, Lui et moi, il n'y a pas de vraie rencontre. Je pourrais me trouver dans une assemblée priante, parmi cinq cent mille personnes qui prient et acclament; je pourrais être seul dans ma chambre, mais si je ne reste pas seul avec mon Dieu, comme si personne ne respirait au monde, je n'aurai pas une rencontre réelle avec le Seigneur.

Commençons par dire que toute rencontre est intimité, et toute intimité, une enceinte fermée. Tout ce qui est décisif est solitaire: les grandes décisions se prennent seul, on meurt seul, on souffre seul, le poids d'une responsabilité est le poids d'une solitude, la rencontre avec le Seigneur se consume seule, même dans l'oraison communautaire.

La rencontre est donc la convergence de deux « solitudes ».

Voilà le grand défi pour réaliser la rencontre d'adoration: de quelle manière arriver à travers le silence, à ma *solitude* et à la « solitude » de Dieu? Et pour y arriver, quoi faire pour m'isoler, pour faire taire les bruits extérieurs, les énervements, les tensions et toute la turbulence intérieure, au point de percevoir, en plein silence, mon propre mystère? En second lieu: comment franchir le bois des images, des concepts et des évocations de Dieu et demeurer avec Dieu lui-même, avec le Mystère, dans la pureté totale de la foi?

Au-delà de l'évocation

À la tombée du jour, nous écoutons une musique évocatrice. En ce moment de foi, je ne sais par quels ressorts mystérieux, cette mélodie revêtue du coloris orchestral « éveille » mon Dieu en moi. Mais si moi, en centrant toute mon attention, je réussis à « rester » avec le Seigneur, la musique s'évanouit, même si elle continue à retentir. Le Seigneur Dieu est plus loin que l'évocation. Au moment où je rencontre l'Évoqué, l'évocation disparaît. Comment participerai-je à la « solitude » pure de mon Dieu?

C'est le coucher du soleil, je me plonge dans le cœur de la nature. Cet ensemble de couleurs, de formes et de tons, cette variété enivrante d'harmonie et de vie éveille en moi, je ne sais par quel enchantement indicible, la présence vibrante et aimante de mon Dieu et Père. Mais si je concentre les énergies dispersées et si, dans la foi pure, j'établis avec mon Dieu un lien fort et profond en restant seul avec Lui, les montagnes, les fleurs et les fleuves disparaissent même s'ils continuent à briller sous les rayons du soleil qui meurt. Dieu est « plus loin ». Cela ne signifie pas qu'il soit distant, mais que *Lui* est toute autre chose que l'image dont je le revêts. À l'apparition de l'Évoqué, l'évocation disparaît.

En cette nuit sereine, je sors au grand air. Je contemple longuement, en silence, la voûte profonde et je dis: le firmament étoilé, plus loin que les années-lumière et les distances sidérables, évoquent pour moi le mystère palpitant de mon Dieu, éternel et infini. Mais si dans la foi pure, j'entre dans un courant de communication personnelle avec l'Éternel *même*, les étoiles disparaissent comme par magie. Voilà le problème: comment arriver à la « solitude » de Dieu et demeurer avec *Lui seul* dans la Présence simple et totale? Comment établir la syntonie parfaite entre mystère et le Mystère?

À cause de sa nature transcendante et de nos processus cognitifs, nous revêtons Dieu d'images et de formes conceptuelles. Mais *lui*, je le répète, est autre chose que nos représentations. Pour l'adorer en esprit et en vérité, nous devons dépouiller le Seigneur de tous ces clinquants, même s'ils ne sont pas faux, ils sont certainement imparfaits ou ambigus. Nous devons « revêtir Dieu de silence ».

Il est bon de s'appuyer à la création en priant; pour quelqu'un, ce peut être le plus efficace mode d'adoration. Il est bon d'assister à des leçons de théologie où le mystère de Dieu est transmis en concepts. Mais les prophètes proviennent du désert: de l'étendue immobile de la monotonie, le Seigneur émerge dans sa « solitude », dans sa substance incorruptible, dans sa personne inaliénable. Dans le jardin ou dans les champs, mille reflets distraient, les sens s'y attardent et l'âme s'accorde aux lueurs de Dieu qui dansent parmi les créatures; mais dans le désert, dans la foi pure et dans la nature dépouillée, Dieu resplendit de lumière absolue.

Je ne veux pas dire par là que pour adorer, nous devions chercher les sables ardents d'un désert. On parle au sens figuré. Nous avons toutefois besoin de certains éléments de « désert »: la nudité de la foi, le silence, la solitude. Et ceci, sinon tous les jours, au moins pour les rencontres des « temps forts ».

Dieu *est* « seul », l'homme *est* « seul »: nous avançons vers la convergence de ces deux « solitudes ».

La dernière chambre

Se sentir seul, se sentir solitaire est quelque chose de négatif. Mais *se percevoir seul,* c'est prendre conscience que, comme moi, il n'y a pas et il n'y aura personne d'autre dans le monde: *moi seul et une seule fois*: mon mystère! Quelque chose d'inexprimable, de singulier, d'inédit. dans le silence des bruits extérieurs et surtout des bruits intérieurs, la perception de la solitude personnelle est possible (intériorité, identité). Ce qui empêche donc la perception (possession) de mon identité personnelle, c'est la dispersion extérieure qui dissocie la personne en souvenirs, en sensations, en projets, en préoccupations, au point qu'elle se sente comme un ensemble de fragments d'elle-même. Si on n'est pas (on ne se sent pas) unité, on ne peut « posséder » le mystère divin. Dans ce cas, la rencontre avec Dieu, cette rencontre qui se consume toujours d'unité à unité, sera impossible.

* * *

L'homme n'est pas un être fini, mais bien un être « en devenir » par sa liberté (Vatican II, *Gaudium et Spes,* 17).

Une pierre, un arbre sont des êtres pleinement réalisés dans les frontières et les limites de leur essence. Ils ne peuvent donner plus que ce qu'ils donnent, ils ne peuvent être plus parfaits que ce qu'ils sont. De même, un chat, un chien sont des êtres fermés, accomplis, « parfaits » dans leurs possibilités.

L'homme, non. L'homme, originellement, est « pouvoir-être ». C'est l'unique être de la création qui puisse se sentir irréalisé, insatisfait, frustré. C'est pourquoi, parmi les êtres créés, il est l'unique à posséder la capacité de franchir les barrières de ses limites personnelles. Du reste, il est aussi l'unique à être capable d'autotransparence, de transcendance et de liberté: il est un être ouvert, capable de rencontre personnelle avec Dieu, de dialogue avec son Créateur.

Le Concile Vatican II nous a présenté l'homme comme un être magnifique, « centre et sommet » de tout ce qui existe sur la terre (GS, 12), qui porte l'image de Dieu au plus profond de son être, détenteur de possibilités illimitées de dépassement et surtout de connaître et d'aimer son Créateur ». L'homme se distingue nettement du reste des êtres parce qu'il y a en lui une zone intérieure de solitude, qui est le « lieu » de la rencontre avec Celui qui est l'absolu et le transcendant.

> « Par son intériorité, il dépasse en effet l'univers des choses: c'est à ces profondeurs qu'il revient lorsqu'il fait retour en lui-même où l'attend ce Dieu qui scrute les cœurs et où il décide personnellement de son propre sort sous le regard de Dieu » (GS, 14).

Il s'agit donc d'une zone intime (profonde) et secrète, où l'homme devra descendre s'il désire rencontrer Dieu face à face; lieu, d'ailleurs, où aucun autre ne peut se montrer: « le centre le plus secret de l'homme, le sanctuaire où il est seul avec Dieu et où sa voix se fait entendre » (GS, 16).

Le Concile semble indiquer par là que si cette zone de solitude n'est pas habitée par Dieu, l'homme sentira une solitude inhabitée et vide. C'est alors que la parole solitude prend une signification tragique et se convertit en ennemi numéro un de l'homme.

C'est dans cet « espace de solitude » que Dieu attend l'homme pour le dialogue, pour le faire participer à sa vie, pour lui donner la plénitude et canaliser les hautes énergies de la créature.

Toujours selon le Concile, cela signifie, à son tour, que la valeur maximum, pour la structure psychique de l'homme, c'est le Dieu qui l'invite au dialogue, dans l'intériorité. Les énergies vitales de l'homme tendent à cette valeur maximum lorsqu'il cherche le silence pour la contemplation (GS, 18). Tout cela conduit à la sagesse qui est le résultat final de la plénitude de cet « espace de solitude », « l'homme qui s'en nourrit est conduit du monde visible à l'invisible » (GS, 15) c'est-à-dire au Dieu absolu.

* * *

Je compléterai ces concepts en d'autres mots. Lorsque la personne *capte* expérimentalement son être, elle perçoit qu'elle « se compose » en différents niveaux de profondeur ou d'intériorité, comme si ces niveaux étaient les différents étages d'un édifice.

Parmi ces niveaux et au-delà d'eux, l'homme perçoit en lui-même quelque chose comme une *chambre ultime* où personne ne peut entrer si ce n'est Celui qui ne prend pas d'espace; en effet, cette chambre n'est pas un lieu mais un *quelque chose.* Lorsqu'on élaborait la théologie scolastique et que tous cherchaient la définition de la personne, le philosophe anglais et franciscain Duns Scott (1270-1308) dit que la personne est la *solitude ultime de l'être.*

Dans ces moments décisifs, l'homme perçoit vivement qu'il *est solitude* (identité inaliénable et unique): par exemple, aux moments de l'agonie, celui qui s'en va est entouré, imaginons-nous, des personnes les plus chères. Par leur présence, leurs paroles et leur affection, elles essaient de *« rester avec »* pour accompagner son voyage décisif. Mais les affections et les paroles ne traverseront pas sa peau ou ses tympans. Dans sa « chambre » ultime, là où il est *lui-même* et différent de tous les autres, celui qui s'en va est complètement solitaire, et il n'y a pas de réconforts, de paroles ou de présences qui arrivent jusque-« là ». Tout reste dans la périphérie de la personne. Elles peuvent rester ensemble; « avec » lui (dans sa profondeur ultime et définitive), personne ne peut rester.

Dans la constitution de la personne, il y a donc quelque chose qui le fait être lui-même, différent de tous et qui, comme une frange de lumière, traverse et occupe toute la sphère de la personnalité, lui donnant la propriété, la différenciation et l'identification. Cette solitude (*être soi-même*) se perçoit, répétons-le, lorsque tout l'être se tait: le monde mental, corporel et émotionnel; c'est alors que l'on expérimente, confond et identifie les deux expressions: silence et solitude. La perception de soi-même (solitude) est le résultat du silence total.

La perception possessive de son propre mystère est le « lieu » de l'adoration. C'est ce « temple » qu'on adore en esprit et en vérité, comme demandait Jésus, et l'on arrive à la convergence profonde des deux mystères.

Entre et ferme la porte

Du sommet de la montagne, devant une multitude qui soupirait, Jésus avait proclamé le programme du Royaume (cf. Mt chap. 5). Maintenant, il était en train de dire qu'il n'est pas besoin de long discours, pour adorer, ni de lieu privilégié et public; il suffit d'entrer dans la « chambre intérieure », de bien fermer les portes, de rencontrer le Père qui est dans ce qui est plus secret, et de rester avec Lui (cf. Mt 6, 6).

Je veux traduire ces paroles dans un autre langage, en étendant l'horizon de leur signification. Après tout, il ne s'agit pas d'une rencontre entre personnes en chair et en os qui se serrent la main pour se saluer, et s'assoient dans un fauteuil pour converser. Il est facile de fermer les portes de bois et d'entrouvrir les fenêtres de vitre. Mais dans notre cas, il s'agit de quelque chose de beaucoup plus impalpable. Cette chambre intérieure est une autre « chambre », ces portes sont d'autres « portes », et cette entrée est une autre « entrée ».

Je ne me lasserai pas de répéter ce qui suit: pour que Dieu « se montre », pour que, dans la foi, sa présence se fasse dense et consistante, il faut une attention ouverte, purifiée de toutes les relations environnantes. Plus les créatures et les images se taisent, plus l'âme est inhabitée, plus la rencontre sera profonde et pure.

L'insistance de saint Jean de la Croix dans ses écrits est impressionnante:

> «Apprenez à rester vides de toutes les choses, intérieures et extérieures, et vous verrez comme je suis Dieu.»

À mon avis, la majorité des chrétiens reste en dehors des expériences fortes de Dieu parce qu'elle ne sait pas faire ce travail difficile et indispensable avant la rencontre. Je comprends qu'il ne nous est pas facile à nous, pauvres mortels, pris dans le tourbillon de la vie, de préparer tous les jours une rencontre de profondeur avec le Seigneur Dieu; il est cependant possible de le faire dans les «temps forts». Plus ces temps forts seront fréquents, plus il sera facile de vivre en présence permanente de Dieu.

Le travail s'effectue sur deux versants: *le silence, la perception de son propre mystère.* Nous nous occuperons d'abord du silence. Au chapitre précédent, nous avons exposé une série d'exercices pour faire taire chaque chose. J'ajouterai ici quelques orientations pratiques.

Il importe de faire taire trois zones bien différentes.

a) *Le monde extérieur.* — Un ensemble de phénomènes extérieurs, d'événements et de choses sont ou bien se convertissent en différents stimulants qui, selon le degré de sensibilité de chacun, troublent le calme intérieur, excitent et dissocient le sujet et lui font perdre le sens d'unité. Pour échapper à ces vagues dissociantes, l'homme a besoin de *s'éloigner, de s'absenter, de se détacher* (trois paroles et un seul contenu) de tout, de façon telle que la réalité environnante ne lui enlève pas la paix et ne trouble pas son attention.

b) *Le monde corporel.* — Il s'agit de tensions ou d'accumulations nerveuses qui produisent, à leur tour, des contractions musculaires dans différentes parties du corps. Elles consument inutilement des charges nerveuses et produisent la fatigue dépressive ainsi qu'un état général d'inquiétude. Dans ce cas, le silence s'appelle *repos.*

c) *Le monde mental.* — C'est un amas d'activités mentales dans lequel il est impossible de distinguer ce qui est pensée et ce qui est émotion. Tout est mêlé: souvenirs, images, projets, pressentiments, sentiments, ressentiments, pensées, critères, désirs, obsessions, anxiétés... Tout ceci doit être couvert du manteau du silence. Ici, le silence s'appelle dés-intéressement, dés-engagement.

Il s'agit d'une purification complète. Lorsque tout ce nuage de poussière se dissipe, la paix se présente et mon mystère: mon absence se révèle dans toute sa pureté. En me plaçant dans l'orbite de la foi, « ici et maintenant » le Mystère émerge et la rencontre de mystère à Mystère, la rencontre en esprit et vérité est consumée.

Commence par *faire taire le monde extérieur.* Considère que les oiseaux continueront à chanter, les moteurs à ronfler et les hommes à crier; mais détourne ton attention de tout cela, de manière à tout entendre sans rien entendre. Dans ce cas, faire taire signifie soustraire l'attention à tout ce qui agite, de manière à rester absent ou à faire abstraction de tout comme si rien n'existait.

Fais-le avec le maximum de tranquillité. Pour soustraire plus facilement l'attention, suspends l'activité mentale et fais le vide intérieur comme il a été enseigné au chapitre précédent.

Assis confortablement, en respirant tranquillement et profondément, exerce-toi au détachement. Ne te laisse pas *prendre* par la confusion; ne permets pas que les agents extérieurs qui frappent normalement les sens te troublent et te marquent; profite de toutes les circonstances pour t'exercer à ce processus de libération.

En second lieu, *détends-toi.* La parole-clé est *se laisser aller.* Libère-toi de ce qui te bride. Tu auras la sensation d'avoir les nerfs liés, les muscles rigides; assouplir les muscles et les nerfs, c'est se détendre, et se détendre, c'est se taire.

Assieds-toi confortablement, le buste droit. Respire profondément et tranquillement. Comme un patron qui passe en revue ses propriétés, parcours ton organisme en lui imposant le calme.

Calme, concentré et tranquille, commence à assouplir les

muscles du front jusqu'à ce que le front reste décontracté et détendu.

Assouplis les muscles de la tête, ceux qui entourent le crâne.

Assouplis les muscles (et les nerfs) du visage, de la mandibule...

Assouplis les muscles des épaules et du cou jusqu'à ce que tu sentes qu'ils sont détendus.

Assouplis l'avant-bras, bras et main.

Assouplis les muscles de la poitrine et du ventre, des jambes et des pieds.

Et maintenant, d'un seul coup, expérimente vivement combien tout ton organisme extérieur est calme.

Ensuite, passe à assouplir les nerfs et les muscles internes. D'abord, le cerveau; puis la gorge. Continue avec le cœur et le ventre, surtout le point appelé «bouche de l'estomac» ou plexus solaire... jusqu'aux intestins. Pour terminer, expérimente vivement une sensation profonde et simultanée: un silence complet règne dans tout l'organisme.

Enfin, il faut *faire taire le monde mental.* C'est la chose la plus difficile et la plus décisive. Ici aussi, nous disons: *assouplir, se détacher.*

Tu percevras que les souvenirs et les désirs s'accrochent à toi, te lient. Laisse-les aller et disparaître parmi les brumes du temps dans la région de l'oubli. Fais comme celui qui efface un tableau écrit en un instant. Assis, prends une position confortable. Respire bien. Commence par le passé de ta vie.

D'un coup, éteins tous les souvenirs: ceux qui te réjouissent, ceux qui t'attristent, ceux qui te sont indifférents. Il n'y a plus de passé dans ta vie: personnes, conflits... Fais le vide complet, la noirceur absolue; couvre du manteau de l'oubli total ce puits bouillonnant qu'est l'inconscient, cimetière vivant de toutes les impressions d'une vie. Si les souvenirs te reviennent à la mémoire, laisse-les aller un par un; hors de toi les projets, les attentes, les craintes...

Rien en dehors de ce moment: laisse aller les problèmes actuels, les émotions.

Rien en dehors de ce lieu: laisse aller les personnes absentes, ton lieu de travail, ta famille absente...

Lorsqu'on a tout fait taire, seul le *présent* reste:
se rendre compte de soi-même, ici et maintenant.
Je suis moi-même: je me perçois sujet et objet de mon expérience.
C'est moi qui perçois; c'est moi qui suis perçu.
Je pense ce que je pense. Je sais ce que je sais.
Je suis un et unique,
différent de tous.
C'est moi seul et une seule fois:
unité, solitude, essence, mystère.

Nous avons dit que l'adoration est la convergence de *deux présences* qui s'intègrent en *une seule présence.*

Deux présences mutuellement ouvertes et accueillantes,
dans un dynamisme tranquille,
dans un mouvement tranquille.
Deux présences projetées mutuellement,
projetées dans une intersubjectivité.

Vivre le *présent* ne signifie pas se désintéresser des autres. Ce n'est pas un égoïsme camouflé. Au contraire, ce *présent* contient une grande charge explosive d'irradiation: il s'étend dynamiquement d'un horizon à l'autre de ma vie. Le passé devient présent, le futur devient présent, ici et maintenant, et comme dans l'atome, toutes les potentialités de transformation et d'amour sont renfermées dans ce *présent.*

On dira: prier ainsi est chose compliquée. Nous savons que toute oraison est don de Dieu, et le don de la contemplation l'est beaucoup plus. Je sais très bien que le Seigneur Dieu, sans beaucoup de préparation, peut soudainement venir occuper tous les replis de l'âme. Mais ordinairement, cela n'arrive pas.

Au contraire, elles sont nombreuses les âmes qui, par manque de préparation systématique, restent tranquilles, dans une piètre médiocrité. Elles vivent à la surface de l'oraison celles qui ne se préparent pas; et elles ne se préparent pas parce qu'il leur manque un intérêt réel. Nous ne pouvons croiser les bras, lever les yeux et attendre la pluie. En employant les moyens, nous manifestons notre disposition et nous démontrons que, *en vérité,* nous cherchons le visage du Seigneur. Nous préparons le terrain, le Seigneur enverra la pluie et l'accroissement.

Demeurer avec le Père

La solitude profonde de mon être a été éclairée par la lumière de la foi, lumière vive et chaude, et un habitant est venu combler sa solitude par sa présence: c'est le Père.

Que ferons-nous, moi et le Père, dans la demeure profonde? Quelles paroles dirons-nous? Jésus lui-même nous exhorte: «...Quand vous priez, ne rabâchez pas...» «Pour toi, quand tu veux prier, entre dans ta chambre la plus retirée, verrouille ta porte et adresse ta prière à ton Père qui est là dans le secret. Et ton Père, qui voit dans le secret, te le rendra» (Mt 6, 6).

Demeurer avec le Père signifie un échange d'affections et d'attentions avec Dieu. La projection, dans l'amour et dans la foi, de toutes mes énergies mentales (ce que *je suis* profondément) vers Lui. Tout mon être reste ainsi fixé, calme, concentré, pénétré, paralysé en Lui, avec Lui.

Mais il ne s'agit pas seulement de ma sortie vers Lui, il ne s'agit pas seulement d'une ouverture. C'est en même temps un accueil parce qu'il existe également une autre sortie (dans l'amour) de Lui vers moi. Si Lui sort vers moi et moi vers Lui, si Lui accueille ma sortie et que moi, j'accueille sa sortie, la rencontre devient la convergence et la conclusion de deux sorties et de deux accueils. C'est ainsi que se produit une union convergente, profonde et transformante dans laquelle le plus fort assume et assimile le plus faible, sans qu'aucun des deux ne perde son identité.

Dès le premier moment, le processus transformant commence. Plus la rencontre est profonde, plus la Présence commence à devenir présente, à marquer, à illuminer et à inspirer la personne dans ses réalités les plus profondes: le dynamisme vital, l'inconscient, les impulsions, les réflexes, les pensées, les critères... Plus la rencontre est vivante et profonde, je le répète, plus la Présence entre, pénètre et éclaire les tissus les plus intimes et les plus décisifs de la personne.

L'homme commence à marcher en présence du Seigneur (la

Présence est allumée dans la conscience). Les impulsions et les réflexes, en s'exprimant au dehors, s'expriment *selon Dieu.* De cette façon, le comportement général du chrétien (son style) apparaît au monde revêtu de la « figure » de Dieu. La figure de Dieu devient visible à travers la figure du chrétien qui devient transparence de Dieu lui-même. Le Seigneur continue ainsi à avancer à la conquête de nouveaux espaces et, comme en cercles concentriques de plus en plus étendus, la divinisation de l'humanité commence. Tout a cependant commencé dans le noyau de l'intimité. C'est là que toutes les potentialités de l'âme sont renfermées.

* * *

Demeurer avec le Père équivaut à *parler avec Dieu.*

Parler avec Dieu est différent de penser à Dieu. Lorsqu'on pense à quelqu'un, il est absent. Penser à quelqu'un c'est rendre présent (re-présenter) quelqu'un qui est absent moyennant une combinaison de souvenirs, d'images, de paroles qui se rapportent à Lui.

Mais si celui qui est absent devient soudainement corporellement présent devant moi, alors, je ne pense plus à lui, bien que j'établisse avec lui un courant de dialogue pas nécessairement fait de paroles; il peut être fait seulement d'intériorité.

Entre deux présences qui se connaissent et qui s'aiment, s'établit un courant circulaire où passent les actions de donner et recevoir, d'aimer et être aimé, dans une fonction simultanée et alternée d'agent et patient.

C'est un circuit vital de mouvement dense qui se consume toutefois dans le calme maximum. Dans ce dialogue, il n'est pas nécessaire que les paroles se croisent (ni mentales ni vocales); ce sont les consciences qui se croisent dans une introjection intersubjective, dans une projection jamais singularisante et toujours unifiante.

Tout ceci se résume dans l'expression: *Tu es avec moi.*

Les ténèbres ne te cachent pas, les distances ne te séparent pas. Il n'y a pas d'interférence qui puisse me faire dévier de Toi. Tu es avec moi. Je sors sur la rue et tu marches avec moi. Je me plonge dans le travail, tu restes à mes côtés. Tandis que je dors, tu veilles sur mon sommeil. Tu n'es pas un surveillant qui veille, tu es un Père qui assiste. J'ai parfois envie de crier: je suis un enfant perdu dans la forêt, je suis seul, personne ne veut de moi. J'entends immédiatement ta réponse: je suis avec toi, ne crains pas.

Mes racines s'alimentent en Toi. Tes bras m'encerclent. Tu es avec moi. Tu étends la main sur ma tête, tu me pénètres de la lumière de ton regard. Je suis un enfant qui a froid et ton souffle me réchauffe. Tu sais parfaitement quand mon repos se termine, où commence ma marche. Mes sentiers et mon sort te sont plus familiers qu'à moi. Je peux à peine le croire mais c'est vrai: partout où je vais, Tu es avec moi.

« Échange d'amitié »

Sainte Thérèse a laissé une définition fameuse de l'oraison:

> « Ce n'est rien autre... qu'un échange d'amitié, restant souvent seul avec celui de qui nous savons être aimé. »

« Échange d'amitié » est une expression qui, dans ce contexte, suppose, signifie et contient un nouvel état intérieur, interpersonnel, affectueux, un mouvement réciproque et oscillant de donner et recevoir.

C'est sur la parole « échange » qu'il faut placer l'accent. Où il y a *échange avec Dieu,* il y a oraison; pour qu'il y ait oraison, il doit y avoir *échange d'amitié,* et ceci dans n'importe quel type d'oraison, de la récitation d'une prière apprise par cœur aux sommets de l'expérience mystique.

En suivant la Sainte d'Avila, nous dirons que la rencontre est un échange, une communication, donc quelque chose comme un commerce où la marchandise d'échange est l'amour: Dieu nous l'offre et nous le lui rendons. Il s'agit d'un échange affectueux: nous aimons et nous nous sentons aimés. « Demeurer », communiquer, regarder, se sentir réciproquement présents: toutes ces paroles expriment approximativement ce qui est l'essence de l'oraison. Nous pourrons parler également d'un échange de regards. Femme particulièrement sensible, sainte Thérèse insiste tenacement sur le côté affectif plus que sur le côté discursif.

Dieu est amour: il nous a créés par amour, il s'est révélé par amour, le but final de toutes ses interventions est seulement celui de nous transformer dans l'amour. L'amour est une action dynamique; Dieu qui est amour est toujours en action, il nous invite, nous sollicite, s'offre à nous et met en « mouvement » les facultés intérieures. Le « mouvement » est une relation *je-tu*: une projection et une interaction du *je* dans le *tu* et du *tu* dans le *je*.

Dans la *rencontre*, surtout lorsqu'on est en voie d'approfondissement de l'oraison contemplative, l'intimité intersubjective prend la totalité de l'homme, sans exclure, dans une certaine mesure, les puissances corporelles. Dans une rencontre plus ou moins profonde, l'*échange d'amitié* est une fusion de l'homme total, totalement en Dieu. Il conviendrait d'inverser le concept: Dieu envahit totalement l'homme et plus l'homme accorde de liberté à Dieu sur son territoire, plus Dieu embrasse de zones et conquiert de régions.

Avec sa clarté française habituelle et sa tangibilité féminine, Thérèse de Lisieux nous décrit la rencontre comme suit:

> « Pour moi, l'oraison est une impulsion du cœur, un simple regard vers le ciel, un cri de gratitude et d'amour, aussi bien dans la tribulation que dans la joie. Enfin, c'est quelque chose de surnaturel qui dilate mon âme et m'unit à Jésus. »

Intimité

La parole la plus significative pour éclaircir la sensation de la rencontre est: *intimité*.

L'intimité est à la fois la rencontre et le résultat de la rencontre entre deux intériorités.

Chaque individu, chaque « je » est toujours un cercle fermé et concentrique par nature. L'intériorité est le résultat du fait de nous organiser et de vivre en nous-mêmes, dans une inclination perpétuelle et une convergence à notre propre centre. L'intériorité n'a rien à voir avec l'égoïsme, bien qu'elle lui ressemble en quelque chose.

Deux intériorités qui surgissent de leur centre et tendent l'une vers l'autre réciproquement, donnent pour résultat une troisième zone qui est l'intimité: une réalité psychologique perceptible mais inexplicable; quelque chose comme une « troisième » personne jaillie de deux intériorités.

C'est précisément la fécondité de la transcendance. Transcender, c'est se dépasser, sortir de soi-même; c'est aimer. L'amour est toujours fécond, il engendre toujours.

Deux intériorités qui sortent d'elles-mêmes pour s'offrir mutuellement, « engendrent » la rencontre, l'intimité. Nous pouvons conclure: si l'oraison est une rencontre et la rencontre une intimité, l'oraison est *intimité avec Dieu.*

Loin de se renfermer dans son essence, Dieu répand son intériorité et il s'ouvre à nous de différentes manières.

Dieu *est* « en lui-même » et « pour lui-même »; toutefois, il est « sorti » de ses frontières pour se déverser sur les créatures. L'univers est donc une « effusion » de Dieu.

De plus, avec une manifestation admirable, il se découvre, se « déclare » et s'offre gratuitement pour former avec nous une communauté de vie et d'amour. Dieu veut former une famille, une société dans cette unique région où il y a possibilité d'union de Dieu et de l'homme, la région de l'esprit.

Si l'homme répond affirmativement à l'invitation de Dieu, voici déjà formée la communauté de vie, entre compagnons de vie. La rencontre suppose un « climat de famille ». Les Écritures expliquent ce climat par des expressions comme « il a habité parmi nous » (Jn 1, 14); « nous viendrons à lui et nous établirons chez lui notre demeure » (Jn 14, 23) qui évoquent l'idée avec des nuances variées de chaleur, joie, confiance, tendresse, comme pour nous faire sentir participants d'un foyer heureux.

L'intersubjectivité, c'est-à-dire la projection d'un sujet vers l'autre dans une interaction mutuelle naît et grandit dans ce climat. La rencontre, c'est vivre et approfondir continuellement la relation interpersonnelle, dans un climat intime et affectif: le *je* se tourne vers le *tu*; Dieu vers l'homme, et vice versa.

Diversité

Étant donné que chaque individu est différent d'un autre dans son être, dans sa façon de sentir et dans son agir, l'« échange d'amitié » assume, en chaque personne, des nuances nouvelles et originales selon les états d'âme, la différence d'âge, les rythmes de croissance, les dispositions psychosomatiques, l'humeur...

La rencontre avec Dieu, comme partie intégrante de la vie, s'adaptera aux dispositions changeantes de la personne: les préoccupations, la maladie, la dépression, l'euphorie, la fatigue, peuvent créer des difficultés, des impossibilités ou bien favoriser tel ou tel type de rencontre avec Dieu.

Communiquer avec quelqu'un, c'est vivre, et vivre, c'est s'adapter; donc, l'*échange d'amitié* avec Dieu s'adaptera avec dynamisme et flexibilité à chaque personne ainsi qu'aux circonstances inhérentes, en utilisant alternativement les moyens ou les obstacles, enthousiasme ou aridité, intelligence ou imagination, dévotion ou foi aride, en donnant naissance à de nouvelles formes ou à des modalités inespérées.

L'*échange d'amitié* peut avoir différentes caractéristiques:

> « Selon les tempéraments, même selon les différents moments, il sera triste ou joyeux, tendre ou insensible, silencieux ou expansif, actif ou impotent, oraison vocale ou retraite agréable, méditation ou simple regard, oraison affective ou expression d'angoisse, enthousiasme sublime au milieu de la lumière ou abattement suave dans l'humilité profonde » (P. Eugenio del N.J., *Quiero ver a Dios*).

* * *

EXERCICES PRATIQUES

Premier exercice: sortie et projection

Éclaircissement

1) Dans ce premier exercice, présenté en ses trois variantes, il y a une sortie et une projection. Mon attention, qui est une

unité intégrée de toutes les énergies spirituelles, c'est-à-dire mon âme sort d'elle-même en se servant de la parole. La parole est comme un véhicule qui transporte mon attention et la dépose en Dieu; et mon attention, en s'identifiant avec la substance ou le contenu de la parole, (en s'*appropriant* la parole même) fait en sorte que *tout le je* reste avec *tout Dieu*, possédé, pénétré.

2) C'est un exercice de calme et d'immobilité. Donc, mon attention sort de moi-même, se dirige vers l'Autre, se concentre et se fixe en Lui et reste simplement « là ». C'est une adoration statique. Il n'y a que le *Tu*. *Je* n'y suis même pas; parce que dans cet exercice, le je disparaît, il ne reste que le *Tu*.

3) En contemplant Dieu à partir de la perspective indiquée par chaque parole, on ne doit avoir aucune préoccupation analytique; il ne s'agit pas de *comprendre* ce que dit la phrase. Ce serait méditer; il s'agit maintenant d'adorer, mon attention se centre sur Dieu contemplativement, comme dirait saint Jean de la Croix: *amoureusement*.

4) Un objet, suivant la manière dont on le regarde, peut paraître différent, mais c'est toujours le même objet. Dans ces exercices, Dieu paraît, alternativement, comme éternité, comme immensité, comme force, comme réconfort... Mais c'est toujours l'unique Seigneur qui s'offre, à partir de perspectives infinies, à notre admiration et à notre contemplation.

5) Dans une des expressions suivantes, si tu sens que ton être *repose* au complet — comment dire? — que cette phrase évoque des expériences profondes, éveille des richesses insoupçonnées et te remplit, reste ainsi, fixé, sans aller plus loin. Si la « possession » est totale, laisse perdre les paroles et passe à l'adoration silencieuse. Au contraire, si tu désires d'autres phrases en un crescendo d'allégresse, laisse le maximum de marge à la spontanéité de l'esprit.

6) Chaque exercice (variante) peut durer environ quarante minutes, mais on peut le prolonger comme on veut.

Manière de le pratiquer

Avant chaque application, fais cette préparation, sans oublier qu'au chapitre précédent, on a indiqué les manières de créer le silence autour de soi et en soi.

Prends une position priante.
Rien de ton passé: laisse aller les souvenirs, les mémoires...
Rien de ton futur: détache-toi des préoccupations, des projets...
Rien en dehors de toi: efface les bruits, les présences, les voix...
Rien en dehors du moment présent.
Tout reste en silence. Il y a seulement un *présent*: moi présent à moi-même, ici, maintenant.
Je reste pauvre, vide, nu, libre, conscience pure.

Maintenant, dans la foi, rends présent Celui en qui nous existons, nous agissons et nous sommes, Celui qui pénètre et soutient tout.

Commence à prononcer les phrases d'une voix suave, en cherchant à *vivre le contenu de chacune (qui est Lui-même)*: essaie de « sentir » ce que la phrase dit jusqu'à ce que ton attention soit imprégnée de sa substance.

Après avoir prononcé les paroles, reste 15 secondes ou plus en silence, statique, muet, comme celui qui écoute l'écho; que toute ton attention reste immobile, pénétrée possessivement, identifiée adhésivement à *Lui*.

Tu peux répéter plusieurs fois une même phrase, tout le temps. Si une phrase te dit peu, passe à la suivante.

Règle d'or: jamais de violence, toujours du calme et de la sérénité.

Il convient de terminer tout exercice par une résolution de vie.

Première variante

Il ne se produit généralement pas de courant amoureux dans cette variante. C'est la contemplation (adoration) de l'*Être-en-lui-même*, l'Absolu, le Transcendant. Étant donné sa nature, on se limite seulement à regarder et à admirer. Il n'y a que de la stupeur ressemblant à celle que donne un monde de grandeur inespérée.

Tu es mon Dieu.
Depuis toujours et pour toujours Tu es Dieu.
Seigneur mon Dieu, Tu es l'essence pure.
Tu *es* sans contours, sans mesure, sans frontières.

Tu es le fondement premier de toute réalité.
Mon Dieu, Tu es la réalité totale et totalisante.
Tu *es* profondément et invinciblement.

Seigneur, Tu es l'éternité immuable.
Mon Dieu, Tu es l'immensité infinie.

Ô présence toujours obscure et toujours claire.
Ô éternité et immensité de mon Dieu.
Ô abîme insondable d'Être et Amour.
Ô mon Dieu, simplement tu *es*.

Deuxième variante

Cette variante est faite de *contrastes*. Il faut prendre conscience que, dans ces trois variantes de sortie et de projection, le *je* est absent (il n'apparaît pas comme centre, comme objet d'attention). Seul le *Tu* reste constamment présent. Celui qui s'exerce doit se laisser ravir par le *Tu*. Il y a trois expressions où le je apparaît, c'est pour faire ressortir le *Tu*, par contraste.

À pratiquer cette variante, on prend le risque d'un mouvement mental dû à ses contrastes conceptuels, c'est pourquoi l'intelligence tend à exercer une activité analytique. Mais cela ne doit pas arriver. Au contraire, celui qui s'exerce doit prendre l'attitude contemplative de celui qui en regardant un paysage d'ombres et de lumières ne se fixe pas d'abord sur les lumières puis sur les ombres mais enveloppe le tout d'un seul coup d'œil.

Fais la préparation tel qu'indiqué plus haut, en finissant toujours par une résolution de vie.

Tu es présent sans passé.
Mon Seigneur, Tu es l'aurore sans couchant.
Tu es commencement et fin de tout,
  sans avoir de commencement ni de fin.

Mon Dieu, tu es proximité et distance.
Tu es calme et dynamisme.
Tu es immanence et transcendance.
Tu habites les hautes étoiles,
  tu restes au centre de mon être.

Mon Dieu, Tu es mon Tout,
  je suis ton rien.
Seigneur, Tu es l'essence pure,
  sans forme ni dimension.

Ô mon Dieu, Tu es la présence cachée.
Tu « es » mon je,
  plus « moi » que moi-même.

Ô profondeur de l'essence et de la présence de mon Dieu.
Qui es-Tu et qui suis-je?

Troisième variante

Dans cette variante, nous continuons avec la présence vivante du *Tu*, à l'intérieur des mêmes coordonnées: sortie et projection. Ici, toutefois, Dieu n'est pas tellement *en-lui-même* mais beaucoup plus *pour moi*. Il existe donc, une plus grande proximité et, par conséquent, la relation (adoration) est beaucoup plus *amoureuse*. L'emphase et l'attention doivent toutefois se fixer sur le *Tu*.

Il peut arriver que celui qui s'exerce ait l'impression de perdre du temps; il doit prendre conscience qu'il est en train d'exécuter des pratiques profondément transformantes. Je m'explique: toutes les craintes, les anxiétés et les rancunes naissent parce que la personne s'appuie et s'accroche à son *moi*; et justement en cela, croyant se donner de la sécurité, elle trouve de l'insécurité. L'effet immédiat et vif qu'expérimente l'homme dans l'adoration est que le *je* est assumé par le Tu et, par conséquent, une sensation de sécurité jaillit.

Exerce-toi tel qu'expliqué précédemment.

Seigneur, Tu me scrutes et me connais.
Tu me pénètres, m'enveloppes, m'aimes.
Tu es mon Dieu.

Seigneur mon Dieu, Tu es mon repos total.
Mon Dieu, je ne sens la paix qu'en Toi.
Seigneur, mon âme ne repose qu'en Toi.

Mon Dieu, Tu es ma force.
Seigneur, Tu es ma patience.
Seigneur, Tu es ma sécurité.
Seigneur mon Dieu, Tu es ma joie.

Seigneur, Tu es la beauté.
Tu es la mansuétude.
Mon Père, Tu es ma douceur et ma tendresse.
Tu es notre vie éternelle, grand et admirable Seigneur.

Deuxième: exercice transformant

Dans cet exercice, il y a beaucoup de mouvement mental. L'attention bifurque en deux directions: *Tu* et *je*. De plus, dans cette pratique, il y a de l'activité imaginatrice.

Conjuguons le verbe « sentir » entre guillements, comme synonyme de concentration: « je sens » que j'ai une mouche sur le front, « je sens » que le sol est froid, « je sens » que les doigts sont unis, « je sens » les battements du cœur dans la tempe... L'attention est centrée sur chaque « sentir ». *Sentir* est différent de penser; ressemble à imaginer; équivaut précisément à centrer l'attention.

Première variante

Pour mettre cet exercice en pratique, il importe d'abord de ne pas oublier les pratiques préparatoires déjà indiquées. En chaque phrase, tu dois « sentir » immédiatement que Dieu est en train d'entrer dans ton cerveau, dans ton cœur, dans tes entrailles; « sentir » que le Seigneur assume les désirs les plus secrets, la totalité des pensées, éteint les flammes des aversions, efface les taches, lave les impuretés... Et, à la fin, laisse aller les rames et laisse-toi porter par l'impulsion: que veut le Seigneur de moi? Fais tout très lentement.

Mon Dieu et Seigneur, entre en moi.
Entre et occupe jusqu'aux racines de mon être.

Seigneur, prends-moi complètement.
Prends-moi avec tout ce que je suis,
avec tout ce que j'ai,
avec tout ce que je pense,
avec tout ce que je fais.
Assume mes désirs les plus secrets.
Prends-moi au plus profond de mon cœur.
Transforme-moi en Toi complètement.

Libère-moi des ressentiments,
des griefs,
des rancunes.
Retire tout cela, emporte-le!
Lave-moi entièrement.
Efface tout, éteins les flammes.
Laisse-moi seulement un cœur pur.

Que veux-tu de moi?
Fais de moi ce que tu veux.
Je m'abandonne à Toi.

Deuxième variante

Imaginons que nous nous trouvons dans un « temps fort » de plusieurs heures. Supposons que nous avons des problèmes de famille, de fraternité, de travail; des conflits avec des personnes, des situations désagréables, des événements auxquels nous résistons. Nous avons besoin de pardonner, nous avons besoin d'accepter; il est nécessaire de tout faire *en Dieu*.

Situés dans l'esprit de foi, une fois entrés à fond dans la communication avec le Seigneur, nous devons *revenir* à la vie avec notre Dieu « à la droite » et nous présenter mentalement près de son foyer, dans la fraternité... Affronter la personne en question, lui pardonner, la comprendre, l'aimer en présence du Seigneur; assumer cette situation avec un « je suis prêt ! »; accepter les limites avec un « je m'abandonne à Toi ! ». Prier ainsi intensément et avec des effets libérateurs jusqu'à ce que nous nous sentions sains, forts, sans peur et remplis de joie.

Pour pratiquer cette variante, on peut se servir des expressions de l'exercice précédent. Ou bien se laisser porter par l'inspiration et en inventer d'autres. Toujours terminer par une résolution concrète de vie.

Troisième: exercice visuel

Prends une reproduction expressive, si possible une image de Jésus, une figure évocatrice aux fortes impressions: force, intimité, patience.

Assume une position priante. Tiens la figure entre les mains. Fais les exercices indiqués pour obtenir le silence.

Pendant quelques moments, ne fais que regarder l'effigie.

Ensuite, environ quatre minutes, avec tranquillité, dans la concentration et sans engagement réfléchi, essaie de saisir intuitivement les impressions que l'image suscite en toi.

Dans un troisième moment, avec le maximum de tranquillité et sans violence, va t'établir mentalement dans l'image, comme si tu étais cette image ou que tu restais à l'intérieur d'elle. Avec révérence et calme, essaie de faire *tiennes* les mêmes impressions que l'image évoque en toi. C'est-à-dire identifié à cette figure, reste comme imprégné par les sentiments de Jésus que la reproduction exprime. Reste ainsi quelque temps

Dans ce climat intérieur, transporte-toi mentalement dans ta famille, dans le lieu de travail; imagine des situations difficiles et surmonte-les mentalement avec les sentiments de Jésus.

Quatrième: exercice auditif

Choisis un lieu solitaire.

Prends une position confortable et une attitude priante.

Crée le silence: laisse aller les souvenirs du passé, laisse aller les préoccupations du futur. Détache-toi des bruits et des voix des alentours. Demeure dans un présent simple, pur et nu: toi seul avec toi-même. Entre lentement dans le monde de la foi.

Pense une phrase très courte, possiblement un seul mot, par exemple: *Seigneur,* ou même *Jésus,* ou *Père,* ou une autre.

Commence à le prononcer doucement toutes les dix ou quinze secondes. En le prononçant, fais-le *tien,* c'est-à-dire le « contenu » de la parole, jusqu'à ce que toutes les énergies de ton attention s'identifient à la Présence évoquée par la phrase. Fais-le avec le maximum de tranquillité et de calme. Commence à percevoir combien tout ton être est habité par cette Présence, à partir du cerveau en passant par les poumons, le cœur, les entrailles... Si c'est possible et que tu en as envie, espace la répétition de la parole ou de la phrase en donnant chaque fois plus de temps au silence.

Prends une résolution pratique et reviens à la vie, rempli de Dieu.

Cinquième: exercice d'imagination

Il y a des personnes qui trouvent d'autres manières de prier plus efficaces.

Première variante

Supposons que tu as eu dans le passé une très haute expérience de Dieu dans un lieu spécifique duquel tu es actuellement éloigné.

Par l'imagination, retourne dans cet endroit avec la plus grande intensité possible. Reviens « expérimenter » ce lieu, que ce soit une chapelle, une hauteur, une colline ou un fleuve; reconstruis tous les détails: écoute le vent, le bruit des arbres, ressens la chaleur ou la fraîcheur de l'air; retrouve la même clarté, la pénombre, l'obscurité...

En ce moment, dans la foi, cherche à revivre la forte présence de Dieu. Le souvenir des expériences profondes alimente l'oraison de plusieurs personnes pendant de longues années, surtout dans les moments d'aridité. Comme il est réconfortant de retourner aux instants de joie que l'on a vécus avec le Seigneur! Termine par une résolution de vie.

Deuxième variante

Après la préparation nécessaire, suscite en ton être profond une attitude intime de foi et de recueillement.

Imagine Jésus en adoration sur la montagne, de nuit, sous les étoiles. Avec une révérence infinie, pense à rester dans l'intimité de Jésus, pour vivre ce qu'il *vécut.* Quels sentiments d'admiration et d'adhésion Jésus n'a-t-il pas expérimentés pour le Père! Quelle abondance de dévotion, de vénération et d'offrande Jésus n'a-t-il pas éprouvée pour le Père! Quel désir de lui plaire, de lui être fidèle, de faire de sa propre vie un acte d'oblation! Quelle attitude de soumission devant sa volonté!

Essaie de t'*approprier* tout cela dans la foi. Assume le cœur de Jésus avec tous ses sentiments.

Reviens maintenant à la vie, porte et rayonne les sentiments de Jésus, transfigure le monde.

Troisième variante

En suivant le mouvement pulmonaire, chaque fois que tu expires l'air des poumons, prononce le nom de Jésus avec les différentes attitudes ou les sentiments que j'indiquerai de suite.

Par exemple, toutes les cinq minutes, répète la formule de foi: *Jésus, je crois en Toi.* Fais-le de sorte que tout ton être, ton corps compris, participe à cette attitude. Ensuite, pendant cinq minutes encore, répète (en expirant l'air): *Jésus, j'ai confiance en Toi.* Pendant cinq minutes encore: *Jésus, miséricorde.* Ensuite, *Jésus, je me remets à Toi.* Et de même, successivement, répète des expressions qui indiquent l'adoration, l'abandon,... le tout pendant quarante minutes environ.

Il s'ensuit que ton âme, ta tête, ton cœur, tes poumons... se rempliront lentement de la présence de Jésus avec qui tu retourneras à la vie. Termine par une résolution pratique.

Quatrième variante

Pour susciter des sentiments de gratitude, revis un événement concret qui t'a causé beaucoup de joie dans le passé, pour ressentir maintenant, si possible, quelque vibration de ce temps-là. Essaie de te porter dans l'« harmonie » de Jésus quand il dit: « Père, je te remercie de m'avoir exaucé » (Jn 11, 41). Avec Jésus, remercie et acclame le Père.

Retourne à un événement désagréable de ton passé récent. Revis cette expérience sans crainte. Puis, imagine Jésus devant Pilate ou Hérode, méprisé, battu. Observe sa force d'esprit et admire sa sérénité. Essaie de reproduire (devant le souvenir du fait désagréable) de ton être profond cette disposition d'âme et, avec Jésus et comme Jésus, assume ce fait avec dignité et paix.

2.

RENCONTRE PROFONDE

Nous avons dit que la rencontre est un « échange d'amitié » avec Dieu. Mais nous continuons en nous demandant ce qui « arrive » à ce moment-là. Il y a d'abord une constatation, il y a une connaissance. Pas une connaissance analytique mais intuitive et possessive.

Dans cette rencontre, lorsqu'il s'agit réellement d'une contemplation authentique, l'*échange* (connaissance? conscience réfléchie? état conscient et émotionnel?) ne distrait pas mais concentre.

Il y a ici quelque chose de très difficile à expliquer: la rencontre (lorsqu'elle est progressivement contemplative) tend à être chaque fois plus simple, plus profonde, plus possessive.

La réflexion reste en arrière. L'intelligence ne peut « saisir » cette réalité totale (Dieu) qui est plus loin que le devenir, que la suite des événements. Lorsque l'intelligence se met à méditer, elle rencontre la partie d'elle-même qui est sujette à la multiplicité, à l'instabilité et à l'inquiétude qui la divisent et la troublent; c'est pourquoi, à mesure que la rencontre avec Dieu est plus avancée et contemplative, la réflexion tend à disparaître, et la rencontre devient un moment (acte?) plus simple et totalisant.

L'instrument de l'expérimentation de Dieu n'est pas l'intelligence mais la personne totale. On abandonne le langage et la communication s'effectue d'être à Être; les instruments ou les intermédiaires tels que la parole et le dialogue ne servent pas pour s'unir à Dieu; c'est une plongée dans les eaux profondes de Dieu. C'est pourquoi je dis que l'intelligence ne doit peu ou rien faire puisque le mystère de l'union se consume d'être à Être entier.

Et il peut arriver que des énergies mystérieuses d'« adhésion » apparaissent dans cette expérimentation contemplatrice, d'étranges puissances de « connaissance » (ce sont des forces de profondeur qui restent normalement atrophiées à la surface). Ce sont des forces surnormales, naturelles dans leur nature, suscitées par la grâce et par la vitalité intérieure.

On peut dire que le vrai contemplatif dépasse l'intelligence raisonnable et l'intellection; lorsqu'on entre dans la zone profonde de la communication avec Dieu, l'activité diversifiante et multiple de la conscience cesse, et, dans cet acte simple et total, on se sent en Dieu, avec Dieu, en Lui et Lui en nous (cf. Ac 17, 28).

De quoi s'agit-il alors? D'une sorte d'intuition à la fois dense et pénétrante, très vive surtout, sans images, sans pensées déterminées; il n'y a pas de représentation de Dieu, il n'est pas nécessaire de le représenter parce que Dieu « est ici », il est « avec moi », c'est la conscience de la grande réalité qui m'envahit totalement; réalité qui est Quelqu'un: affectueux, familier, très aimé, concret.

En un mot, il s'agit d'une super-connaissance, mieux, d'une ultra-connaissance. C'est la sagesse dont saint Jean de la Croix nous parle: l'*expérience immédiate* de Dieu.

Comment pourrions-nous décrire la rencontre profonde? On ne peut parler que par métaphores.

C'est une nuit étoilée. La foi, cette vertu théologale suprême, surprend le fils et le conduit entre les bras du Père. Le fils s'installe dans le cœur du Fils et, de ce poste d'observation, il contemple le Père. Le Père est un panorama infini, sans murs ni portes, éclairé nuit et jour par la tendresse, c'est une forêt infinie de braise chaude invitant à l'embrassement; l'amertume est absente, la douceur vibre.

Tout est immédiatement paralysé. Il n'y a pas au monde de mouvement si tranquille et de calme si dynamique. *Amour.* Il n'y a pas d'autre parole. Peut-être cette autre: *Présence.* Unissons-les et nous nous rapprocherons un peu: *Présence aimante.* Peut-être que cette autre expression est plus significative: *Amour compromettant.* C'est le Père. Ce sont dix mille bras qui entourent et embrassent le fils aimé. C'est une marée irrépressible d'Amour enveloppant — comment dire? — une crue soudaine d'eaux qui inondent les champs. Le fils aimé se voit ainsi inondé étonnamment par la Présence aimante et absolument gratuite.

Les étoiles? Elles continuent obstinément à briller, mais il n'y a pas d'étoiles. La nuit? La nuit a été submergée, tout est clarté bien que ce soit toujours la nuit. Le fils aimé ne dit rien, pourquoi? Le Père aimant ne dit rien non plus. Tout est consumé. C'est l'Éternité.

Y a-t-il perte d'identité? L'identité personnelle demeure plus nette que jamais. La conscience de la diversité entre Dieu et l'homme assume chez certains contemplatifs des profils aussi tragiques que la collision entre la lumière et les ténèbres. C'est ce que signifient les « nuits de l'esprit » de saint Jean de la Croix ainsi que l'exclamation prolongée de François d'Assise: « Qui es-Tu et qui suis-je? »

Aliénation? Vidée du je empirique et concentrée dans l'Un, la conscience est irrésistiblement attirée et prise par l'objet, totalement faite *une* avec Lui. Le contemplatif est tiré en dehors de lui-même, toute différence disparaît.

Mais lorsqu'on arrive là, tout est œuvre de la grâce; les secours psychologiques, les artifices, les stratégies humaines n'existent pas et ne servent pas. Dans sa puissance et sa miséricorde infinie, Dieu se déploie sur les mille mondes de notre intériorité.

La dualité persiste-t-elle? La dualité disparaît presque sans que l'on perde conscience de la diversification entre Dieu et l'homme. Jusqu'à un certain point, nous pourrions dire qu'il n'y a qu'une seule réalité parce que cet ordre de rencontres engendre l'amour, et l'amour est unifiant et même identifiant.

Puisque Dieu nous créa à son image et ressemblance, le destin final de l'Alliance est d'arriver à être *un* avec Lui, sans perdre l'identité (la tendance de l'amour, sa force intrinsèque est d'unir ceux qui s'aiment); j'oserais dire que le destin final et la perfection de la *rencontre* est que disparaisse toute dualité entre Dieu et l'âme en faveur de l'unité totale.

« Et cette union se produit lorsque Dieu donne à l'âme la grâce surnaturelle par laquelle toutes les choses de Dieu et de l'âme sont unies en transformation participante. »

« Et l'âme paraît plus Dieu qu'âme, elle est même Dieu, par participation » (Saint Jean de la Croix).

Fusion? Thérèse de Lisieux dit: « Ce jour-là, ce ne fut pas un regard mais une fusion. Nous n'étions plus deux. Thérèse avait disparu comme la goutte d'eau se perd au fond de l'océan. Il ne restait que Jésus, Seigneur et Roi. » Ce n'est toutefois qu'une manière de parler parce qu'il n'y a pas de fusion; mais plus on avance dans la mer de Dieu, répétons-le, plus la clarté qui distingue et divise devient fulgurante et douloureuse à comparer la beauté de Dieu avec la misère de l'âme.

Transfiguration

La rencontre profonde et contemplative est éminemment transformante: Dieu assume et consume le je; l'homme entre dans le torrent de l'Amour. Dieu visite l'âme et la tire de la fiction obsessive de son moi, en l'introduisant dans la demeure de la sagesse, de la vérité et de la paix.

Le Père rassasie entièrement l'homme de son Amour enveloppant. Le fils découvre que tout ce qu'il avait estimé jusqu'à présent n'est qu'artifice vide, que les illusions dont il s'est nourri sont vaines. Par sa Présence, le Père purifie le fils, le dépouille, le libère de ses idoles, fait ressortir sa vraie réalité, l'introduit dans l'enceinte lumineuse de la sagesse.

Qui es-Tu, et qui suis-je? Tu es mon Tout, je suis mon rien. Toutefois, comme fils aimé, je reçois tout de ton Amour gratuit. Devant la splendeur de ton visage, les confins de mon je se réduisent à mon rien, comme les étoiles disparaissent lorsque le soleil paraît.

Lorsque nous parlons du *je*, nous ne parlons pas de la réalité personnelle, encore moins de l'identité personnelle. Nous parlons de l'image de la réalité personnelle, de l'ombre de la réalité. L'homme transforme continuellement cette effigie en objet d'adhésion et de dévotion. Il lutte la moitié de sa vie pour s'ériger (une représentation de lui-même) une statue; il vit l'autre moitié avec la crainte que cette statue soit abattue.

Une forte expérience de Dieu parvient à briser le noyau central du je en deux. La Présence enveloppante saisit et assume le je dans sa réalité profonde, Il en fait tomber l'image fausse. Lorsque le fils est envahi par le Père, son je cesse d'être le centre; il se dépouille de toutes les « appropriations » et de toutes les relations égoïstes, et il renaît à la liberté. La transfiguration commence ainsi: Dieu arrache les masques, il dépouille le je des riches habillements trompeurs, et le fils se découvre pur, libre, vide, transparent, nourri de paix, comblé de clarté.

La conscience du je est complètement attirée par l'Autre, arrachée de son pivot par la force de l'admiration et de la gratitude. Résultat? L'attention et l'intention libres finalement de toute trace d'amertume, sont entraînées vers un nouveau centre de gravité. L'opposition entre le Tu et le je disparaît: « Nous sommes une seule chose. » L'amour prend forme et consistance; il n'est plus abstraction vague mais tangibilité solide.

La Présence aimante réveille, inspire et transforme toutes les potentialités naturelles du fils de même que ses relations avec les frères. Purifié par le dépouillement, il commence à expérimenter l'amour — émanation de l'Amour — avec pleine profondeur et transparence. De cette façon, la vie du fils qui a été visité par le Père entre dans un processus irrépressible de luminosité, elle acquiert un sens nouveau et une force nouvelle.

La pauvreté prend le fils par la main pour le conduire à la pureté. Les choses, le monde, tous les êtres redeviennent purs pour lui: ils ne sont plus troublés par une vision perturbée par les intérêts et les convoitises. Toutes les choses (le créé) recouvrent la pureté originelle dans laquelle Dieu les vit et les créa, enveloppées elles aussi, de sagesse et d'amour: « Il y a une nouvelle création. »

Le fils voit surtout sa « nouvelle réalité », elle aussi totalement libre et purifiée. Et il l'accepte en paix. Toute raison et toute forme d'angoisse disparaissent pour toujours. La sérénité règne, inébranlable.

Au-delà du temps et de l'espace

Le contemplatif tend à s'élever au-dessus de la multiplicité des choses et des événements; presque au-delà du temps et de l'espace, vraiment au-delà de la loi de la contingence des situations et des urgences quotidiennes. En effet, il se découvre ancré, comme par participation, à la substance absolue et immuable de Dieu.

Certes, il n'est permis à personne de fuir les conditions normales de l'existence créée; mais le contemplatif, par son union profonde avec Dieu, perçoit un indice expérimental de l'unité qui coordonne les instants successifs de la chaîne du temps, de sorte qu'il participe en quelque mesure à l'intemporalité de l'Éternel.

L'adorateur dépasse surtout l'angoisse produite en nous, la plupart du temps, par le refus des limitations spatiales et temporelles. Abandonné à Dieu, le fils ne craint plus ni la vieillesse ni la mort; il partage désormais la jeunesse éternelle de Dieu.

Dieu est la Présence: il n'est pas ici, là; proche ou loin. Simplement, *il est avec moi, il est en moi.* Il remplit tout, il est une lumière qui pénètre les choses comme le feu et ne les consume pas. S'il est en moi et dans toutes les choses, je et les choses, nous sommes en Lui, élevés et absorbés par son immensité. Il est l'Immense. Et moi aussi, je suis «immense»: ou mieux, je suis *fils de l'immensité.*

Hier, demain, avant, après, siècles, millénaires ne signifient plus rien. Aristote n'a-t-il pas défini le temps: *mesure du mouvement des choses*? Dans la rencontre profonde, il n'y a pas de mouvement. Il y a le calme, l'éternité. Le Seigneur mon Dieu est l'Être, tranquille et immuable, mais dans ses profondeurs, il garde le dynamisme éternel qui lui a permis de donner vie à l'univers merveilleux que nos yeux contemplent. Que valent nos concepts de différence, de relativité, de distance? Devant l'Absolu tout est relatif: le temps n'existe pas. Le temps a été consumé par l'éternité. Le Seigneur est l'éternité et je suis *fils de l'éternité.*

«De clarté en clarté» (2 Co 3, 18)

Même au risque de répéter des conseils déjà donnés ici et là, nous résumons quelques normes pratiques en suivant les orientations des maîtres spirituels.

Durant la méditation, en se proposant un point de réflexion, l'âme ne doit pas rester fixée sur ce thème si elle n'y trouve pas de profit et de stimulant pour la dévotion. La première loi est de se laisser conduire par l'Esprit, pas par un plan prédéterminé. La finalité décisive est l'expérience de Dieu et la transformation de la vie en partant de cette expérience.

Le débutant recherche habituellement la dévotion avec beaucoup d'enthousiasme. Mais il arrive ordinairement qu'une application agitée produise un effet contraire; la frénésie n'obtient pas la dévotion. Au contraire, les efforts violents assèchent le cœur et le rendent inapte aux visites du Seigneur.

Persévérance, oui, violence, non. Un enthousiasme véhément qui prétend brûler les étapes peut annuler tous les plans; d'où l'usure des nerfs, la frustration et le découragement.

Il est difficile mais nécessaire de recréer, au début de l'oraison, un climat intérieur qui intègre deux éléments apparemment en contraste: état d'enthousiasme et état de sérénité. Il importe de susciter au fond de l'être une certaine tension émotionnelle pour la proximité de l'être aimé; la relation je-Tu est énergie, «mouvement» des facultés. Mais cette tension peut être fatale si elle n'est pas accompagnée en même temps d'un état de calme, de paix et de suavité.

Ne nous décourageons pas si nous n'éprouvons pas la dévotion désirée. Patience et persévérance — répétons-le — sont les conditions absolument indispensables pour tenter la montée vers le château de l'expérience de Dieu.

Si l'on n'obtient aucun fruit sensible, on rencontre le récif le plus dangereux de la navigation, la déception. Après tant de temps, si elle continue à ne pas sentir la voix de Dieu, si les traits de son visage demeurent imperceptibles, l'âme ne doit pas se punir en continuant à se fatiguer inutilement. On conseille de prendre en main un livre et de changer l'oraison en lecture, en prenant une attitude de repos complet. Mais toujours attentifs à l'Esprit qui peut souffler à tout moment.

Lorsque le Seigneur viendra finalement nous visiter, à l'improviste peut-être, il faut alors être prêt à répondre à son appel. Abandonner toute chose pour accourir, heureux de pouvoir « rester seuls » avec notre Seigneur même au milieu du tourbillon de la vie.

La méditation doit entraîner à la contemplation comme toute montée prend fin sur la cime. Saint Pierre d'Alcantara dit: celui qui médite resssemble à celui qui bat la pierre à feu pour obtenir quelques étincelles. Une fois le calme obtenu, de même que la concentration ou l'affection, il faut rester en repos et en silence avec Dieu, pas par des raisonnements, des concepts ou des spéculations mais par le simple regard.

La méditation est le chemin; la contemplation est le but. Une fois atteint, on dépose les moyens. La navigation cesse lorsqu'on a touché le port. Le pèlerinage terminé, la foi et l'espérance qui sont comme le vent conduisant le bateau au port, cessent. Lorsque l'âme est arrivée au « repos sabbatique » par la méditation, elle doit abandonner les rames et se laisser porter par les vagues qui ont pour nom: admiration, stupeur, jubilation, louange, adoration.

3.

SILENCE ET PRIÈRE

Ce que nous avons exposé jusqu'à présent, est en quelque sorte, *contemplation.* Je retiens que toute rencontre véritable avec Dieu (adoration) est contemplation; la *rencontre profonde* l'est à plus forte raison.

La vie est cohérente et unitaire. Nous ne pouvons pas raisonner, le bistouri en main, et dire: jusqu'ici, c'est le domaine de la méditation; ici, c'est la ligne de division entre l'oraison discursive et la contemplation. Dans les choses de la vie, il n'y a pas d'éléments chimiquement purs: tout se croise, est mutuellement compromis. Il peut y avoir une bonne dose de contemplation dans chaque méditation et vice versa. Ici nous voulons toutefois parler (même au prix de nous répéter) de la contemplation proprement dite, de la *contemplation acquise.*

Quant à la *contemplation infuse,* le Seigneur la donne quand, comment et à qui il veut. Pour l'avoir, le chrétien ne peut rien faire, ce don n'est pas un mérite, on ne l'exige ni ne le demande (me semble-t-il). Il est gratuité absolue et extraordinaire.

Nous avons déjà dit qu'au commencement, Dieu laisse normalement l'âme chercher ses propres moyens et ses appuis, puisqu'il n'existe pas d'instruments adéquats pour discerner si une opération spirituelle est l'œuvre de la grâce ou si elle est l'œuvre de la nature. Plus tard, le Seigneur même fait progressivement irruption dans le scénario, invalide les techniques humaines, arrache l'initiative, soumettant l'âme à une attitude passive, pour faire d'elle la demeure du Très-Haut.

Nous savons que tout est œuvre de la grâce, et si nous suggérons des méthodes et des sentiers, nous n'avons absolument pas l'intention de méconnaître ni de dénaturer l'action de la grâce. Nous voulons simplement préparer une demeure adéquate au Mystère, donner à la grâce une réponse positive et chercher *vraiment* le visage du Seigneur.

Silence et solitude

Dès les éternités les plus lointaines Dieu *était* silence. Mais au sein de ce silence se réalisait la communication la plus intime et la plus féconde. Dans une orbite circulaire et fermée, les relations intratrinitaires, c'est-à-dire les relations mutuelles d'attraction, de connaissance et de participation du Père avec le Fils dans l'Esprit Saint se développaient dans cette intériorité.

Il n'y a pas de dialogue plus communicateur que celui qui ne comporte pas de paroles, ou dans lequel le silence a supprimé les paroles. Saint Jean de la Croix et sainte Thérèse d'Avila constatent invariablement ce fait: au fur et à mesure que l'âme élève et approfondit ses relations avec Dieu, ce sont d'abord les paroles extérieures qui disparaissent puis les paroles intérieures; tout dialogue disparaît. Et il n'y a pas de communication plus intense qu'au moment où l'on ne dit rien.

Même l'univers fut silence pendant des milliers de siècles. Il n'y avait ni ciel ni terre, il n'y avait ni limites ni contours: « La terre était déserte et vide » (Gn 1, 2).

La Parole retentit dans ce silence cosmique et l'univers germa. La Parole fut donc féconde. Mais le silence aussi est fécond.

Tout artiste, homme de science ou penseur, a d'abord besoin de créer un grand silence en son être profond pour avoir des perceptions, des idées et des intuitions.

La vie se forme silencieusement dans le sein obscur de la terre et dans le sein silencieux de la mère. Le printemps est une explosion immense mais une explosion silencieuse.

« *Le printemps est venu.*
Personne ne sait comment » (A. Machado).

Les grands mouvements de l'histoire se sont développés dans le cerveau des grands hommes de silence.

Les hommes les plus choisis et les plus dynamiques de l'histoire sont ceux qui ont su soutenir face à face et sans se troubler, la lutte avec le silence et la solitude. Élie (cf. 1 R 17, 1-6), Jésus de Nazareth (cf. Mt 4, 1-11), Paul de Tarse (cf. Ga 2, 17 ss).

À mon avis, le « mal du siècle » c'est l'ennui qui vient de l'incapacité qu'a l'homme de rester seul avec lui-même. L'homme de l'ère technologique ne supporte pas la solitude et le silence. Et pour les combattre, il met la main à la cigarette, à un transistor ou à un téléviseur.

Pour échapper au silence, l'homme se jette aveuglément dans la dispersion, dans la distraction et dans le divertissement. Effet? la désintégration se produit dans son être profond, finissant par engendrer une sensation de solitude, l'inquiétude, la tristesse et l'angoisse. Voilà la tragédie de l'homme actuel.

Sans doute, la pratique « par moments » du silence, de la solitude et de la contemplation est plus nécessaire que jamais, et religieusement et psychologiquement, maintenant que la vitesse, le bruit, la frénésie assaillent et désagrègent l'intériorité de l'homme. L'homme lui-même est en même temps victime et auteur de l'attentat contre lui-même et il finit par se sentir menacé et malheureux.

Il y a un silence stérile. C'est celui de l'homme qui se replie sur lui-même pour fuir la communication avec les autres. Silence des morts.

Nous avons parlé d'une zone de silence et de solitude enracinée dans la constitution même de l'homme. Le dynamisme de ce silence ne pousse pas l'homme à se cacher mais à s'ouvrir au dialogue avec Dieu. Et puisque ce dialogue est amour et que l'amour est expansif, il ouvre l'homme au dialogue avec les frères. Si l'on ne trace pas cette trajectoire et si l'on n'obtient pas ces résultats, nous nous trouverons dans un silence aliénant. Paul VI a écrit:

> « La foi, l'espérance et l'amour de Dieu de même que l'amour fraternel impliquent comme une exigence, un besoin de silence » (ET, 46).

La parole doit toujours être enveloppée de silence. C'est son milieu naturel pour être féconde. On ne peut écouter Dieu que dans le silence.

> « La recherche de l'intimité avec Dieu comporte le besoin, vraiment vital, d'un silence de tout l'être, tant pour ceux qui doivent aussi trouver Dieu dans le tumulte, que pour les contemplatifs » (ET, 46).

Les moments d'avancement du Royaume de même que les grandes révélations au long de l'histoire du salut ont eu lieu dans le silence. C'est une loi constante de la réalisation des œuvres de Dieu.

> « Un silence paisible enveloppait tous les êtres et la nuit était au milieu de sa course: alors ta Parole toute-puissante, quittant les cieux et le trône royal, bondit comme un guerrier impitoyable au milieu du pays maudit, avec, pour épée tranchante, ton décret irrévocable » (Sa 18, 14-15).

Contemplation et combat

La Bible nous présente Moïse comme un contemplatif d'importance extraordinaire. Ses relations avec Dieu se déroulent dans un climat d'instantanéité, dans un « tête-à-tête » avec le Seigneur non exempt d'un certain suspense dramatique que la proximité de Dieu produit toujours.

Toute la grandeur humaine et prophétique de Moïse, le livre de l'Exode la résume dans les paroles qui suivent:

> « Le Seigneur parlait à Moïse face à face, comme on se parle d'homme à homme » (Ex 33, 11).

Moïse a été modelé directement par le burin de Dieu, au cours des longues journées et des nuits dans la nuée, enveloppé par le silence et par la solitude, face à face avec Dieu au sommet du mont. Moïse est une œuvre d'art de Dieu même. Il est ardent comme le feu et suave comme la brise (« très humble »: Nb 12, 3).

Il fut militaire, politicien et contemplatif. À regarder sa stature humaine, nous arrivons à la conclusion que tout contemplatif, lorsqu'il se laisse « prendre » par la proximité irrésistible de Dieu, se transforme en être forgé par la force, par la pureté et par le feu.

Le serviteur de Dieu harmonisa le tempérament d'un libérateur politique aux exigences d'une vie cachée en Dieu. Il alterna les batailles avec Dieu sur la cime de la montagne aux combats avec les hommes dans la vallée située au-dessous.

Dans son cas, les lois du silence et de la solitude en vue des rencontres avec Dieu assument une importance extraordinaire.

Quand Dieu veut parler avec Moïse, il l'appelle au sommet de la montagne (cf. Ex 19, 3; 19, 20; 24, 1).

Il y a des moments où les expressions « monter vers Dieu » et « monter vers la montagne » sont synonymes, comme au livre de l'Exode (cf. Ex 24, 12).

Même lorsque Moïse est déjà au sommet, Dieu exige la solitude absolue. Ainsi ordonne-t-il de tracer méticuleusement un cercle sur les premières rampes de la montagne, de manière à ce que personne ne puisse la franchir, puisque « quiconque touchera la montagne sera mis à mort » (Ex 19, 12).

C'est une solitude-silence si exigeante que, même lorsque Moïse se fait accompagner par Aaron et par les anciens, ces derniers doivent rester loin quand il entre en dialogue avec Dieu (cf. Ex 24, 2).

Le mont Sinaï est lui-même un signe fulgurant du silence et de la solitude: une hauteur de 2285 mètres, un soleil qui calcine, sable, roches, vent, solitude, et l'unique vestige vivant: les aigles.

Il y a ici un mystère terrible: Dieu prend la forme d'une nuée, symbole de l'isolement et de la solitude. Il semble y avoir une relation-identifiante entre Dieu-nuée-silence.

> « Moïse monta sur la montagne; alors, la nuée couvrit la montagne, la gloire du Seigneur demeura sur la montagne de Sinaï et la nuée la couvrit pendant six jours. Il appela Moïse le septième jour, du milieu de la nuée. La gloire du Seigneur apparaissait aux fils d'Israël sous l'aspect d'un feu dévorant, au sommet de la montagne. Moïse pénétra dans la nuée et il monta sur la montagne. Moïse resta sur la montagne quarante jours et quarante nuits » (Ex 24, 15-18).

Que se passa-t-il en ces quarante jours et quarante nuits à l'intérieur de la nuée, au sommet de la montagne? C'est un des grands mystères de l'histoire humaine.

Nous savons seulement que, lorsque Moïse en sortit et descendit dans la plaine, les fils d'Israël ne pouvaient supporter la lumière éblouissante que le visage de Moïse rayonnait. Il dut mettre un voile pour que les fils d'Israël puissent le regarder et l'écouter. Lorsqu'il entrait de nouveau dans la nuée pour parler avec Dieu, il retirait le voile: « Les fils d'Israël voyaient que la peau du visage de Moïse rayonnait. Alors Moïse replaçait le voile sur son visage, jusqu'à ce qu'il retournât parler avec le Seigneur » (Ex 34, 35).

Tout ce symbolisme est sans aucun doute chargé de signification profonde dont nous n'entrevoyons que peu de choses, tandis que presque tout son contenu nous échappe. Mais une leçon sensationnelle ressort au milieu de tant d'images, de symboles et de théophanies. Moïse, l'homme le plus « engagé » de tous les prophètes, grand libérateur et grand révolutionnaire, fut un homme qui cultiva le silence et la solitude plus que tout autre.

Flamme de feu

Un autre homme qui alterne le fracas des batailles à la solitude en Dieu, c'est le prophète Élie. Il n'est pas un prophète-écrivain mais un prophète d'action; c'est pourquoi ses longues périodes de solitude frappent l'attention. Élie se dresse étonnamment « comme une flamme » sur la scène de l'histoire d'Israël. Dieu le sépare de son milieu et le conduit à un ravin pour le transformer en « homme de Dieu ».

> « La parole du Seigneur fut adressée à Élie: 'Va-t'en d'ici, dirige-toi vers l'orient et cache-toi dans le ravin de Kerith qui est à l'est du Jourdain. Ainsi tu pourras boire au torrent, et j'ai ordonné aux corbeaux de te ravitailler là-bas.' Il partit et agit selon la parole du Seigneur; il s'en alla habiter dans le ravin de Kerith qui est à l'est du Jourdain. Les corbeaux lui apportaient du pain et de la viande le matin, du pain et de la viande le soir; et il buvait au torrent » (1 R 17, 2-6).

Et au long de sa vie, Dieu le maintient en marge de la société pour sa consécration. Il n'a pas de demeure stable. Il erre comme le vent, poussé et dirigé par Dieu même. La solitude est sa demeure.

Le prophète s'abandonne de plus en plus à la volonté de Dieu. Cet abandon l'introduit progressivement dans les intimités de Dieu les plus secrètes et les plus profondes. Il pérégrine quarante jours et quarante nuits jusqu'au sommet du mont Horeb. Et là-haut, à l'intérieur de la grotte d'abord, puis au dehors, Dieu déploie toute sa gloire et sa splendeur à son regard effaré (cf. 1 R 19, 8-18). Le mystère de cette théophanie nous restera toujours caché et inaccessible. À Sarepta, quand il rend la vie à l'enfant, nous sentons qu'il est plein de tendresse, d'intimité et de confiance en Dieu.

> « Seigneur, mon Dieu, veux-tu du mal même à cette veuve chez qui je suis venu émigré, au point que tu fasses mourir son fils? » Élie s'étendit trois fois sur l'enfant et invoqua le Seigneur en disant: « Seigneur, mon Dieu, que le souffle de cet enfant revienne en lui! » (...) La femme dit à Élie: « Oui, maintenant, je sais que tu es un homme de Dieu et que la parole du Seigneur est vraiment dans ta bouche » (1 R 17, 20-24).

Lorsqu'il paraît en public, Élie est un homme enflammé; il vit toujours attentif à la voix de Dieu selon son cri de guerre: « Par la vie du Seigneur, le Dieu d'Israël au service duquel je suis » (1 R 17, 1). Les intérêts et la gloire de Dieu sont les seules choses qui le préoccupent. C'est pourquoi la puissance de Dieu resplendira dans ses gestes et dans ses paroles.

On dirait une sentinelle attendant un ordre. Lorsque Dieu se présente à lui avec l'habituel « lève-toi! », Élie va en toute hâte accomplir sa mission audacieuse, annoncer au roi le châtiment, réunir le peuple au sommet du Carmel, faire descendre le feu du ciel sur les troupes d'Akhazias, démasquer les puissants ou passer au fil de l'épée les adorateurs de Baal.

La solitude le prépare en vue des entreprises les plus hardies. C'est une vie alternée: elle se cache en Dieu et resplendit devant les hommes.

La traversée du verbe

Le « passage » de Jésus dans le monde est l'odyssée, le grand « tout » du silence, au sens le plus profond et le plus émouvant.

Sa première étape, l'Incarnation, est la grande immersion

dans les eaux de l'expérience humaine. C'est la signification de l'intraduisible «*ekénosen*» (Ph 2, 7): il s'anéantit, *descendit* jusqu'aux profondeurs les plus lointaines de l'anonymat, de l'humilité et du silence, jusqu'aux limites ultimes de l'homme.

Il descendit dans l'humble sein d'une vierge silencieuse.

Dans le silence d'une «nuit de paix», il fit son entrée dans l'histoire, escorté par les bergers, sur le trône d'une mangeoire. Dans la nuit de Bethléem, le silence atteignit son plus haut sommet.

Aux jours de sa vie, la Parole du Père fut reçue et retenue dans les plis du silence. De son vivant, qui a su que Jésus était le Fils de Dieu?

Le silence de la présence réelle de Jésus dans l'Eucharistie est également impressionnant. Là, il n'y a aucun signe de vie, aucun signe de présence; là, on n'entend rien, on ne voit rien; contre toutes les évidences, il ne reste que le silence irréductible. Seule la foi nous libère de la perplexité.

Pendant de longues années, le silence couvrit d'un voile respectueux la totalité du mystère de Jésus: le nouveau nom du silence est Nazareth.

Jésus réalisera une course vertigineuse, du baptême jusqu'à la croix, presque avec impatience: «C'est un feu que je suis venu apporter sur la terre, et comme je voudrais qu'il soit déjà allumé!» (Lc 12, 38). Mais avant, durant les longues années précédant l'évangélisation, quelle patience! Quel silence!

Méditation et contemplation

La contemplation n'est pas un discours théologique dans lequel on fait une composition brillante avec des images de Dieu, à l'aide de prémisses et de conclusions. Il s'agit encore moins d'une réflexion exégétique cherchant à saisir le sens précis que l'écrivain sacré voulut donner au texte scripturaire.

Quelques comparaisons nous éclaireront.

Un botaniste cueille une fleur. Il prend le bistouri, divise la fleur en différentes parties, les dépose ordinairement sur sa table de laboratoire, les étudie au microscope. Bref, il comprend la fleur en la sectionnant au moyen d'un instrument (*lui-même* est loin de la fleur). Il *comprend analytiquement.*

Un poète, au contraire, ne cueille pas la fleur: il *est pris* par la fleur. « Il comprend » la fleur, en s'abstrayant, émerveillé, reconnaissant, et presque identifié à toute la fleur, pas à ses différentes parties. Il la comprend possessivement. Ces concepts restent synthétisés dans l'exclamation du poète: quelle belle fleur!

Un méditatif (ou un théologien) ne prend pas Dieu mais les concepts de Dieu. Puis, il distingue ces concepts et les divise, les met en ordre et les combine; tire les conclusions et les applique à la vie. Il comprend à travers l'instrument de l'intelligence, pouvant dire qu'elle est « loin » de Dieu lui-même puisqu'il n'y a pas de contact personnel. Il comprend analytiquement.

Un contemplatif ne prend pas Dieu, il *est pris* par Lui. C'est un homme éminemment séduit et ravi. « Il comprend » Dieu, émerveillé et reconnaissant, identifié à Lui, de personne à personne, adhésivement, expérimentalement, vaguement, dans une action totalisante. Il *comprend possessivement.*

Le contemplatif n'est donc pas d'abord un spectateur mais un admirateur. Dans la compréhension (verbe actif) il y a des éléments passifs: admiration, gratitude, émotion. Par conséquent, la contemplation se situe au même niveau que l'admiration. Il s'agit de la stupéfaction tenue en suspens qu'expérimentait Paul lorsqu'il disait: « Ô profondeur de la richesse, de la sagesse et de la science de Dieu! Que ses jugements sont insondables et ses voies impénétrables! » (Rm 11, 33).

J'oserais dire qu'en un certain sens, la capacité contemplative d'une personne est proportionnée à sa capacité d'étonnement. Le contemplatif n'est donc jamais avec soi-même ou tourné vers soi. Il est toujours *en exode,* en mouvement de sortie et de projection vers l'Autre, complètement « extasio » et ravi par l'Autre.

Comme nous le savons, la capacité d'étonnement et le narcissisme se situent dans un rapport inverse. Le narcissisme est la même chose que l'infantilisme, tout comme la maturité et le narcissisme sont à l'opposé l'un de l'autre. L'adhésion désordonnée à nous-mêmes provoque les réactions d'euphorie ou de dépression, déséquilibrant la stabilité émotionnelle.

Dans la contemplation, il n'y a aucun point de référence à nous-mêmes. Peu importe au contemplatif les choses qui se rapportent à lui-même; seules comptent les choses se rapportant à l'Autre. Il ne s'exalte pas pour les triomphes et ne se laisse pas déprimer par les échecs. C'est pourquoi, nous voyons les grands contemplatifs pleins de maturité et de grandeur, doués d'une présence d'esprit inaltérable, avec la sérénité typique de celui qui est installé dans une orbite de paix au-dessus du va-et-vient, des agitations et des mesquineries de la vie quotidienne.

Le méditatif est expressif et éloquent. Dans son être profond, il y a une intense activité de ruche, un perpétuel aller et venir qui saute sans arrêt des prémisses aux conclusions, des inductions aux déductions. La tête du méditatif est peuplée de concepts qu'il analyse et déchiffre inlassablement, distingue et divise, explique et applique.

Au contraire, le contemplatif est plongé dans le silence. En son être profond, il n'y a pas de dialogue mais un courant de communication, chaud et palpitant bien que latent. C'est le silence habité par la stupéfaction et la présence qu'éprouvait le psalmiste lorsqu'il disait: « Seigneur, notre Seigneur, que ton nom est magnifique par toute la terre ! Mieux que les cieux, elle chante ta splendeur ! » (Ps 8).

Il n'affirme rien. Il n'explique rien. Il ne comprend pas et ne prétend pas comprendre. Il est arrivé au port, il a laissé les rames et il est entré dans le *repos sabbatique.* Il jouit de la pleine possession où les désirs et les paroles se taisent à jamais. Maintenant, l'union se consume d'être à être (sans besoin de paroles), de profondeur à profondeur, de mystère à mystère.

Au contemplatif, il suffit de *rester* « aux pieds » de l'Autre sans savoir et sans vouloir rien savoir; il suffit de regarder et de savoir qu'il est regardé, comme par une tombée du jour sereine où les attentes se calment *complètement,* où tout semble une éternité tranquille et pleine. Nous pourrions dire que le contemplatif est muet, ivre, identifié, enveloppé et pénétré de la Présence, comme dit saint Jean de la Croix:

> « Je demeurai et j'oubliai,
> le visage baissé sur l'Aimé;
> j'arrêtai tout et je m'abandonnai
> en laissant toute crainte,
> parmi les lis, oubliée. »

Le contemplatif pourrait même comprendre mieux que le théologien le mystère plus profond de Dieu, de Jésus, de la vie éternelle; il ne peut toutefois exprimer ces expériences et peut-être peut-il encore moins avoir la conscience directe de ce qu'il « comprend ». Et ceci, parce que sa conscience est trop pleine, trop profonde et qu'il est impossible de l'exprimer en concepts.

En résumé: la méditation est analytique, conceptuelle, impersonnelle, inductive, différenciée, sélective et schématique.

En échange, la contemplation est intuitive, intégratrice, subjective, synthétique, totalisante, affective et unifiante.

Malgré cela, comme nous l'avons déjà dit, tout est équitablement mélangé dans la vie.

Adhésion

Ce que nous avons dit, le Concile nous l'a magistralement enseigné.

En effet, il affirme que l'homme est né pour continuer à vivre au-delà de la mort; que son destin final est dans la contemplation éternelle du mystère inépuisable de Dieu. Voici une description superbe de la contemplation:

> « Dieu a appelé et appelle l'homme à adhérer à Lui de tout son être, dans la communion éternelle d'une vie divine inaltérable » (GS, 18).

On ne pouvait dire mieux. Il est intéressant de signaler l'emploi de la parole, *adhérer,* parole qui renferme et enveloppe la connaissance, l'amour, l'admiration, l'engagement, l'abandon et la vie.

Comme nous l'avons déjà dit, l'instrument de la contemplation n'est pas seulement l'intelligence discursive. C'est l'être tout entier qui participe à la contemplation unifiante, « avec toute sa nature ».

La contemplation telle que nous sommes en train de l'expliquer, se rapprocherait du contenu qu'a la parole *connaître* dans la Bible: elle va au-delà du savoir humain et elle exprime une relation existentielle. Connaître quelque chose, c'est en avoir une expérience concrète. Ainsi connaît-on la souffrance (cf. Is 53, 3), le bien et le mal (cf. Gn 2, 9); c'est une implication réelle aux conséquences profondes.

Connaître quelqu'un, c'est entrer dans des relations personnelles avec lui. Ces relations peuvent avoir plusieurs formes et comporter plusieurs degrés. Entre toutes les formes, dans la Bible, connaître (comme contempler) signifie entrer dans un grand courant de vie, qui jaillit du cœur de Dieu, y retourne.

L'insistance avec laquelle Paul VI parla de la contemplation dans le discours de clôture du Concile frappe l'attention. Il fait d'abord allusion à la « relation directe avec le Dieu vivant »: définition précise et précieuse de la contemplation. Il se demande ensuite si « nous avons cherché sa connaissance et son amour »: autre manière très juste de se rapporter à l'acte et à l'attitude de la contemplation. Plus loin, il se demande si les séances conciliaires ont permis d'avancer dans le mystère de Dieu; enfin, avec plus d'accent et d'émotion, il arrive à proclamer:

> « ... que Dieu existe, qu'il est réel, qu'il est vivant, qu'il est personnel, qu'il est providence, qu'il est infiniment bon, notre créateur, notre vérité, notre bonheur; de la sorte, que l'*effort de fixer en Lui le regard et le cœur,* ce que nous appelons *contemplation,* soit l'acte le plus sublime et le plus plein de l'esprit, l'acte qui peut et doit aujourd'hui hiérarchiser l'immense pyramide de l'activité humaine. »

L'objet de la contemplation n'est pas une idée ni même la vérité mais Quelqu'un qui est, à son tour, la source originelle et le but final de nos destins et de nos vies.

Élever toutes les énergies humaines pour les faire adhérer à Dieu constitue l'acte le plus sublime de l'esprit humain. Cet acte résume et met l'ordre précis de priorité dans les valeurs et dans les attitudes humaines.

En insistant sur ces mêmes concepts, le Concile fait une autre tentative sérieuse pour déchiffrer la nature de la contemplation, dans sa forme dynamique. En parlant de la manière d'intégrer l'activité et l'oraison, il dit que les religieux doivent avant tout « unir la contemplation par laquelle ils adhèrent à Lui de cœur et d'esprit, et l'amour apostolique... » (PC, 5).

Connaissance générale, vague et amoureuse

Dans la mesure où le chrétien gravit la pente de la contemplation, Dieu qui est l'objet de cette contemplation, disparaît progressivement. Dieu perd doucement les formes, les images, les représentations jusqu'à disparaître et se réduire à l'essence pure. Toutefois, Dieu n'est jamais si tangibilité, transformation, force, universalité et action qu'au moment où il se réduit à la *pureté essentielle* dans la foi.

Oui, pour la contemplation pure, même Dieu doit se taire, dépouillé finalement des différents habillements dont notre imagination l'a revêtu, c'est-à-dire que ce Dieu doit s'appauvrir. Les « vêtements » de Dieu n'intéressent pas le contemplatif, ce qui l'intéresse, c'est *Lui-même en lui-même*; pas la figure mais la substance, pas Dieu-parole mais Dieu-silence, bien que le Seigneur ne soit jamais tant parole et tant substance qu'en ce moment de silence.

Lorsque deux silences se croisent au point de se confondre, une grande explosion se produit. Les paroles apportent des concepts et les concepts apportent des « parcelles » de Dieu. Mais seul le silence peut embrasser *Celui qui est* et qui reste au-dessus des concepts et des paroles.

Pour savoir si nous sommes en train de marcher sur le terrain de la contemplation, saint Jean de la Croix nous donne les signaux suivants:

1) — Goûter la solitude, l'attention amoureuse tournée vers Dieu;

— rester seuls, avec perception amoureuse et calme.

2) — Laisser l'âme en repos et tranquille, même avec l'impression de perdre du temps;

— demeurer dans la paix intérieure, la tranquillité et le réconfort.

3) — Laisser l'âme libre, dépouillée et reposée de tout discours mental, sans se préoccuper de penser ou de méditer;

— sans considération particulière, sans acte et sans exercice au moins des puissances discursives, qui est un va-et-vient de part et d'autre.

4) — Éviter les affections et les préoccupations qui inquiètent et distraient l'âme du calme paisible;

— seulement de la connaissance générale et de l'attention amoureuse, sans comprendre sur quoi.

Toutes ces caractéristiques se résument dans les trois notes: connaissance générale, vague et amoureuse.

Générale parce qu'il s'agit d'une attention extensive ou diffuse, c'est-à-dire l'attention ne se concentre pas de façon convergente sur un aspect concret, mais elle s'étend ou se répand sur l'objet global qui est Dieu.

Lorsque nous contemplons un paysage, nous ne centrons pas notre regard sur le feuillage d'un peuplier ou sur une cime aride, mais nous l'étendons avec beaucoup de détails sur l'ampleur de l'horizon. On dit « regarder l'infini ». De façon analogue, le regard de la contemplation est étendu, extensif, général.

Connaissance *vague* par opposition à analytique. Tout ce qui est analytique est clair parce que dans l'analyse, il y a de la division et où il y a de la division, il y a de la clarté. Si l'on veut « vaincre » (conquérir) une vérité, il faut commencer par la diviser: divise et tu vaincras. La connaissance contemplative est donc vague parce que non analytique.

Elle est également vague parce que l'activité contemplative n'est pas intellectuelle mais consciente et la conscience s'identifie si substantiellement à ma propre personne que la distance et les perspectives manquent pour mesurer et peser le vécu; c'est pourquoi on ne peut l'exprimer en concept parce que l'expérience est, de par sa nature, dense, pleine, et trop proche.

Bien qu'elle soit vague, il n'existe toutefois pas dans l'intelligence une connaissance humaine qui donne autant de certitude et qui projette autant de clarté que la connaissance de la contemplation.

Le contemplatif survole les cimes théologiques et les clartés exégétiques; plus il s'enfonce dans les abîmes, plus il se retrouve égaré et éloigné; plus il rencontre de denses obscurités, plus il perçoit de plus grandes clartés; l'intelligence paralysée et sans mouvements acrobatiques, il ne comprend pas, mais possède la *Science* et l'Essence divine; plus il devient sage, plus il reste muet, remontant et croisant de son vol les cimes les plus élevées de toutes les sciences. Saint Jean de la Croix le dit bien:

« Je suis entré dans un endroit que j'ignorais
et je suis resté sans savoir
une chose qui surpasse toute science.

« J'en étais si enivré,
si absorbé et si hors de moi
que ma faculté de sentir
resta privée de toute activité
et mon esprit enrichi
du pouvoir de comprendre sans comprendre,
une chose qui surpasse toute science.

« Plus on s'élève,
moins on comprend
que c'est la nuée ténébreuse
qui fait resplendir la nuit.
voilà pourquoi celui qui la connaît
reste toujours sans savoir
une chose qui surpasse toute science. »

Enfin, connaissance *amoureuse*, émotionnelle. La proximité de la personne aimée produit toujours attente et émotion. Celle du contemplatif est une rencontre de personne à personne. Elle est donc une sorte de possessivité; le cœur s'embrase, un courant circulaire et alterné de donner et recevoir, de s'ouvrir et d'accueillir, s'établit.

Encore saint Jean de la Croix:

Dans les splendeurs desquelles
les profondes cavernes du sens,

qui était obscur et aveugle,
donnent avec une perfection extraordinaire
chaleur et lumière, tout à la fois, à leur Bien-Aimé.

Dans la plénitude totale

Donc, Dieu « a appelé et appelle l'homme à adhérer à Lui de toute sa nature » (GS, 18). Il s'agit de plénitude, qui est expérience de l'intégration intérieure. Lorsque l'attention (conscience) pénètre tous les départements de l'édifice humain, nous pouvons dire que la personne est intégrée. Ce qui n'est pas intégré n'est jamais plein. Lorsque le chrétien prie (ou essaie de le faire) en état dépressif, il finit toujours par se sentir frustré, justement parce qu'il n'a pas fait (ni ne peut faire) oraison dans cet état.

Le même ennemi est toujours présent — la dispersion qui provoque un état de conflit: les critères contre les impulsions, les comportements contre les jugements de valeur. Où il y a conflit, il n'y a pas de paix, où il n'y a pas de paix, Dieu est absent.

Comment intégrer l'esprit? D'une part, il n'y a pas de force plus intégratrice que Dieu même. Comparées à lui, les thérapies intégratrices ne valent rien. Le mystère profond du Seigneur s'étend en éventail dans toute la personne, en traverse et purifie les différentes parties; en Dieu, le chrétien se sent quelqu'un de solide et d'indestructible. Mais, d'autre part, avant de pouvoir adhérer à Dieu par la plénitude totale, il a besoin d'atteindre un degré élémentaire d'intégration. Comment l'obtenir?

L'homme perçoit son unité intérieure lorsque sa conscience se *fait présente* simultanément en toutes ses parties. Mais il arrive que la conscience ne peut rester dans les différentes parties *en même temps.* Que faire alors?

Il faut obtenir que la conscience se fasse pleinement présente à elle-même. Et, à ce point, dans le silence de tout l'être, il arrive que la *profondeur de soi-même* s'étende dans le territoire de la personne, intégrant tout par sa présence. Lorsque la conscience est « en » elle-même, elle est aussi « en » toutes ses composantes. Si l'intelligence est absolument maîtresse d'elle-même, toutes ses parties restent intégrées.

Exercice de silence et de présence

Il est possible que tu aies, au début, l'impression d'être en train de perdre du temps par cet exercice. Ne t'impatiente pas. Persévère. Pense qu'il s'agit de la pratique la plus efficace pour obtenir l'*esprit d'oraison* et pour « marcher en présence de Dieu », le long du sentier de toute grandeur spirituelle.

Milieu favorable: si possible, choisis un lieu solitaire, une chapelle, une habitation, un bosquet, une colline.

Temps: réserve à cette pratique un « temps fort » où tu n'es pas poursuivi ni par la hâte ni par les préoccupations.

Position: confortable et priante, dans le calme complet.

Obtiens le silence progressif selon les indications données précédemment. Obtiens le vide intérieur en suspendant l'activité des sentiments et des émotions, en éteignant les souvenirs du passé, en te libérant des préoccupations du futur, en t'*isolant* et en te *détachant* de tout ce qui s'agite en toi et en dehors de toi.

Ne pense à rien; mieux, ne pense rien.

Porte-toi plus loin que le sentir, plus loin que le mouvement, plus loin que l'action, sans rien « regarder » ni en toi ni en dehors, sans t'accrocher à rien, sans te laisser accrocher par rien, sans *te fixer* sur rien...

Rien en dehors de toi; rien en dehors de ce moment.
Pleine présence de toi-même à toi-même.
Une attention pure et nue.

Maintenant, une fois que tu as obtenu le silence, en te plaçant sur la plate-forme de la foi, tu dois t'ouvrir à la Présence.

Reste simplement comme une attention tournée vers l'Autre, comme celui qui regarde sans penser, comme celui qui aime et se sent aimé.

Au moment même où tu t'es placé dans l'orbite de la foi, tu dois éviter de te *représenter* Dieu. Toute image, toute forme représentative de Dieu doit disparaître. Fais taire Dieu, dépouille-le de tout ce qui signifie *localisation.* Lui « *n'est pas* » loin ou proche, dessus ou dessous, en avant ou en arrière. Lui est l'Être. Lui est la Présence pure, aimante, enveloppante, pénétrante, et omniprésente. *Lui est.*

Oublie que tu existes. Ne te regarde pas toi-même. La contemplation est fondamentalement *es-stasis*: sortie. Ne te préoccupe pas si « cela » est Dieu. Ne t'inquiète pas si « cela » appartient à la nature ou à la grâce.

Ne prétends pas comprendre ou analyser ce que tu vis. Il existe seulement un *Tu* pour lequel tu es en ce moment une attention ouverte, amoureuse et calme.

Pratique l'exercice auditif indiqué précédemment. Presque insensiblement, le silence remplacera la parole jusqu'à ce que, au moment où l'esprit est *mûr,* la parole « tombera » par elle-même. Ne prononce rien avec les lèvres. Ne prononce rien avec l'intelligence.

Tu regardes et tu es regardé. Tu aimes et tu es aimé.

La Présence pure, dans le silence pur et dans la foi pure, consumera une alliance éternelle.

Il est rien. Il est Tout.

Tu es le récipient. Dieu est le contenu. Laisse-toi remplir.

Tu es la plage. Il est la mer. Laisse-toi inonder.

Tu es le champ. La Présence est le soleil. Laisse-toi vivifier.

Reste ainsi longtemps. Ensuite « retourne » à la vie, rempli de Dieu.

Je connais des personnes qui font de la contemplation *imaginative.* Elles entrent dans une chapelle dans le calme complet. Elles regardent Jésus dans la foi; elles sentent qu'Il les regarde. Elles ne disent rien. Elles n'entendent rien. Dans le calme total, elles se limitent simplement à « rester ».

Chapitre V

ORAISON ET VIE

Je reconnais que l'oraison peut se transformer rapidement, et sans que nous nous en apercevions, en évasion égoïste et aliénante. Il y a eu des personnes qui ont fait de l'oraison une activité stérile pas parce qu'elles étaient soumises à l'épreuve de l'aridité mais parce que, en vivant dans une dévotion sensible, elles avaient cherché le plaisir, la paix et les consolations en elles-mêmes.

Tout ce que nous essayons de promouvoir dans ce livre peut nous détruire comme une statue d'argile si l'on ne suscite pas une rude et perpétuelle dispute entre la vie et l'oraison. La vie doit défier l'oraison et l'oraison devra provoquer la vie.

De nos jours, plusieurs jeunes jugent et condamnent les *anciens* parce que, selon eux, ces derniers, même s'ils n'omettent jamais de prier, restent toute la vie, égoïstes et enfantins.

Les jeunes (quelques-uns) disent ne pas se préoccuper de prier; pourquoi prier... dans quel but? pour rester enfantins et vivre mécontents comme ceux qui prient? Mais ils devraient comprendre facilement que ce n'est pas parce qu'ils prient que certains anciens sont «comme cela». Ce pourrait être parce qu'ils prient mal ou ne prient pas bien. On peut également se demander: si en priant ils sont comme cela, comment seraient-ils s'ils ne priaient pas. Quant à ceux qui critiquent, ne s'agirait-il pas de prétextes ou de rationalisations subtiles pour justifier leur comportement?

Quoi qu'il en soit, ce phénomène que certains jeunes signalent et accusent (l'incohérence entre l'oraison et la vie) m'a toujours déconcerté. On ne peut pas généraliser, il est vrai. Cela n'arrive pas à tous. Nous connaissons de nombreux cas de personnes (sans oublier le nôtre) qui font des efforts surhumains et prolongés pour surmonter, *en Dieu,* leurs défauts congénitaux de même que les côtés négatifs de leur personnalité. C'est pourquoi on ne doit jamais dire légèrement: « Ils prient et ne changent pas. » Nous ignorons tout de leur lutte silencieuse. Le changement est toujours graduel et très lent.

Il faut toutefois nous préoccuper de la dichotomie fréquente entre l'oraison et la vie, et essayer d'en recomposer l'harmonie.

Malheureusement, il y a les cas très fréquents de personnes pieuses qui, tout en dédiant de nombreuses heures de leur journée à Dieu, portent jusqu'aux derniers jours le poids d'un amas de défauts: elles sont toujours en conflit, soupçonneuses, puériles, agressives. Elles n'ont apparemment pas « grandi »; au contraire, elles sont allées de plus en plus mal.

Comment cela est-il possible? Pourquoi Dieu ne les a-t-il pas libérées, affermies dans sa paix, dans la maturité, dans l'humilité, dans l'amour? Pourquoi n'ont-elles pas « grandi » un peu au moins?

Peut-être qu'au lieu d'adorer Dieu ces personnes se sont vouées au culte d'elles-mêmes. Elles ont été victimes d'un phénomène subtil, aussi inconscient que tragique, de *déplacement (transfert)*: sans le savoir, elles ont effectué une transposition de leur je en ce qu'elles appelaient « Dieu ».

Ce Dieu invoqué avec tant de dévotion n'était pas le vrai Dieu. C'était une « projection » de leurs craintes, de leurs désirs, de leurs ambitions. En Dieu, elles se sont recherchées elles-mêmes; elles se sont servies de Dieu au lieu de servir Dieu. Ce Dieu n'a jamais été *l'Autre,* c'est-à-dire le centre véritable de leur attention et de leur intérêt. Elles ne sont jamais sorties d'elles-mêmes et elles se sont constituées centre (« Dieu ») de leur propre dévotion.

Au lieu d'aimer Dieu, elles n'ont aimé (« en Dieu ») qu'elles-mêmes. Leur Dieu est donc un faux dieu, une idole, un dieu confectionné à la mesure de leurs passions. C'est pourquoi, elles sont toujours centrées sur elles, même lorsqu'elles prient. Elles restent toute leur vie fermées en un cercle égocentrique. Voilà la raison pour laquelle elles ne grandissent pas en maturité et elles traîneront jusqu'à la sépulture leur infantilisme, leur agressivité et leurs défauts congénitaux.

S'il n'y a pas de sortie de soi, il n'y a pas de liberté. Il n'y a pas de liberté sans amour. S'il n'y a pas d'amour, il n'y a pas de maturité.

1.

LIBÉRATION

Le Dieu de la Bible est un Dieu libérateur. C'est celui qui interpelle toujours, qui dérange et qui provoque. Il ne répond pas mais demande. Il ne résout pas, il suscite des conflits. Il ne facilite pas, il crée des difficultés. Il n'explique pas, il complique. Il n'engendre pas des enfants mais des adultes.

Nous l'avons converti en un « Dieu-explication » de tout ce que nous ne savons pas, un « Dieu-pouvoir » pour résoudre toutes nos impuissances, un « Dieu-refuge » pour toutes nos limitations, nos défauts et nos désespoirs. C'est la projection de nos peurs et de nos incertitudes. Mais ce n'est pas le vrai Dieu de la Bible.

Quelques personnages fameux de notre siècle ont affirmé que la religion produit des individus aliénés et infantiles. Selon leurs explications psychoanalytiques, ce « dieu » qui explique et résout toutes choses est le grand « sein maternel » qui libère (aliène) les hommes des risques et des difficultés de la vie et leur épargne la lutte ouverte dans le champ de la liberté et de l'indépendance. Dans ce sens, Nietzsche avait raison d'affirmer que la présence là-haut de ce « dieu » a empêché qu'ici-bas les hommes parviennent à leur âge *majeur,* ils sont donc restés enfants. Mais ce n'est pas le vrai Dieu de la Bible.

Ce « dieu » doit mourir. Dans ce sens, nous pouvons parler correctement de la « mort de Dieu ». C'est le mensonge de Dieu, le faux masque de Dieu inventé par notre imagination, adopté par notre orgueil, par notre ambition, par notre ignorance et notre paresse.

Le vrai Dieu, c'est le Dieu perpétuellement pascal qui nous arrache à nos incertitudes, à nos ignorances et à nos injustices, pas en nous poussant à les fuir mais à les affronter pour les vaincre. Le vrai Dieu est celui qui, selon le prophète Ezéchiel, dit aux hommes: « Je vous mènerai au désert des peuples et là, face à face, j'établirai mon droit sur vous... Je vous ferai passer sous ma houlette et je vous introduirai dans le lien de l'alliance» (Ez 20, 35-37). C'est celui qui abandonne son Fils seul dans l'agonie, en face de la mort. C'est le Dieu des adultes.

Celui-là même qui, après avoir créé l'homme, ne le laisse pas enfant dans les bras maternels pour le sauver des dangers de la vie, mais lui coupe rapidement le cordon ombilical et lui dit: « Soyez féconds et prolifiques, remplissez la terre et dominez-la » (Gn 1, 28). Le vrai Dieu n'est pas un Dieu qui aliène mais un libérateur qui fait grandir, mûrir, qui libère les hommes et les peuples.

Le salut intégral

Dans la Bible, il ne s'agit pas seulement ni surtout du *salut de l'âme*. Le salut apporté par Jésus, dont le programme est annoncé sur la montagne des Béatitudes (cf. Mt chap. 5-7) saisit et embrasse l'homme entier. Ce programme de salut descend jusqu'aux racines de l'homme, s'enfonce dans l'inconscient refoulé, éclaire d'une splendeur éblouissante les régions sombres des impulsions et des motivations, réveille la conscience des rêves de toute-puissance et de ses délires de grandeur, lui place les pieds sur le sol de l'objectivité et le fait entrer dans la zone de la sagesse, de la maturité, de l'humilité et de l'amour.

En un mot, il est le salut intégral. Le Dieu de l'oraison doit être un Dieu qui défie, provocateur, c'est-à-dire un Dieu libérateur.

* * *

Le drame de l'homme consiste en ceci: depuis le jour fatidique du paradis où il succomba à la tentation de devenir comme Dieu (cf. Gn 3, 5), l'homme porte au plus profond de ses entrailles un instinct ancestral, sombre et irrésistible de se constituer « dieu » et de réclamer toute l'adoration.

Un dieu qui soumet violemment, qui presse et oblige les hommes et les créatures à être ses « adorateurs ». Il « s'approprie » les valeurs et les réalités qu'il découvre à sa portée: argent, beauté, sympathie, intelligence, sexe... il soumet tout à son service et à son adoration. « Car la création... a été livrée au pouvoir du néant » (Rm 8, 20). Il emploie et abuse de ce qu'il considère « sien » comme un despote.

S'il pouvait dominer le monde entier, il le ferait. S'il pouvait s'approprier toutes les créatures, il le ferait. S'il pouvait opprimer tous les hommes, il le ferait. Il éprouve une folle et insatiable soif d'honneur, d'approbation et d'adoration. Sa vie est une guerre de concurrence pour toujours s'assurer quelque chose de plus. Le péché habite l'être profond de l'homme et le péché consiste à prétendre *être comme Dieu.*

Tout ce qui menace d'éclipser son pouvoir et de le déshonorer est automatiquement qualifié d'ennemi; le spectre de l'inimitié naît en lui, la guerre contre tout concurrent éclate.

Il vit plein de délires, d'hallucinations et de mensonges: par exemple, s'il aime, il croit aimer, en réalité, il s'aime presque toujours lui-même; plus il a, plus il croit être libre, tandis qu'en réalité il est de plus en plus esclave; plus il parvient à dominer de gens, plus il se sent seigneur, tandis qu'en réalité, il est plus dépendant que jamais.

Saint François disait: « L'ennemi de l'homme, c'est sa propre chair. » Effectivement, par son désir fou d'être le premier et au-dessus de tous, l'homme se punit lui-même par des envies, des impuissances, des jalousies, des préoccupations, des anxiétés impossibles; il se convertit en victime pour créer des empires, des hégémonies et des domaines qui l'écraseront.

Il exploite le pauvre. Il passe par-dessus la justice et la miséricorde pour thésauriser davantage. Il est insensible aux clameurs des pauvres. Il amoncelle des biens aux dépens de la sueur et du sang du travailleur. Lorsqu'un pauvre devient riche, il devient souvent le pire exploiteur des pauvres.

En un mot, l'homme vit esclave de lui-même. Il a besoin de libération. Au fond, il est un idolâtre. Il a besoin de rédemption.

Donner un lieu à Dieu

Si l'esclavage est l'idolâtrie (« égolâtrie »), tout le problème de la libération consiste à enlever le « dieu-je » pour le remplacer par le vrai Dieu. Le salut consiste à laisser Dieu être *mon Dieu*. Pour y arriver, il faut démolir le monde de désirs, de rêves et de chimères construit autour de l'idole « je » et qui, à son tour, le regénère et l'auréole continuellement. Il faut démolir, nettoyer de nouveau et vider l'être profond de l'homme de toutes les « appropriations » absolutistes et divinisantes afin que Dieu en prenne possession et qu'il y déploie son royaume saint.

La ligne de la libération passe donc par le méridien de la « pauvreté et de l'humilité de notre Seigneur Jésus Christ » (Saint François).

> « Le pauvre qui est nu sera vêtu; et l'âme qui se sera dépouillée de ses appétits, que tu le veuilles ou non, Dieu l'habillera de sa pureté, de son amour et de sa volonté » (Saint Jean de la Croix).

Seul le sentier du « rien » (libération absolue, nudité totale) doit nous conduire à la cime de tout ce qui *est* Dieu. Saint Jean de la Croix écrit: « L'âme doit se libérer de tout ce qui n'est pas Dieu pour aller à Dieu. »

Au désert du Sinaï, la formule de l'Alliance sonna comme suit: « C'est moi le Seigneur, ton Dieu... Tu n'auras pas d'autres dieux face à moi » (Ex 20, 2-3). Avec la force sauvage d'une formule désertique et primitive, la Bible nous enseigne le secret final du salut: que Dieu soit Dieu *en nous*.

Nous trouvons une expression de cette rudesse dans la scène biblique où Mardochée aurait pu sauver son peuple en se prosternant devant l'orgueilleux Aman:

> « Toi, tu connais tout ! Tu le sais, toi, Seigneur, ni suffisance, ni orgueil, ni gloriole ne m'ont fait faire ce que j'ai fait: refuser de me prosterner devant l'orgueilleux Aman. Volontiers, je lui baiserais la plante des pieds pour le salut d'Israël. Mais ce que j'ai fait, c'était pour ne pas mettre la gloire d'un homme plus haut que la gloire de Dieu; et je ne me prosternerai devant personne si ce n'est devant toi, Seigneur, et ce que je ferai là ne sera pas orgueil » (Est 4, 17d-17e).

Eh bien, l'unique « dieu » qui peut rivaliser avec Dieu pour régner sur le cœur de l'homme, c'est l'homme lui-même.

Au fond, il y a un mystère tragique: notre « je » tend à se changer en « dieu ». C'est comme si nous disions: notre « je » réclame et exige à tous les niveaux le culte, l'amour, l'admiration et l'adoration qui ne peuvent être attribués qu'à Dieu. Les idoles d'or, de pierre et de bois qui paraissent dans la Bible pour rivaliser avec Dieu (veau d'or, statues de Mardouk, Baal, Astarté) n'ont pas de réalité: ce sont de purs symboles.

L'unique idole qui puisse vraiment disputer « d'égal à égal » à Dieu son règne sur le cœur de l'homme, c'est l'homme lui-même. En conclusion, l'un ou l'autre se retire, car les deux ne peuvent gouverner en même temps un même territoire. « Personne ne peut servir deux maîtres » (Mt 6, 24).

Si la libération consiste dans le fait que Dieu soit Dieu *en nous*, et si l'unique « dieu » qui puisse empêcher ce règne est le « dieu-je », nous arrivons à conclure que, à travers la Bible, le règne est un disjonctif excluant ou Dieu ou l'homme; entendu par homme, le « vieil » homme, enroulé sur lui-même, avec ses folles anxiétés de dominer, de s'emparer de tout et d'exiger tout honneur et toute adoration.

Lorsque l'être profond de l'homme est libéré des intérêts, des possessions et des désirs, Dieu peut s'y faire présent sans difficultés. Au contraire, si notre être profond est occupé par l'égoïsme, alors, il n'y a pas de place pour Dieu. Le territoire est occupé.

Nous arrivons ainsi à comprendre que le premier commandement est identique à la première béatitude: dans la mesure où nous sommes pauvres, détachés et désintéressés, Dieu est « davantage » Dieu en nous. Plus nous sommes « dieu » pour nous-mêmes, « moins » Dieu est en nous. Le programme est donc très clair: « Il faut qu'il grandisse et que moi, je diminue » (Jn 3, 30).

Le prophète Isaïe exprime ces idées avec une finesse incomparable:

« L'orgueilleux regard des humains sera abaissé,
les hommes hautains devront plier:
et ce jour-là, le Seigneur seul sera exalté.
Car il y aura un jour pour le Seigneur, le tout-puissant,

contre tout ce qui est fier, hautain et altier
et qui sera abaissé:
contre tous les cèdres du Liban, hautains et altiers,
et contre tous les chênes de Bashân,
contre toutes les montagnes hautaines
et contre toutes les collines altières,
contre toutes les hautes tours
et contre toutes les murailles inaccessibles,
contre tous les vaisseaux de Tarsis
et contre tous les bateaux somptueux.
L'orgueil des humains devra plier,
les hommes hautains seront abaissés;
et ce jour-là, le Seigneur seul sera exalté
— et toutes ensemble, les idoles disparaîtront...
En ce jour-là, les humains jetteront aux taupes et aux chauves-souris leurs idoles d'argent et leurs idoles d'or, qu'ils avaient fabriquées pour se prosterner devant elles.
Ils iront dans les trous des rochers, dans les fissures du roc, devant la terreur du Seigneur et l'éclat de sa majesté quand il se lèvera pour terrifier la terre» (Is 2, 11-21).

«Heureux les pauvres en esprit, car le royaume des cieux est à eux» (Mt 5, 3). À mesure que l'homme devient pauvre, en se dépouillant, en fonction de Dieu, de toute appropriation intérieure et extérieure, le règne de Dieu commence automatiquement et simultanément à s'étendre en son être profond. Si Jésus dit que le premier commandement contient et accomplit toutes les Écritures (cf. Mt 22, 40), nous pouvons ajouter parallèlement que la première béatitude contient et accomplit tout l'Évangile du Christ.

La libération avance donc par le chemin royal de la pauvreté. Le règne est comme un axe extraordinairement simple qui traverse toute la Bible en avançant sur deux points d'appui: le premier commandement et la première béatitude. Que Dieu soit *réellement* Dieu (premier commandement), on peut le vérifier dans les pauvres et dans les humbles (première béatitude). D'où la tradition biblique selon laquelle le pauvre-humble est la *propriété* de Dieu, et Dieu est l'*héritage* des pauvres. Eux seuls posséderont le royaume.

Le salut équivaut à l'amour. Mais la quantité d'amour équivaut à la quantité d'énergie libérée dans notre être profond; ce qui veut dire que l'amour est proportionnel à la pauvreté. C'est pourquoi saint François dit: « La pauvreté est la racine de toute sainteté » (Saint Bonaventure, *Legenda Major*).

L'oraison doit être un moment et un moyen de libérer toutes les forces recueillies au centre de nous-mêmes pour les placer au service des hommes.

Libres pour aimer

Être pauvre (liberté absolue) est aussi une condition indispensable à la création d'une *fraternité* joyeuse.

Saint François d'Assise qui n'eut pas l'intention de fonder un ordre mais une fraternité itinérante de pénitents et de témoins, plaça la pauvreté-humilité évangélique comme l'unique condition et possibilité de constituer ses disciples en fraternité réelle.

François se rendit clairement compte que la propriété est potentiellement violence. Lorsque l'évêque Guido lui demanda « Pourquoi ne veux-tu pas des propriétés pour les frères? », François répondit: « Si nous avions des propriétés, nous aurions besoin d'armes pour les défendre. » Réponse profondément sage.

Si les hommes sont pleins d'eux-mêmes, pleins d'intérêts, les intérêts des uns se heurteront contre les intérêts des autres et la fraternité sera bouleversée. Lorsque l'homme est menacé, dans son ambition et dans son prestige personnel, il lutte pour défendre sa prééminence. De la défensive, il passera à l'offensive en utilisant toutes les « armes » qui peuvent servir à ce but, c'est-à-dire la rivalité, l'envie, les intrigues, l'esprit partisan, les accusations, en un mot, la *violence* qui déchirera la « tunique sans coutures » de l'unité fraternelle.

C'est pourquoi François demande aux frères de s'efforcer de faire preuve de bénignité, de patience, de modération, de mansuétude et d'humilité lorsqu'ils pérégrinent de par le monde (II *Règle,* 3). Il les supplie également de s'efforcer de posséder « l'humilité, la patience, la simplicité pure et la vraie paix de l'esprit » (I *Règle,* 17). Il est évident que si les frères vivent imprégnés de ces tonalités typiques du Discours sur la montagne, ils seront des hommes pleins de suavité et de douceur, capables et disposés à respecter, accepter, comprendre, protéger, stimuler et aimer tous les frères.

Il conseille aux frères de lutter décidément contre « l'orgueil, la vaine gloire, l'envie, l'avarice, la préoccupation et la sollicitude des choses de ce monde » (I *Règle,* 10). Si les frères sont dominés par ces tentations, il sera ironique de les appeler *frères; la fraternité sera entre eux un drapeau déchiré, ensanglanté et piétiné.*

Pour être un bon frère, il faut commencer par être un bon « mineur ». En premier lieu, libération de toutes les propriétés et de toutes les ambitions. On arrivera à la fraternité par le sentier de la libération.

Pauvres pour être mûrs

La libération de soi-même est également une condition pour avoir de la *maturité humaine,* de la *stabilité émotionnelle.* Il suffit d'analyser l'origine des réactions excessives et des attitudes puériles.

Lorsque quelqu'un vit plein de lui-même, se traînant pour mendier l'estime des autres, cherchant toujours à « bien se présenter » devant l'opinion publique, préoccupé de faire « bonne impression »... lorsque les événements arrivent à ce chrétien en proportion de ses désirs démesurés, il aura une réaction excessive de bonheur. Son émotion sera si grande qu'il ne parviendra plus à se contenir, dans son bonheur, il se déséquilibrera.

Mais hélas, le jour viendra où il sera marginal, oublié ou critiqué! Ce jour-là, son intégrité sera encore bouleversée, par le chagrin cette fois. Et nous le verrons « se jeter en bas », se considérer victime; il sera déprimé, abattu, dans une réaction complètement sans proportion avec ce qui est arrivé en réalité. Quelle est l'explication profonde de tout cela?

Supposons que la raison pour laquelle il est critiqué, marginalisé, soit objective et juste. Il la considère toutefois comme une injustice monstrueuse. Il y a donc un problème d'objectivité. Cette personne a une *image* exagérée d'elle-même, un « je » auréolé et idéalisé; elle ne réagit pas selon les dimensions objectives de sa réalité, mais selon son « je » déifié et déformé (habillé) par des rêves et des désirs.

Il faut donc nous libérer de ces rêves qui altèrent la réalité, autrement, nous resterons toujours puérils et tristes.

Au cours des quatre siècles qui suivirent les règnes glorieux de David et de Salomon, la vie d'Israël avec Dieu descendit à ses niveaux les plus bas. Pourquoi? Parce qu'ils s'endormaient sur leurs lauriers. Ils vivaient projetés en deux rêves irréels: le souvenir de l'empire passé, en rêvant du temps où l'antique splendeur reverdirait; de plus, ils aspiraient aux entreprises (inexistantes) d'un Moïse qui les rendrait maîtres du monde.

Ces aspirations leur aliénaient complètement la situation réelle présente (divisés et dominés); elles leur aliénaient surtout leur fidélité à l'alliance avec Dieu, même si le Seigneur leur avait envoyé une suite impressionnante de prophètes en ce laps de temps.

Dieu vit que l'unique solution devait être une catastrophe qui les libérerait de leurs chimères. Il en fut ainsi. Déportés à Babylone, ils se rendirent compte qu'ils ne possédaient rien au monde, même pas l'espérance...; que tous les rêves étaient mensonges, ceux du passé et ceux du futur; qu'ils n'étaient qu'une poignée de faibles et de vaincus. Lorsqu'ils se réveillèrent des images fausses et exagérées d'eux-mêmes et de leur histoire, ils reconnurent (et acceptèrent) la réalité objective de ce qu'ils étaient; la grande conversion à Dieu se réalisa en même temps.

C'est l'histoire terrible et éternelle de chaque peuple et de chaque personne. Il faut se libérer des faux masques derrière lesquels nous nous cachons et accepter la réalité de nos contingences, de notre précarité, de notre indigence et de nos limites. Alors seulement aurons-nous la sagesse, la maturité et le salut.

Aristocratie de l'esprit

Imaginons le cas contraire. Un homme a travaillé de longues années pour se libérer des intérêts et de ses « propriétés » et il a progressé dans la « pauvreté et l'humilité de notre Seigneur Jésus Christ ».

L'objectivité est la première chose qu'il conquiert. Les fleurs ne l'émeuvent plus tellement, les pierres ne l'importunent pas. Il ne meurt pas de joie si on l'élève sur le trône; il ne meurt pas de peine si on le détrône. Son esprit demeure stable devant les approbations comme devant les critiques; plus il est libre de lui-même, plus il se retrouve inébranlable et ferme devant l'inconstance de la vie. Nous nous trouverons devant une figure admirable et enviable, une figure ciselée par l'esprit des béatitudes, pleine de suavité, de force, de patience, de douceur et d'équilibre. Le pauvre de l'Évangile est un *aristocrate de l'esprit.*

Rien et personne ne pourra altérer la paix sereine de son âme parce qu'il n'a rien à perdre, ne s'étant rien «approprié». S'il n'a rien et ne veut rien avoir, qu'est-ce qui peut le troubler?

La «libération de soi-même» donnera comme résultat une personne mûre, équilibrée, extraordinairement stable dans ses réactions et ses émotions, un modèle humain de haute qualité.

Circuit vital

Tout ce processus de libération qui introduit au règne de Dieu, au règne de la fraternité et à la maturité personnelle s'effectuera dans la rencontre avec Dieu, en un circuit qui va de la vie à Dieu et de Dieu à la vie.

Aujourd'hui, les gens disent que le lieu de la rencontre avec Dieu c'est l'homme, le monde. Ce principe pourrait être incontestable théologiquement, mais il est également incontestable que les libérateurs des peuples les plus combatifs et les plus engagés — Moïse et Élie, par exemple — ne rencontrèrent pas Dieu dans le fracas des tempêtes militaires ou des luttes sociales, mais dans la solitude complète, c'est là qu'ils acquirent la trempe et la vigueur nécessaires pour les rudes combats. La même chose arriva à Jésus.

Je dois parvenir à la présence de Dieu avec toute ma charge de difficultés et de problèmes. Ce sera ici (au temps et au lieu de l'oraison) que je devrai orienter vers Dieu mes demandes, les crises et les problèmes pendants.

Ce Dieu avec qui j'ai «communiqué» dans l'oraison, que j'ai «vu», ce Père très aimant doit «descendre» avec moi dans la vie. Cet état de partage et d'intimité que j'ai vécu avec le Seigneur (esprit d'oraison, présence de Dieu) doit durer et marquer ma vie et « avec lui à ma droite » je dois livrer la grande bataille de la libération.

La rencontre avec Dieu est comme un moteur qui produit la force; mais si cette force ne se transmet pas au moyen de poulies à d'autres roues qui mettent en mouvement des mécanismes compliqués, c'est une force inutile.

L'homme a été avec Dieu. Il l'a senti si vivant que sa présence unique l'accompagne partout. Imaginons-le devant une grande difficulté: il doit pardonner une offense, ou bien il éprouve une grande répugnance à accepter quelqu'un qui le comprend mal. Par amour pour ce Dieu qu'il sent présent, il décide de pardonner, d'affronter la situation et de vaincre la répugnance. En remportant cette victoire, l'amour pour Dieu grandit (je dirais: Dieu « grandit »: sa présence est plus dense en moi). Cet amour le pousse à une nouvelle rencontre avec Lui. C'est le circuit vital.

Il y a plus. Surmontée avec amour, la situation répugnante s'est transformée en douceur, comme il arriva à saint François dans la rencontre avec le lépreux. Et Dieu lui dit: « François, tu devras renoncer à tout ce que tu as aimé jusqu'à présent, et tout ce qui te semblait amer se changera pour toi en joie et en douceur. »

Tout germe d'égoïsme (irritabilité, caprice, envie, vengeance, soif d'honneur et plaisir) que l'on surmonte (dont on se libère) avec Dieu et pour Dieu, fait grandir l'amour; et puisque l'amour est unifiant (« mon amour, mon *poids* », saint Augustin) l'attrait (poids) pour Lui grandit et le portera à une nouvelle rencontre avec Lui.

Au cours de la rencontre, s'il entrevoit devoir au long du jour livrer de grandes batailles sur le terrain de la mansuétude, de la patience et de l'acceptation, il « amène » Dieu dans la bataille et « avec lui à la droite », il obtiendra une série de victoires; tout lui coûtera certainement beaucoup, mais chaque dépassement sera compensé par la joie et un amour plus grand.

Il y en aura qui diront, c'est du masochisme. Mais il n'y a que celui qui n'a jamais entrevu même de loin l'expérience de Dieu qui pense cela. Au contraire, ceux qui *vivent* Dieu sentent ce phénomène comme une libération joyeuse.

Lorsque l'homme de Dieu vit en profondeur la rencontre avec Lui, il sent que le *Tu* « prend », « tire », absorbe son *je*: il expérimente alors la liberté absolue dans laquelle disparaissent la timidité, l'insécurité, le ridicule, les complexes. Mais personne ne sentira autrement une plénitude de personnalisation si dense. Cette sensation équivaut exactement à la toute-puissance enivrante et provocatrice dont parlait saint Paul: « Si Dieu est pour nous, qui sera contre nous? » (Rm 8, 31). Le problème, c'est de faire l'expérience que *Dieu est avec moi.* Qui l'a vraiment senti sait ce qu'est la libération absolue.

L'homme revient à la vie une autre fois. Il entend les commentaires défavorables sur sa situation. Son désir de *rester tranquille* et sa soif naturelle d'estime le poussent à se justifier. Il se souvient du silence de Jésus devant Caïphe et Pilate et il ne donne aucune explication; il se tait. Il perd du prestige mais il y gagne en liberté; il continue vers la libération.

Avec le « Seigneur à la droite », il revient à la vie. Il y a une situation de conflit dans laquelle la « prudence humaine » conseille de se taire afin d'éviter les complications. Mais il se souvient de la sincérité et de la véracité de Jésus, et il dit ce qu'il doit dire. Il se complique effectivement la vie mais il se sent intérieurement libre.

S'il le faut, l'homme de Dieu descend dans l'arène ardente des luttes pour la justice. Il devient le porte-parole des sans-voix. L'amour le conduit vers les délaissés, les oubliés par le monde. Il est présent parmi ceux que personne ne regarde et que personne ne désire.

Il distinguera vite la raison pour laquelle il y a des affamés et des démunis et il devra signaler et dénoncer. À la guerre, il répondra par la « guerre ». Et il déplorera promptement les intrigues, les mensonges et les provocations des puissants.

C'est un moment très dangereux pour l'homme de Dieu. Pendant la nuit (sans qu'il s'en rende compte) l'ivraie de la haine contre les oppresseurs peut croître en son cœur. Son esprit peut en rester empoisonné. Le poison de la haine peut « tuer » le Dieu qui est en lui; il peut tarir les meilleures résolutions. À un moment si délicat, il a besoin d'une torche éclairante pour discerner parmi ses sentiments, ceux qui sortent des bas-fonds de son être et ceux qui viennent de Dieu; il devra étouffer les premiers.

Bien que ses tâches puissent être parfois semblables à celles des politiciens, l'homme de Dieu se préoccupe constamment d'être un témoin et non un politicien. Pour rester cohérent avec lui-même et fidèle à sa mission, il a plus que jamais besoin de la « vision » faciale de Dieu à la lumière de laquelle il pourra distinguer les attitudes pures des impures. Il descend fréquemment des « montagnes » avec le Seigneur « à sa droite » (cf. Ps 15) pour se trouver auprès des pauvres, pour défendre les opprimés et libérer les esclaves; mais, en même temps, pour ne pas se laisser envelopper par des motivations qui ne soient pas celles d'un témoin.

Chaque jour, en vivant plongé en Dieu et nourri par l'amour, il cherche de nouvelles occasions et il invente de nouvelles formes d'expression de l'amour. Au milieu des conflits, en danger de céder, il se souvient de la force d'esprit de Jésus dans ses moments difficiles et il se garde intègre. Il garde sereinement son équilibre au milieu des vagues tumultueuses.

Sa libération quotidienne consiste à s'accepter lui-même tel qu'il est, sans se tracasser, évitant les étrangetés et les relations qui importunent les autres; il s'ouvre au pardon en oubliant beaucoup de torts, il accepte les personnes difficiles, il évite la susceptibilité, il vainc la sensibilité et acquiert chaque fois plus de maîtrise de lui-même.

Tant que cela arrive, la foi et l'amour grandissent, Dieu devient récompense et don et la vie prend du sens, de la joie et de la splendeur. En Dieu et par Dieu, les renoncements se transforment en libération, les privations en plénitude, les répugnances en douceur.

2.

PASSAGE DE L'ÉGOÏSME À L'AMOUR

Rectification

Dans la Bible, quel a été le projet de Dieu en créant l'homme? Dieu veut entrer en communion avec l'homme. C'est la finalité ultime des interventions de Dieu dans l'histoire du salut et, surtout, c'est l'objectif final de la double alliance.

En d'autres mots: Dieu, ayant créé l'homme au commencement « à son image et ressemblance » (cf. Gn 1, 26), postérieurement, par ses différentes interventions, Il veut le rendre davantage semblable à Lui en le faisant participer à sa propre nature, finalement, Il veut le diviniser.

Avant le péché, cette communion-ressemblance était une chose facile et naturelle puisque l'homme, selon la Bible, avait été réalisé comme un retentissement parfait de Dieu même; Dieu et l'homme correspondaient exactement l'un à l'autre, ils étaient en harmonie (cf. GS, 12, 14).

Mais le péché arriva et le visage de l'homme se déforma (cf. GS, 13). À partir de ce moment, l'harmonie est impossible, la communion entre deux êtres si différents est impossible. Il devrait y avoir une profonde purification de la structure interne de l'homme moyennant la pénitence pour que l'harmonie, l'unité et la ressemblance soient rétablies.

La Bible présente le péché comme une réalité tragique qui s'enracine dans la substance même de l'homme: « Dans le péché, ma mère m'a conçu » (Ps 50). Saint Paul va plus loin: « Je ne comprends rien à ce que je fais... ce n'est pas moi qui agis ainsi, mais le péché qui habite en moi » (Rm 7, 15-17). Donc, pécheurs, deux fois: par naissance et par faute personnelle.

Au commencement, Dieu donna un ordre à l'homme. Cet ordre fut altéré par l'irruption du péché-égoïsme. Il est maintenant nécessaire de rétablir l'ordre originel par la pénitence. Nous définirons donc la pénitence évangélique comme le rétablissement de l'ordre initial fixé par Dieu dans l'homme. En d'autres mots, une rectification.

Chemin de l'amour

Pénitence signifie également conversion. Et se convertir est une marche difficile de l'homme vers Dieu. C'est pour ainsi dire « passer » incessamment des structures psychiques du « vieil homme » (cf. Rm 6, 6; Ép 4, 22; Co 3, 9) aux « structures » de Dieu. Quelles sont-elles? Ce sont les structures de l'amour, parce que substantiellement, Dieu *est amour* (cf. 1 Jn 4, 16).

Dans l'Évangile, Jésus nous indique la route de ce « passage » par la formule pénitentielle: « Convertissez-vous » (Mc 1, 15; Mt 4, 17). Le discours de la montagne est la plus profonde stratégie de libération des esclavages et des exigences de l'égoïsme. Il définit parfaitement le processus de libération et son but final, l'amour. Effectivement, dans la première partie, il nous parle de la pauvreté en esprit, de l'humilité du cœur, de la patience, de la mansuétude, du pardon...

Tout cela pour signifier que nous devons nous refuser les exigences idolâtres du *je* (cf. Mt 16, 24), et même les refouler (cf. Mt 11, 12) pour calmer les violences intérieures.

Une fois que les énergies intérieures ont été positivement libérées, dégagées et désenchantées de ce *je* plein d'illusions et de rêves, elles se transforment automatiquement en amour. Et voilà que la deuxième partie du Discours de la montagne nous enseigne à utiliser au service de la fraternité ces énergies égoïstes, transformées maintenant en amour:

faire le bien à ceux qui nous font du mal (Mt 5, 38-42);
pardonner à ceux qui nous offensent (Mt 6, 12);
faire la paix devant l'offrande (Mt 5, 23-25);
corriger le frère (Mt 18, 15);

faire le bien sans chercher de gratitude ni de récompense (Lc 6, 35);
présenter l'autre joue (Lc 6, 29);
aimer tous nos frères, et pas seulement ceux qui nous aiment (Lc 6, 32).

En concluant, la pénitence est un «passage» incessant de l'égoïsme à l'amour.

Ascension vers le sommet

Mais la stratégie secrète de la conversion, nous la rencontrons dans l'Évangile sous la forme de scènes successives, antithétiques et opposées qui, tels de vrais chocs psychologiques, furent sur le point d'étourdir les Douze.

Jésus accepte la «confession» de Pierre. Il est effectivement le Messie (cf. Mt 16, 17). Comme effet de cette découverte, dans l'esprit des Douze, le «vieil homme» se réveille, presque un délire de fièvre. Ils commencent déjà à imaginer leur Maître comme un commandant en chef contre les aigles romaines; naturellement, eux, ils auraient partagé avec Lui et goûté l'ivresse du pouvoir et de la gloire.

Sachant qu'il était dangereux de les laisser à la merci de pareils rêves de grandeur, Jésus les affronte et leur dit: «Voici que nous montons à Jérusalem et le Fils de l'homme sera livré aux grands prêtres et aux scribes; ils le condamneront à mort et le livreront aux païens pour qu'ils se moquent de lui, le flagellent, le crucifient; et, le troisième jour, il ressuscitera» (Mt 20, 18-19; cf. Mc 8, 31; Lc 9, 22).

Ces paroles furent une douche d'eau froide sur leurs délires et elles provoquèrent la réaction typique du «vieil homme»: «eux, n'y comprirent rien» (Lc 18, 34), c'est-à-dire qu'ils regardèrent de l'autre côté et ne voulurent rien savoir. C'est la répugnance qu'éprouve l'homme à la vue de la Croix.

Se faisant le porte-parole de cette répugnance, Pierre se prépare alors à combattre la dernière bataille en faveur du vieil homme et de ses rêves. Il tira Jésus à part et se mit à «le réprimander»: «Dieu t'en préserve, Seigneur! non! cela ne t'arrivera pas!»... Monter à Jérusalem? et de plus pour être condamné?

Aucunement! Le Messie ne peut être vaincu, le Messie est invincible et immortel (cf. Mt 16, 22; Mc 8, 32).

La réponse de Jésus fut dure et tranchante: « Mais lui, se retournant, dit à Pierre: 'Retire-toi! Derrière moi, Satan! Tu es pour moi occasion de chute, car tes vues ne sont pas celles de Dieu, mais celles des hommes' » (cf. Mt 16, 23; cf. Mc 8, 33).

Nous avons l'impression que Jésus considérait ce moment comme décisif. Il se place au niveau doctrinal, élève la torche, leur montre les conditions absolues et dit: mes amis, c'est encore le temps de rester ou de vous en aller. Mais celui qui veut venir à ma suite devra renoncer à lui-même, prendre sa croix chaque jour; celui qui est préoccupé de lui-même sera perdu, cela ne sert à rien qu'il me suive. Le grain de blé ne deviendra vie que s'il accepte de mourir. Ainsi donc, qui veut vivre doit mourir (cf. Mt 16, 24-27; Mc 8, 34-38; Lc 9, 23-27; Jn 12, 25).

Jésus se rendit compte que ce dur programme pénitentiel avait secoué la force des Douze, il était comme une pierre d'achoppement pour leur foi et leur espérance. Il prit alors les chefs du groupe, les amena sur le sommet d'un mont et, pour leur rendre leur sécurité, il se transfigura sous leurs yeux.

Dans ces scènes apparemment opposées, nous découvrons comme en un « inconscient refoulé » les ressorts secrets de la pénitence-conversion. En premier lieu, nous voyons les résistances et les répugnances du *je* illusoire qui résiste à se détacher de lui-même, à mourir.

Il y a dans ces scènes un mélange étrange de croix, de mort et de transfiguration; il semble y avoir un vague mélange de défaite et d'échec, de lumière et d'obscurité, le Thabor et le Calvaire. Malgré cette confusion, nous distinguons toutefois une logique jamais démentie dans l'Évangile. C'est la logique de l'ordre nouveau:

pour vivre, il faut mourir;
la résurrection et le crucifiement sont une même chose;
le Calvaire et le Thabor sont une même chose;
la résurrection n'est pas la suite, mais la conséquence de la mort du Christ;
seule la pénitence conduit à la transfiguration.

Se mortifier, pourquoi?

C'est un fait historique, indiscutable, que des hommes de Dieu d'un grand prestige humain comme saint François d'Assise ou saint Jean de la Croix réalisèrent leur transformation en Jésus Christ *dans la mesure et en même temps* qu'ils s'adonnaient à la pénitence corporelle.

Un biographe contemporain de saint François d'Assise dit qu'il « vécut crucifié », arrivant au point de demander pardon à « frère âne » (son corps) pour l'avoir soumis à tant de mauvais traitements. Ceci nous paraît d'autant plus étrange que François a été un des hommes les plus vibrants pour les beautés de la création.

Il est vrai que pénitence ne signifie pas seulement mortification; dans le contexte biblique, la mortification reste incluse dans le concept général de pénitence. Dans la traduction alexandrine de la Bible, on distingue deux verbes: *metanoien* qui indique le changement mental, la conversion intérieure; et *epistrefein* qu'on pourrait traduire par se mortifier, en parlant des actes extérieurs de pénitence en tant qu'ils conditionnent et facilitent la conversion.

La mortification, comprise dans son sens ascétique, a subi de forts assauts ces derniers temps et toujours au nom des nouveaux courants théologiques. Aujourd'hui, même la parole *mortification* sonne mal et inspire de la répugnance. Ils l'appellent tout bonnement masochisme. Je suis d'accord avec une bonne partie des raisons pour lesquelles on a combattu avec force certaines mortifications volontaires. Il fallait toutefois couper les branches sans blesser le tronc; au contraire, on a donné des coups à l'aveuglette.

En partant de la théologie des valeurs humaines, on arrive à dire que nous devons aimer la vie; que Dieu a créé toutes les choses pour que nous soyons des enfants heureux, que nous devons nous en servir convenablement, que personne n'est heureux en s'en privant; le verbe *renoncer* n'a plus de sens... Je sais que ces idées, correctement comprises, sont justes.

Le fait est qu'elles sont ensuite appliquées aveuglément à l'universalité de la vie, y compris la vie consacrée, et alors, il faut voir ce qu'on entend par les trois vœux, par fraternité...!

Et tout y passe au nom de ces théories évaluées superficiellement et appliquées sans responsabilité. La signification de ces théories, expliquées et appliquées avec légèreté et sans responsabilité, ne s'éloigne pas du cri païen enregistré dans l'Écriture: « On mange, on boit... car demain, nous mourrons » (Is 22, 13).

Il ne sert à rien de théoriser. Il suffit d'y penser un peu et n'importe qui peut reconnaître par lui-même que se priver de quelque chose *par amour* apporte une satisfaction semblable à celle que connaît celui qui se sent aimé. Dans l'amour, la privation a le sens d'un accomplissement, d'une plénitude. Plus on se donne de compensations, plus on se sent vide. Les hommes n'ont jamais été plus fils de la société de consommation que maintenant; ils n'ont jamais tant eu de satisfactions; toutefois, ils ne se sont jamais sentis si insatisfaits.

Si sainte Thérèse dit que « rien ne manque à qui a Dieu », n'importe qui d'entre nous peut remarquer que celui qui « n'a pas » Dieu manque de tout, même s'il a le monde entier entre les mains. Dans ce sens, les plus récentes statistiques sur le suicide sont éloquentes. Qui sont ceux qui s'enlèvent la vie? Principalement, les riches qui s'ennuient, à qui rien ne manque, et qui malgré cela, sont opprimés par le vide de la vie comme par un poids insupportable.

Ce sont des vérités expérimentées. Il suffit de réfléchir sur les racines éternelles de l'homme et n'importe qui percevra que chaque personne est un puits infini. Et un puits infini ne peut se remplir avec une multitude de choses finies; seul un Infini peut le remplir. Seul Dieu peut combler le cœur humain et apaiser ses vibrations profondes. L'expression de sainte Thérèse contient une grande dimension anthropologique: *seul Dieu suffit.*

Comment Jésus put-il dire que les heureux, ce sont les pauvres, ceux qui pleurent, les persécutés, les sans prestiges... quand le sens commun qualifie d'heureux les millionnaires, ceux qui rient, ceux qui jouissent du prestige et de la liberté? La vérité, c'est que si quelqu'un n'a pas d'argent, de liberté, de santé, de prestige... mais qu'il *a Dieu,* alors il a tout, il est bienheureux parce qu'il a la plénitude du bien: « Rien ne manque à qui a Dieu. »

Si nous voulons comprendre les choses seulement de façon intellectuelle, elles apparaissent insoutenables et même absurdes. Mais la tête, que *sait*-elle? *On ne sait que* ce que l'on expérimente. Pour *comprendre* l'Évangile, il faut le vivre. Pour comprendre Dieu, il faut « le vivre ». Les choses de Dieu ne se comprennent qu'en les vivant. C'est alors qu'elles cessent d'être des paradoxes.

Lorsque le chrétien entre à fond dans le fleuve vital de Dieu, il sent immédiatement le besoin d'extérioriser sa réponse d'amour par des faits concrets de vie. On dira qu'il faut canaliser cet amour dans le cadre de la fraternité, dans l'attention aux pauvres, dans l'acceptation des maladies... Nous sommes pleinement d'accord. Mais la vie enseigne que si le chrétien ne *s'entraîne* pas à l'amour par des privations volontaires, il sera normalement incapable d'amour oblatif; il n'aimera que lui-même en forme directe, ou différente, ou transférée.

Le fait est que de nos jours, pour soutenir des jugements de valeur, on recourt aux soi-disant *sciences humaines* sans tenir compte *de fait* de Dieu; au moins du Dieu vivant et vrai. Et alors il est vrai que quand Dieu n'est pas la source vive d'expérience, toute mortification est du masochisme, le célibat est une répression, l'obéissance, une dépendance infantile, les renoncements sont des mutilations inutiles et même la vie finit par être une trame de désunions, de compensations et de dérivés. Par exemple, quel sens peut avoir la fidélité conjugale ou l'amour du prochain pour celui qui n'a pas l'expérience de foi?

Mais nous comprendrons suffisamment que la privation est *amour,* et que l'amour mûrit et déploie la personnalité; et que ceux qui sont incapables de se priver de quelque chose le sont précisément parce qu'ils sont incapables d'aimer.

Âmes victimes: substitution ou solidarité

Dans l'histoire de l'humanité, depuis les temps les plus reculés, les questions suivantes ont été posées:

— Si Dieu existe et s'il est bon et puissant, pourquoi n'élimine-t-il pas une fois pour toutes les maux qui oppriment ses enfants?

— Si Dieu existe et s'il est bon et juste, pourquoi les impies triomphent-ils et les bons sont-ils vaincus?

— Si les maux dont nous souffrons sont la conséquence du péché, pourquoi les justes vivent-ils accablés de malheurs tandis que les pécheurs jouissent de la santé, de la prospérité et sont dans la joie?

Ce sont les éternelles questions qui ont toujours torturé le vieux cœur de l'homme. Ce sont des demandes qui jaillissent des pages mêmes de la Bible; encore aujourd'hui, sur la bouche de plusieurs, elles sont de vrais défis lancés contre le ciel.

Voilà le problème du mal, problème très complexe du point de vue philosophique, théologique et humain. Nous ne sommes pas intéressés à approfondir le problème du mal mais d'après ces questions, à nous diriger directement sur la question que nous nous proposons, celle des « âmes victimes ». J'en parle sur la base d'une longue observation attentive de la vie qui a laissé un ensemble d'impressions dans mon esprit.

Il y a des personnes qui semblent nées pour souffrir. Une série implacable de limitations conflue sur elles, malheurs, événements biologiques ou psychologiques; la souffrance a été leur pain quotidien. Parfois, les maux se succèdent, parfois, ils surviennent par bandes. J'ai entendu plusieurs personnes dire, aux dernières années de leur vie: je n'ai pas eu un seul jour heureux dans mon existence.

À mon avis, la source principale des souffrances a ses racines dans la constitution personnelle même, à partir des codes génétiques et des lois héréditaires. Il y a des personnes qui sont nées avec un désir insatiable d'estime et une carence remarquable de qualités; d'où une personnalité de grand conflit. D'autres sont venues au monde avec des tendances, périodiques ou sporadiques, aux dépressions maniaques et à d'autres obsessions incontrôlables. D'autres sont nées timides et misanthropes. Il y en a qui sont toujours dominées par la mélancolie; elles sont tristes et elles ignorent pourquoi; rien ne les réjouit et elles ne savent pas pourquoi; elles vivent dans la rancune et elles souffrent; elles sont envieuses et elles souffrent; elles sont craintives et elles ont peur de tout. On pourrait continuer à l'infini.

Plusieurs se sentent malheureux à cause des maladies limitantes qui les empêchent de goûter un peu de bien-être et de joie de vivre. Chacun a sa propre histoire clinique: déficiences organiques qui l'accompagnent jusqu'à la fin, douleurs transitoires, complications sérieuses...

Pour d'autres, c'est le malheur (comme ils disent) qui leur joue un mauvais tour. Tout va mal pour eux. On ne sait pour quelles raisons mystérieuses, certains vivent en permanence dans les incompréhensions, les persécutions, l'envie...

Devant cette réalité générale, chaque personne réagit de différentes manières selon les critères d'orientation divers ou les différentes catégories mentales. Certains se limitent simplement et passivement à se plaindre: on vit une seule fois, pourquoi un si mauvais sort?

Il y a toutefois une façon commune de réagir qu'on ne sait comment définir et qui affleure presque unanimement bien qu'avec des modalités différentes. C'est une mystérieuse *constante* du cœur humain.

De quoi s'agit-il? Comment l'appeler? Le fait est que nous trouvons dans le cœur humain (surtout de celui qui souffre) une espèce de vocation naturelle à l'expiation. Aliénation? Masochisme? Les superficiels sont toujours prêts à employer joyeusement des définitions sans se préoccuper d'analyser les phénomènes.

Qu'est-ce en réalité? Je dirais qu'il s'agit d'une nécessité de transcendance, d'ouverture. Dans les racines ancestrales de l'homme, il y a une vocation (nécessité) de *solidarité* profonde et transcendante avec l'humanité, surtout avec l'humanité souffrante et pécheresse. Serait-ce que l'homme trouve sur son chemin la manière d'exorciser et de se libérer (aliéner?) du poids terrible de la souffrance; ou qu'il y a déjà un désir de rédemption et de solidarité même avant que l'homme expérimente la souffrance? N'y aurait-il pas en chaque personne, comme une veine cachée, un petit « rédempteur »?

Solovïev, Dostoïevski, en partie, Tolstoï et Berdiaev ont réfléchi profondément sur le messianisme du peuple russe. Ils dirent de mille manières que l'humanité aurait été sauvée par les souffrances du peuple russe, souffrances acceptées en silence et en paix. Consolation aliénante ou solidarité messianique?

Je me souviens d'avoir connu quelques personnes qui, en adhérant avec ferveur à la doctrine de la *réincarnation*, souffraient en paix tous les malheurs de leur vie, et elles étaient nombreuses, convaincues d'expier les péchés de leur vie précédente. Ceci les soulageait beaucoup; c'était leur unique réconfort au milieu des afflictions nombreuses.

J'ai connu plusieurs personnes assaillies par les maladies et les malheurs qui sentaient la paix et la sérénité à la seule pensée qu'elles collaboraient à la rédemption du monde avec Jésus. C'était pour elles un soulagement infini que d'offrir leurs souffrances dans un sentiment de solidarité salvatrice. J'ai vu dans les yeux de plusieurs malades incurables, renfermés dans les hôpitaux, une paix profonde et une étrange joie: il leur suffisait de regarder le crucifix et de penser que leurs souffrances servaient au salut du monde. Façon de se libérer de la souffrance ou de correspondre à leur vocation de solidarité?

La chose tragique, ce n'est pas de souffrir mais de souffrir inutilement. Lorsqu'il y a un *pourquoi,* la souffrance ne perd pas seulement sa virulence, mais la souffrance inévitable peut se transformer en une belle cause et en « mission » transcendante.

L'homme n'est jamais isolé, ni devant Dieu ni devant l'humanité. Dans la Bible, le péché aussi bien que le salut ont une dimension sociale. L'homme a un destin commun: l'action mauvaise nuit à tout le peuple comme la bonne action fait du bien même à tous les autres.

Dans la Bible, le prophète Isaïe fut le premier à pénétrer dans les coins les plus mystérieux du cœur humain et à signaler la fonction substitutive ou solidaire du « juste » à travers ses souffrances.

> « En fait, ce sont nos souffrances qu'il a portées,
> ce sont nos douleurs qu'il a supportées (...)
> Il a été broyé à cause de nos perversités,
> déshonoré à cause de nos révoltes (...)
> et dans ses plaies se trouvait notre guérison » (Is 53, 4-5).

À l'époque des Maccabées, l'idée de l'importance de la souffrance et de la mort du juste comme expiation substitutive se consolide. La souffrance imméritée et le martyre du juste symbolisaient non seulement la justification des péchés personnels mais surtout des péchés des autres.

Au lieu de...

Le grand romancier français Georges Bernanos traite le problème, sous la perspective de la *crainte,* dans son œuvre remarquable *Le Dialogue des Carmélites.*

Au début du drame, l'auteur parle des derniers jours de la Prieure, une femme de Dieu, admirable en tout, qui a été en charge plusieurs années. Vient pour elle l'heure de la mort et la peur l'enserre comme un serpent; elle s'efforce de la cacher à ses sœurs, mais elle n'y parvient pas. Elle se trouve dans une situation très semblable à celle de Jésus à Gethsémani: panique, crainte, tristesse, angoisse. L'unique chose qu'elle parvient à dire à son dernier moment, ce sont des paroles sans suite: « Je demande pardon... mort... peur de la mort. » Et ainsi effrayée, elle meurt.

Un mois plus tard, deux novices qui cueillent des fleurs dans le jardin pour les déposer sur le tombeau de la Prieure tiennent le dialogue suivant:

> *Constance:* « Oh !, j'ai beau être jeune, je sais bien déjà qu'heurs et malheurs ont plutôt l'air tirés au sort que logiquement répartis ! Mais, ce que nous appelons hasard, c'est peut-être la logique de Dieu? Pensez à la mort de notre chère Mère, Sœur Blanche ! Qui aurait pu croire qu'elle aurait tant de peine à mourir, qu'elle saurait si mal mourir ! On dirait qu'au moment de la lui donner, le bon Dieu s'est trompé de mort, comme au vestiaire on vous donne un habit pour un autre. Oui, ça devait être la mort d'une autre, une mort pas à la mesure de notre Prieure, une mort trop petite pour elle, elle ne pouvait seulement pas réussir à enfiler les manches...
>
> *Blanche:* La mort d'une autre, qu'est-ce que ça peut bien vouloir dire, Sœur Constance?
>
> *Constance:* Ça veut dire que cette autre, lorsque viendra l'heure de la mort, s'étonnera d'y entrer si facilement, et de s'y sentir confortable... Peut-être même qu'elle en tirera gloire: « Voyez comme je suis à l'aise là-dedans, comme ce vêtement fait de beaux plis... »
>
> *Silence.*
>
> *Blanche:* (d'une voix un peu tremblante) Voilà notre bouquet fini... »

Et c'est ainsi, très simplement, à travers les boutades d'une novice ingénue, que l'auteur ouvre un interrogatoire terrible mais il nous place en même temps sur la trace et il insinue la solution de quelques énigmes qui ont toujours torturé le cœur humain. Il s'agit d'événements absurdes, sans logique ni sens qui se déroulent tous les jours devant nos yeux.

Nous voyons des personnes sûrement bonnes, affligées de malheurs et de désastres. Et, un peu plus loin, des tyrans et des oppresseurs sous une pluie de triomphe et d'honneurs et en santé.

Que signifie cela? Qu'arrive-t-il? Dieu a bouleversé l'ordre des choses: ce qu'il aurait dû donner à l'un, il l'a donné à l'autre. Comme dit Bernanos, les uns sont en train de souffrir et de mourir *au lieu des autres.* N'est-ce pas une injustice évidente?

N'y a-t-il pas ici un manque absolu de logique et de sens commun?

Aventurons-nous timidement dans une tentative d'explication. Dieu veut établir l'équilibre entre les profits et les pertes, entre la quantité de bien et la quantité de mal. Nous vivons dans une société singulière où *nous gagnons en commun et perdons en commun.* Oui, l'Église est comme une *«société d'intérêts communs»* dans laquelle tous participent dans la même mesure aux profits et aux pertes.

Et puisque dans cette «société», il y a beaucoup de gaspillage ou de perte de vitalité de la part de beaucoup de baptisés incohérents, les pertes des uns devront être équilibrées à partir des profits des autres. Eh bien, puisque ces baptisés seraient incapables de *vivifier* la «croix», Dieu se voit «contraint» de placer les bons dans des situations douloureuses pour qu'ils puissent rendre mérite et vie. Ainsi, Dieu obtient-il l'équilibre entre les profits et les pertes.

Pour pouvoir mieux comprendre ce mystère et pour que «l'explication» soit convaincante, nous avons besoin de pénétrer dans deux autres mystères.

Le «corps» de l'Église

Nous ne sommes pas de simples associés, mais bien des membres d'une société très particulière qui est comme un corps ayant plusieurs membres et formant une seule unité. Chaque membre a sa fonction spécifique et tous les membres concourent complémentairement au fonctionnement général de tout l'organisme (cf. 1 Co 12, 12).

Lorsque nous nous blessons à un pied, le laissons-nous saigner en disant que cette blessure n'a rien à voir avec la tête? Lorsque l'oreille est malade, l'œil dit-il: je n'ai pas besoin de toi pour voir? Non, chaque membre aide les autres parce que tous les membres ensemble constituent l'organisme. Qu'en serait-il du bras s'il n'adhérait pas au corps? À quoi serviraient les yeux sans l'ouïe, ou les oreilles sans les pieds? (cf. 1 Co 12, 14-25).

Mais il y a plus: « Si un membre souffre, tous les membres partagent sa souffrance; si un membre est à l'honneur, tous les membres partagent sa joie » (1 Co 12, 26).

C'est précisément ici que nous touchons le cœur de la question. Même si le petit doigt seul nous fait mal, il est possible que la fièvre s'empare de tout notre organisme et que tous les membres en subissent les conséquences. Pourquoi les genoux devraient-ils souffrir à cause du petit doigt? Parce que nous gagnons en commun et nous perdons en commun. Le petit doigt a-t-il perdu? Tous les membres ont perdu. Le doigt est-il guéri? Tous les membres sont guéris.

Il existe donc à l'intérieur de l'organisme que nous appelons Église, une intercommunication de santé et de maladie, de bien-être et de malaise, de grâce et de péché.

Il n'est pas indifférent alors que je sois un saint ou un tiède. Si je gagne, toute l'Église gagne; si je perds, toute l'Église perd. Si j'aime beaucoup, l'amour grandit dans le torrent vital de l'Église. Si je suis un « mort », c'est l'Église entière qui doit traîner ce cadavre. Il y a donc interdépendance.

Cette explication voudrait éclairer le mystère et la spiritualité des « âmes victimes ».

3.

À L'IMAGE DE JÉSUS CHRIST

Le combat nocturne de Jacob

Dans la Bible, il y a un fait mystérieux chargé de force primitive et sauvage. C'est le combat que Jacob soutint avec Dieu.

Jacob prit ses onze fils, ses deux femmes, les deux esclaves et tous ses biens, il leur fit traverser le fleuve Yabboq. Jacob resta en arrière et voilà que tandis que l'ombre de la nuit l'enveloppait, « un homme » soutint avec lui un dur combat jusqu'au point du jour.

À une phase du combat, « cet homme » heurta Jacob à la courbe du fémur qui se déboîta. Puis il lui dit: « Laisse-moi aller car l'aurore s'est levée. » Jacob répondit: « Je ne te laisserai pas que tu ne m'aies béni. » Il lui demanda: « Quel est ton nom? » « Jacob », répondit-il. Il reprit: « On ne t'appellera plus Jacob, mais Israël car tu as lutté avec Dieu et avec les hommes et tu l'as emporté. » Et Dieu bénit Jacob. Au lever du soleil, Jacob se dit: « ... j'ai vu Dieu face à face, et ma vie a été sauve » (Gn 32, 23-33).

« Israël » est donc un nom propre: il fut donné à Jacob parce qu'il avait soutenu un combat décisif avec Dieu.

Ce récit est plein d'un dense symbolisme: l'homme qui s'accroche à Dieu prend en quelque sorte possession de sa force divine et lui arrache sa protection, l'homme qui livre un combat avec Dieu et qui accepte d'être « attaché » par Lui, est assumé et transformé par Dieu; il participe hautement de son être et de sa puissance.

Le nerf sciatique où Jacob fut frappé, c'est l'égoïsme, axe de soutien et trame maîtresse de toute tendance coupable. Dieu attaque ce point névralgique et il démolit toute la force de l'adversaire. Blessé à ce point, l'homme commence à se transformer en Dieu et à participer à la maturité et à la grandeur du Seigneur, « à l'image de Jésus Christ ».

Voici la raison profonde de l'épisode: lorsque l'homme expérimente Dieu comme un Père très aimant et qu'il « connaît » sa beauté et sa puissance, un amour vibrant pour Lui naît en son être. Eh bien, l'amour est une force unifiante qui suscite le désir irrésistible de n'être qu'une seule chose avec Lui.

Mais il est impossible que deux êtres si différents soient *unis* en tout, sans qu'un des deux perde sa résistance: en effet, la sève se transforme en plante, une goutte de liqueur se dissout dans l'eau, le fer se change en feu.

Dans le combat, dans la rencontre entre Dieu et l'homme, le fort — qui est Dieu — saisit et transforme le faible — qui est l'homme — à condition que ce dernier cesse d'opposer de la résistance. C'est pourquoi nous insistons sur l'attitude d'*abandon* comme condition indispensable de toute transformation.

Moins il y a de résistance, plus il y a d'abandon. L'homme et Dieu peuvent arriver dans l'union des volontés à être réellement *un*. Et c'est ainsi que l'image et la ressemblance peuvent être si remarquables, la participation au mystère de Dieu de la part de l'homme *si forte*, qu'il puisse traverser le monde comme une vive transparence de Dieu. Il est un témoin vivant.

Être et vivre comme Jésus

Nous l'avons répété plusieurs fois: le but final de toute oraison, c'est la transformation de l'homme en Jésus Christ. Tout contact avec Dieu qui ne conduit pas à ce but est une pure évasion aliénante. Il est certain que l'on n'arrivera jamais au but parfait, mais la vie doit être un *processus* de transfiguration, un changement d'une « image » à l'autre.

Nous sommes des pierres brutes que le Père a extraites de la carrière de pierres de la vie. L'Esprit Saint sculpte l'image éblouissante du Seigneur Jésus sur cette pierre. Toute la vie avec Dieu est orientée vers ce but, et voici ce qui la justifie: reproduire le plus fidèlement possible en nous les sentiments, les attitudes, les réactions, les réflexes mentaux et vitaux, bref, la conduite de Jésus.

Miséricordieux et sensible. L'Évangile rapporte expressément que Jésus « fut pris de pitié » (Mt 9, 36; 14, 14; cf. Mc 1, 41; Lc 7, 13). Son visage se transformait, s'identifiait presque, au malheureux devant lui, ses paroles et son regard reflétaient son émotion intérieure.

Jésus ne pouvait voir une souffrance sans s'émouvoir; il ne vécut jamais « pour » lui-même, mais toujours « avec » et « pour » les autres. Sa vie « pour » l'autre, sa souffrance « avec » qui souffre fut si évidente, elle impressionna si vivement que les témoins ne purent l'oublier; ils les rapportèrent avec fidélité. Touché de compassion par le lépreux, Jésus étendit la main et le toucha en disant: « Je le veux, sois purifié ! » (MC 1, 41); « Il vit une grande foule; il fut pris de pitié pour elle et il guérit les malades » (Mt 14, 14); « Jésus parcourait toutes les villes et les villages... guérissant toute maladie et toute infirmité » (Mt 9, 35); il ne prit pas de nourriture avant d'avoir guéri l'hydropique (cf. Lc 14, 2-4); dans la synagogue, il interrompit sa prédication pour guérir l'homme à la main paralysée (cf. Mc 3, 5) et la femme courbée (cf. Lc 13, 11-12).

Jésus invita à lui la grande foule des fatigués et des opprimés pour qu'elle reçoive un message qui lui donnerait la paix (cf. Mt 11, 28-30). Il est venu « annoncer la bonne nouvelle aux pauvres, proclamer aux prisonniers la libération et aux aveugles le retour à la vue; renvoyer les opprimés en liberté, proclamer une année d'accueil par le Seigneur » (Lc 4, 18-19).

Jésus se dédia de tout son être aux abandonnés et aux oubliés: avec sa pensée, sa prière, son travail, sa parole, ses mains (cf. Mt 8, 3), sa salive (cf. Jn 9, 6), la frange de son manteau (cf. Mt 9, 20). Il mit les « œuvres de miséricorde » comme programme et examen final pour l'entrée des justes dans le royaume (cf. Mt 25, 34 ss).

Jésus s'identifie aux nécessiteux avec une sensibilité infinie, comme si Lui-même, le Christ eut faim, soif, fut pèlerin, nu, malade, prisonnier.

Doux et patient. La personne de Jésus respirait une paix infinie, le calme, la douceur et la maîtrise, même lorsqu'on l'« affligeait », l'« attaquait », « se jetait sur lui » (cf. Mc 3, 10; Lc 5, 1). Il offrit toute bénédiction et toute récompense aux doux, aux pacifiques, à ceux qui endurent la persécution avec patience (cf. Mt, 5, 3 ss).

Devant les accusateurs et les juges, Jésus resta humble, patient et digne. Il ne se défendit pas, il ne se justifia pas. Malgré les fausses accusations, il ne se justifia pas devant Caïphe (cf. Mc 14, 60-61), Pilate (cf. Mt 27, 13-14), Hérode (cf. Lc 23, 8-9), inspirant l'admiration du premier et suscitant le mépris chez les autres.

En face du reniement de Pierre, « il se retourna et posa son regard sur lui » (Lc 22, 61), pas un regard d'accusation mais d'amour et de pardon.

La nuit de la passion, la patience de Jésus fut soumise à de dures épreuves: ils le flagellèrent, lui firent mettre un vêtement écarlate comme s'il était fou, ils lui déposèrent une couronne d'épines sur la tête, un sceptre de roseau dans les mains, ils le frappèrent à la tête, ils se moquèrent de lui et l'humilièrent de mille façons. Pour toute réponse, il endura tout en se taisant. Nous ne devons pas oublier que Jésus avait un tempérament très sensible.

Jésus est persécuté jusqu'au dernier moment, sur la croix, par le sacarsme. Pour toute réponse, il invoqua le pardon sur ces ignorants (cf. Lc 23, 34). Cette douceur et cette patience de Jésus durent fortement impressionner les témoins puisque Paul suppliera les Corinthiens: « Je vous le demande... par la douceur et la bonté du Christ » (2 Co 10, 1); et qu'après plusieurs années, les entrailles de Pierre se retournent d'émotion lorsqu'il le regarde: « lui qui, insulté, ne rendait pas l'insulte, dans sa souffrance, ne menaçait pas » (1 P 2, 23).

Prédilection pour les pauvres. Le cœur et les mains ouvertes vers les masses harassées et prostrées (cf. Mt 9, 36; Mc 6, 34), Jésus n'éprouva pas seulement de la peine pour les foules affamées, mais il se préoccupa de leur donner à manger (cf. Mt 15, 32; Mc 8, 2).

Les pauvres furent toujours les favoris de Jésus (cf. Lc 6, 21):

le royaume leur appartient (cf. Lc 6, 20). Le fait que les pauvres sont tenus en considération est le signe que le Messie est arrivé: il vint expressément et presque exclusivement pour eux (cf. Mt 11, 5; Lc 4, 18).

Au Temple, Jésus regarda avec une vive sympathie la pauvre veuve qui offrait les deux pièces de monnaie (cf. Lc 21, 2-4). Cette même sympathie fut manifeste lorsqu'il plaça le pauvre Lazare dans le sein d'Abraham tandis qu'il enfonça le mauvais riche dans l'abîme de l'enfer.

Jésus ne fit pas que se dédier de préférence aux pauvres, mais il partagea leur condition sociale jusqu'aux ultimes conséquences.

Compréhensif et attentif. Le premier à entrer au paradis fut un voleur. Le Père avait recommandé au Fils d'avoir une préférence pour le soin des pauvres et des pécheurs (cf. Mc 2, 17).

Jésus extériorisa si manifestement sa bonté envers les pauvres qu'ils le qualifièrent « d'ami des collecteurs d'impôts et des pécheurs » (Mt 11, 19).

Son contact affectueux et préférentiel avec les publicains tels que Lévi, Zachée et les autres, et qui fit qu'il ne dédaigna pas de s'asseoir à leur table, indigna beaucoup les pharisiens (cf. Mt 9, 10 ss; Lc 19, 1 ss; Lc 15, 1 ss).

Un principe de son programme de vie fut: « Ce ne sont pas les bien-portants qui ont besoin de médecin, mais les malades. Allez donc apprendre ce que signifie: *c'est la miséricorde que je veux, non pas les sacrifices* » (Mt 9, 12-13). « C'est ainsi qu'il y aura de la joie dans le ciel pour un seul pécheur qui se convertit, plus que pour quatre-vingt-dix-neuf justes qui n'ont pas besoin de conversion » (Lc 15, 7).

Jésus ne fut pas effrayé devant les attentions d'une prostituée, mais il la défendit publiquement (cf. Lc 7, 36 ss). À l'adultère, condamnée à mourir lapidée, il dit avec tendresse: « Va en paix ! » (cf. Jn 8, 1 ss).

Jésus exprima son exquise sensibilité humaine en se représentant admirablement lui-même (Père aimant) dans la très belle parabole de l'enfant prodigue (cf. Lc 15, 11 ss).

Jésus manifesta une attention délicate à Nicodème, il resta ami de Joseph d'Arimathie, honora de sa présence divers pharisiens et publicains riches, il secourut Jaïre et la syro-phénicienne. Il fut même en relation avec le centurion de Capharnaüm, un des « dominateurs » romains (cf. Mt 15, 21-28; Mc 7, 24-30).

Jésus eut ses préférences (les pauvres et les marginaux) mais sans exclusivité.

Sincère et véridique. Jésus parla toujours avec une transparence directe: « Oui, oui; non, non ! » (Mt 5, 37), sans arrière-pensées et sans digressions: quand il parlait, il ne s'adressait pas à quelques-uns d'une manière et d'une autre manière aux autres.

Jésus fut courageux lorsqu'on cherchait à l'accuser d'équivoque: « Hypocrites ! Pourquoi me tendez-vous un piège?... Rendez donc à César ce qui est à César, et à Dieu ce qui est à Dieu » (Mt 22, 18, 21).

Jésus fut magnifique lorsque les amis s'approchèrent de lui pour l'avertir que sa vie était en danger parce qu'Hérode cherchait à le faire mourir: « Allez dire à ce renard que je continuerai là et quand je croirai devoir le faire » (Lc 13, 32).

Jésus défendit la vérité même au prix de sa vie: « Or, vous cherchez maintenant à me faire mourir, moi qui vous ai dit la vérité que j'ai entendue auprès de Dieu » (Jn 8, 40); même au prix de perdre ses disciples (cf. Jn 6, 66); même au prix de provoquer le scandale et la persécution (cf. Mt 7, 3; Lc 7, 39). Rien ne lui répugnait plus que l'hypocrisie, le mensonge et la tergiversation. Voici une des expressions les plus belles de l'Évangile: « Vous connaîtrez la vérité et la vérité fera de vous des hommes libres » (Jn 8, 32).

Voilà comment Jésus, désormais proche de l'éternité, atteignit l'objectif de sa vie: « Je suis né et je suis venu dans le monde pour rendre témoignage à la vérité » (Jn 18, 37).

Après plusieurs années, en évoquant la vie de Jésus, Pierre témoignera avec émotion: « Lui dans la bouche duquel il ne s'est pas trouvé de tromperie » (1 P 2, 22).

Toujours aimer. Ses amis eurent vivement l'impression que le Maître avait surtout aimé. C'est pourquoi ils le comprirent parfaitement quand il leur dit: « Comme je vous ai aimés, vous devez vous aussi vous aimer les uns les autres » (Jn 13, 34). Il aima les enfants avec tendresse et simplicité (cf. Mt 19, 14); il en prit un dans ses bras (cf. Mc 9, 36).

Jésus eut de l'affection pour Marthe, Marie et Lazare (cf. Jn 11, 1 ss); avant de mourir, il appela les siens « amis » (cf. Jn 15, 15), mais après la résurrection, il les appela « frères » (cf. Jn 20, 17). Il accueillit le traître par un baiser et une parole d'amitié (cf. Mt 26, 50).

Jésus appela affectueusement « fils » un paralytique pécheur (cf. Mc 2, 5) et « fille » la femme souffrant d'hémorragie (cf. Mt 9, 22). Il aima si profondément son peuple que, le voyant perdu, il ne put s'empêcher de le plaindre et de pleurer (cf. Lc 13, 34).

Il inventa mille formes et façons d'exprimer son amour, car l'amour est ingénieux (cf. Mc 10, 45; Mt 20, 28). Il y a un fond énorme de vérité dans l'ironie brutale du railleur: « Il en a sauvé d'autres, il ne peut pas se sauver lui-même » (Mt 15, 31). Il n'eut qu'une seule mission à accomplir de la part du Père: « Comme le Père m'a aimé, moi aussi je vous ai aimés: demeurez dans mon amour » (Jn 15, 9).

Cet amour de Jésus dut émouvoir si profondément que ses témoins nous transmirent ce souvenir gravé dans des phrases lapidaires: « Dieu, en effet, a tant aimé le monde qu'il a donné son Fils, son unique » (Jn 3, 16); « ... il m'a aimé et s'est livré pour moi » (Ga 2, 20); dans les derniers temps, il y a eu une explosion de bonté et d'amour de notre Sauveur pour les hommes (cf. Tt 3, 4).

Humble et suave. Lorsqu'il guérissait les malades, chassait les démons, opérait des prodiges, Jésus fuyait la publicité. Lorsqu'il fut calomnié devant Caïphe et Pilate: « Tu n'entends pas tous ces témoignages contre toi ? » Mais Jésus ne lui répondit même pas un mot, au grand étonnement du gouverneur (Mt 27, 13-14). Jésus se laissa « manipuler » par le tentateur sans se plaindre (cf. Mt 4, 1-11). Le prophète avait jadis prédit sa douceur: « Il ne cherchera pas de querelles, il ne criera pas, on n'entendra pas sa voix sur les places » (Mt 12, 13; cf. Is 42, 1-4).

Sans se préoccuper de lui-même et se préoccupant des autres. Les foules affamées (cf. Jn 6, 1-13); les apôtres dans le jardin, Pierre (cf. Lc 22, 61); les femmes pieuses, le bon larron (cf. Lc 23, 39-43); sa mère près de la croix (cf. Jn 19, 25-27). Il ne se préoccupa jamais de lui-même; il n'avait pas le temps de manger, ni de dormir, ni de se reposer (cf. Mc 1, 35; 3, 7).

Conclusion

DUEL ENTRE LE DÉCOURAGEMENT ET L'ESPÉRANCE

Le découragement parle

Je suis courbé sous le poids de la déception et de l'expérience de la vie. J'ai déjà vécu cinquante ans, soixante ans. Je suis un vieux loup de mer. Je ne me fais plus d'illusion, rien ne m'afflige, tout m'est indifférent, je suis endurci par la vie et immunisé.

Je fus jeune. Je rêvai car seuls rêvent ceux qui n'ont pas encore vécu. En ce temps-là, mon arbre était florissant d'illusions. Chaque soir, il y avait toutefois un coup de vent et les illusions s'envolaient. Je me levai et je tombai. J'essayai de me relever et je fis une rechute. Sur l'horizon, je hissai mes drapeaux de combat: obéissance, humilité, patience, pureté, contemplation, amour...

Mais je vis bientôt que les rêves étaient aussi loin de la réalité que l'Orient de l'Occident. Ils me dirent: « Essaie encore. » Et je m'embarquai de nouveau sur le bateau doré de l'illusion. Les naufrages se succédèrent. Ils me crièrent de nouveau: « Encore... il y a du temps. » Bien que courbé sous le poids de tant de défaites, je me relevai sur les ailes de l'illusion. La chute fut pire.

Aujourd'hui, je me suis détrompé.

Je ne suis pas né pour être *homme de Dieu*. Je me suis

trompé de route. Mais il est impossible de retourner à l'enfance heureuse ou au sein maternel pour recommencer.

Je regarde en arrière et tout est en ruine. Je regarde à mes pieds, tout est désastre. J'ignore si j'en suis coupable et je suis encore moins intéressé à le savoir. Je ne sais si j'ai lutté avec toutes les armes ou si j'ai trop voulu. Qu'est-ce que cela peut me faire? Personne ne rebrousse chemin.

Je sais une chose avec certitude: il n'y a pas d'espérance pour moi. Ce que je fus jusqu'à aujourd'hui et ce que je suis maintenant, je le serai jusqu'à la fin. Ma pierre tombale sera érigée sur les ruines de mon château.

L'espérance parle

Tu avais construit ta maison sur l'écume. C'est pourquoi elle tomba en ruine une et mille fois lorsque les vagues arrivèrent. Le sable doré des plages fut le fondement de tes édifications et la ruine était inévitable.

Tes règles de jeu furent le calcul des probabilités et les constantes psychologiques. On en voit les résultats. Mais j'ai un dernier mot à te dire à l'aube de ce jour: tu peux encore, l'espérance est encore possible, demain tout ira mieux.

Commence une autre fois.

Si tu n'as vu que des ruines jusqu'à présent, tu auras dorénavant des châteaux de lumière avec le gaillard dirigé vers les sommets éternels. Si tu n'as recueilli que des échecs jusqu'à présent, rappelle-toi que des printemps étincelants s'approchent.

Il y a de hautes montagnes dans la nuit ténébreuse et derrière les montagnes nocturnes, l'aurore arrive en galopant. Il est beau de croire à la lumière lorsqu'il fait nuit.

Le Père respire derrière le silence. La solitude est habitée par la Présence, et le repos et la libération nous attendent là.

Commence une autre fois.

Moi, l'espérance, je suis née par un sombre midi, sur une colline aride baignée de sang, lorsque tous répétaient en chœur: tout est perdu, il n'y a plus rien à faire, le Songeur est mort, les rêves sont finis.

Je suis née du ventre de la mort. C'est pourquoi la mort ne peut me détruire. Je suis immortelle parce que je suis fille première-née du Dieu immortel. Même s'ils me disent des milliers de fois que tout est perdu, je répondrai des milliers de fois que c'est encore le temps.

Jusqu'à maintenant, si des succès et des échecs se sont succédé dans ta vie comme les jours et les nuits, à partir d'aujourd'hui, chaque matin, Jésus ressuscitera en toi et il fleurira comme un printemps sur les feuilles mortes de ton automne. Il vaincra en toi l'égoïsme et la mort. Oui, le Frère te prendra par la main, il te conduira sur les collines lumineuses de la contemplation. Tes anciens drapeaux: force, amour, patience... battront pavillon de nouveau.

La pureté soulèvera la tête sans tache dans tes orangeraies et parmi les fleurs de ton jardin, l'humilité fleurira, invisible.

Tu brilleras de la splendeur des anciens prophètes au milieu du peuple innombrable. Et à la fin, tous diront: c'est un prodige de notre Dieu.

Commence une autre fois.

Regarde: ces étoiles, jaunes ou rouges, palpitent à partir de l'éternité jusqu'à l'éternité. Sois comme elles: ne te lasse pas de briller. Dans les champs arides et sur les âpres cimes, sème la miséricorde, l'espérance et la paix. Ne te lasse pas de semer même si tes yeux ne doivent jamais voir les épis d'or. Les pauvres les verront un jour.

Marche. Le Seigneur Dieu sera lumière pour tes yeux, souffle pour tes poumons, huile pour tes blessures, but pour ta marche, récompense pour tes fatigues.

Commence une autre fois.

TABLE DES MATIÈRES

(*) (*) p.20 Dieu cesse d'être une idée pour devenir une transparence

p.36

p.40 - nous avons besoin d'un signe

p 44-45 - désespoir

(*) 55 - la foi ne consiste pas à sentir mais à savoir...

62 - les frustrés p*(63) au plus grand vide

67 - la force du silence

« Dieu dort dans ma barque ; mais je sait qu'Il est là ».

moïse 68 - aussi longtemps que dure le combat de la vie, il est impossible de voir, de contempler le Seigneur face à face.

(*) 77-78-79 - ce qui est la foi - 80 - certitude, obscurité

(*) (*) 88-89 - où arrête le biopsychique ? où commence la grâce ? - ouverture aux autres

- Ce qui vient de Dieu est la paix, le calme, la grande consolation.

(*) (*) 92 - on peut mesurer la croissance quand l'homme avance dans l'amour, la maturité, l'humilité, la paix.

= effets de la grace.

** 96 - qu'est ce que l'amour OBLATIF

** 98-102 - c'est le Père qui permet tout

important - qu'est-ce que l'ABANDON

-> nos sources de frustrations, rancunes, ressentiments

important

P 102-106 -> Dieu n'a rien à faire c̄ cela - qu'en savons-nous

- abandon, foi, purification

- ne perdons pas notre temps c̄ les resultats -> Dieu s'en charge

- ne soyons pas humiliés de nos résultats - c'est l'effort qui compte.

Collection

CONTEMPLATION

1. MON ÂME EN LIBERTÉ, *Claire Silvera-Rochon*
2. LES HEURES EN FEU, *Jacques Gauthier*
3. TON NOM, *Jean Rousseau*
4. LAISSE PARLER TON COEUR, *Gérard Allaire*
5. BRISES SPIRITUELLES, *Ève Bélisle*
6. LES YEUX DANS LE CIEL, *Edith Rose*
7. TA LUMIÈRE EST MON SOLEIL, *Thérèse Bélanger-Léveillé*
8. ENTRE LES MAINS DU PÈRE, *Johanne David*
9. LES SAISONS DE DIEU, *René Pageau*
10. JE MARCHE AVEC TOI, *Claude Fortin*
11. MON COEUR CHANTE JÉSUS, *Michelle Bergeron*
12. PRIEZ COMME VOUS VOULEZ, MAIS PRIEZ, *Jules Beaulac*
13. LE FEU SUR LA TERRE, *Ernest Pallascio-Morin*
14. CHEMINS DE TENDRESSE, *Marcelle Paradis*
15. APPRENDS-MOI À PRIER, SEIGNEUR!, *Jean-Guy Paradis*
16. COMME BRISE LÉGÈRE..., *Jules Beaulac*
17. PRIER ENSEMBLE, *En collaboration*
18. PRIER LE JOUR DU SEIGNEUR (A), *Jean-Guy Paradis*
19. MÉDITER ET PRIER AVEC MARIE, *Jean-Guy Paradis*
20. PRIER LE JOUR DU SEIGNEUR (B), *Jean-Guy Paradis*
21. MONTRE-MOI TON VISAGE, *Ignace Larrañaga*

p151 - psaumes
* 158
* 162 = fond douloureux
* 172-173 = aridité; envie de mourir; tristesse désolation;
** 176-178 - témoignages de l'aridité de Ste-Thérèse

intériorité
* 182 - l'âme
187 - remonter c Dieu